rainbow rowell

eleanor & park

Traduit de l'anglais (États-Unis)
par Juliette Paquereau

POCKET JEUNESSE
PKJ·

Livre publié sous la direction de Bénédicte Lombardo

Titre original :
Eleanor & Park

Loi n° 49 956 du 16 juillet 1949 sur les publications
destinées à la jeunesse : juin 2014.

ISBN 978-2-266-23470-2

eleanor & park

L'auteur

Rainbow Rowell écrit des romans, parfois sur des adultes, parfois sur des adolescents. Mais elle invente toujours des histoires sur des personnages qui ont l'impression de se planter. Et qui tombent amoureux. Quand elle n'écrit pas, Rainbow Rowell adore lire des *comics* et discuter à n'en plus finir sur le sens de la vie. Elle vit dans le Nebraska avec son mari et ses deux fils.

Pour Forest, Jade, Haven et Jerry –
et tous les autres à l'arrière du pick-up

Il n'essayait plus de la faire revenir.

Elle revenait seulement quand elle en avait envie, dans des rêves, des mensonges et des déjà-vu délabrés.

En voiture, par exemple, quand il allait au travail et qu'il apercevait au coin d'une rue une fille aux cheveux roux, il pouvait jurer, le temps d'une suffocation, que c'était elle.

Alors il voyait que les cheveux de la fille étaient plus blonds que roux.

Et qu'elle tenait une cigarette... Et qu'elle portait un tee-shirt des Sex Pistols.

Eleanor détestait les Sex Pistols.

Eleanor...

Elle était debout derrière lui jusqu'à ce qu'il tourne la tête. Étendue près de lui juste avant qu'il se réveille. Elle lui donnait l'impression que tout le monde était terne et morne, jamais assez bien.

Eleanor, qui gâchait tout.

Eleanor, partie.

Il n'essayait plus de la faire revenir.

août 1986

1

park

XTC ne pouvait pas faire disparaître les débiles au fond du bus.

Park plaqua son casque sur ses oreilles.

Demain, il prendrait Skinny Puppy ou les Misfits. Ou peut-être qu'il se ferait une cassette spéciale pour le bus avec dessus autant de cris et de hurlements que possible.

Il pourrait repasser à la new wave en novembre, une fois son permis en poche. Ses parents lui avaient déjà promis l'Impala de sa mère, et il économisait pour un nouveau lecteur cassettes. Quand il irait au lycée en voiture, il pourrait écouter tout ce qu'il voudrait, ou pas, et *en plus* traîner au lit vingt minutes supplémentaires.

Il entendit hurler derrière lui :

— Ça n'existe pas !

— Putain que si, ça existe ! beuglait Steve. La technique de kung-fu dans *Drunken Monkey*, mec, c'est un putain de vrai truc. Tu peux tuer quelqu'un avec ça...

— Tu racontes que des conneries.

— C'est toi qui racontes que des conneries. Park ! Hé, Park !

Park l'a entendu, mais il n'a pas répondu. Parfois, si on ignorait Steve ne serait-ce qu'une minute, il passait à quelqu'un d'autre. Le savoir assurait quatre-vingts pour cent de votre survie lorsque Steve était dans les parages. Les vingt pour cent restants consistaient à faire profil bas.

Mais Park avait oublié de baisser la tête et une boule de papier atterrit sur sa nuque.

— C'était mes notes de Croissance et développement humain, suce-bite ! a gémi Tina.

— Désolée, chérie. Je t'apprendrai tout ce que tu veux savoir sur la croissance et le développement humain. C'est quoi ta question au juste ?

— Montre-lui la technique de *Drunken Monkey,* suggéra quelqu'un.

Steve a braillé :

— PARK !

Park a enlevé son casque et s'est tourné vers le fond : Steve tenait séance sur la banquette arrière. Même assis, sa tête frôlait le toit. Steve avait toujours l'air d'un géant dans une maison de poupées. Il avait l'apparence d'un adulte depuis son entrée au collège, et encore, c'était avant qu'il se laisse pousser la barbe. Mais alors juste avant.

Des fois, Park se demandait si Steve n'était pas avec Tina parce qu'il avait l'air encore plus monstrueux à côté d'elle. La plupart des filles du quartier des Flats étaient petites, mais Tina ne devait même pas atteindre un mètre cinquante. Épaisse chevelure comprise.

Un jour, au collège, un mec avait essayé d'embrouiller Steve en lui sortant qu'il ferait mieux de ne pas mettre Tina en cloque, parce que ses bébés géants pourraient la tuer :

— Ils vont lui exploser le ventre comme dans *Alien.*

Steve s'était cassé le petit doigt en balançant son poing dans la tête du mec.

Quand le père de Park avait entendu ça, il avait dit :

— Quelqu'un ferait bien d'apprendre au petit Murphy à cogner.

Mais Park espérait sincèrement que personne ne se dévouerait. Le mec que Steve avait frappé n'avait pas pu ouvrir les yeux pendant une semaine.

Park renvoya son cours chiffonné à Tina.

Son géant de copain a embrayé :

— Park, explique à Mikey la technique de *Drunken Monkey*.

— J'y connais rien en karaté, a répondu Park en haussant les épaules.

— Mais ça existe, pas vrai ?

— Je crois.

— Tu vois, a ricané Steve.

Il a cherché un truc à balancer dans la tronche de Mikey, mais ne trouvant rien, il a pointé un doigt sur lui en répétant :

— Je te l'avais dit, putain.

— Et qu'est-ce que Sheridan y connaît en kung-fu ?

— T'es débile ou quoi ? Sa mère est chinoise.

Mikey a dévisagé Park. Qui lui a souri en plissant les yeux.

— Ouais, je crois que je vois maintenant. J'ai toujours pensé que t'étais mexicain.

— Merde, Mikey, t'es vraiment qu'un gros connard de raciste, a ajouté Steve.

— Elle n'est pas chinoise, a rectifié Tina. Elle est coréenne.

— Qui ça ? a fait Steve.

— La mère de Park.

La mère de Park coupait les cheveux de Tina depuis l'école primaire. Elles avaient exactement la même coiffure : longue permanente spirale et gigantesque frange dégradée.

— Elle est super bonne surtout, a objecté Steve en se tordant de rire. Le prends pas mal, Park.

Park a forcé un autre sourire avant de se recaler dans son siège, il a remis son casque et monté le volume. Il entendait toujours les deux débiles, quatre rangs derrière lui.

— Putain mais c'est quoi l'intérêt? demandait Mikey.

— Tu voudrais te battre contre un maître de la boxe du singe? Trop énorme pour toi. Comme dans *Doux, dur et dingue* avec Clint Eastwood, mon pote. T'imagine ce bâtard d'orang-outan se défouler sur toi?

Park a remarqué la nouvelle à peu près au même moment que les autres. Elle était debout à l'avant du bus, prête à prendre la première place disponible.

Il y avait un type assis tout seul, un première année. Il a posé son sac sur le siège à côté de lui, puis il a regardé ailleurs. Et dans tout le bus, ceux qui étaient seuls sur leur banquette se sont glissés côté couloir. Park entendait Tina ricaner; elle vivait pour ce genre de trucs.

La nouvelle a pris une grande inspiration et elle s'est avancée dans l'allée. Personne ne la regardait. Park essayait de l'ignorer aussi, mais c'était un peu comme ignorer un train qui déraille ou une éclipse.

La fille avait vraiment la tête de celle à qui ce genre de situation arrivait souvent.

Elle n'était pas seulement nouvelle, elle était grosse et gauche. Avec des cheveux hallucinants, rouges et bouclés. Et elle était habillée comme… comme si elle *voulait* qu'on la remarque. Ou peut-être qu'elle ne se rendait pas compte de sa dégaine. Elle portait une chemise à carreaux pour homme, avec cinq ou six colliers bizarres autour du cou et des foulards aux poignets. Elle lui faisait penser à un épouvantail ou aux poupées de chagrin[1] que sa mère avait sur sa commode. À quelque chose qui ne survivrait pas en pleine nature.

Le bus s'est arrêté, et d'autres élèves sont montés. Ils ont bousculé la fille avant de s'affaler sur leurs sièges.

C'était bien ça le problème: tout le monde avait déjà une place attitrée. Chacun s'en appropriait une le jour de la ren-

---

1. Minuscules poupées du Guatemala faites de carton, de tissu et de laine.

trée. Les gens comme Park qui avaient suffisamment de bol pour avoir une banquette à eux tout seuls n'allaient pas y renoncer aujourd'hui. Surtout pas pour une fille comme ça.

Park a regardé la fille encore une fois. Elle était plantée là.

— Hé, toi ! s'est écrié le chauffeur du bus. Assieds-toi !

Elle s'est avancée vers le fond du bus. Pile en direction du ventre de la bête. « Punaise, s'est dit Park, arrête-toi. Fais demi-tour. » Il sentait Steve et Mikey se lécher les babines à son approche. Il s'est forcé à regarder ailleurs.

Puis la fille a avisé une place libre dans la rangée opposée à celle de Park. Son visage s'est illuminé de soulagement, et elle s'est dépêchée de la rejoindre.

— Hé, a fait Tina tout net.

La fille a continué d'avancer et elle a répété :

— Hé ! Bozo !

Steve a explosé de rire. Ses copains sont partis au quart de tour.

— Tu ne peux pas t'asseoir là, a pesté Tina. C'est la place de Mikayla.

La fille s'est immobilisée et a levé les yeux vers Tina, avant d'aviser à nouveau la place vide.

— Assieds-toi ! a braillé le chauffeur.

— Il faut bien que je m'assoie quelque part, a dit la fille à Tina d'une voix sûre et posée.

— Ce n'est pas mon problème, a rétorqué l'autre d'un ton cassant.

Le bus a fait une embardée, et la fille s'est cambrée pour ne pas se vautrer. Park a essayé de monter le volume de son Walkman, mais il était déjà à fond. Il a de nouveau regardé la fille ; on aurait dit qu'elle allait se mettre à pleurer.

Avant même qu'il décide de le faire, Park s'est glissé machinalement côté fenêtre.

— Assieds-toi.

Il y avait de la colère dans sa voix.

La fille s'est tournée vers lui, comme si elle ne savait pas s'il faisait partie de la bande d'abrutis.

— Putain de Dieu, a soufflé Park en désignant la place à côté de lui d'un signe de tête. Assieds-toi, à la fin.

La fille a obtempéré. Elle n'a rien dit, heureusement, elle ne l'a pas remercié, et elle a laissé quinze bons centimètres entre eux deux.

Park s'est tourné vers la vitre en attendant que tout ce merdier lui retombe sur la gueule.

2

eleanor

Eleanor passa en revue les options qui se présentaient :

1. Elle pouvait rentrer à pied. Pour : exercice physique, couleurs sur les joues, temps toute seule. Contre : elle ne connaissait pas encore sa nouvelle adresse et n'avait pas la moindre idée de la direction à prendre.
2. Elle pouvait appeler sa mère pour qu'elle vienne la chercher. Pour : des tonnes. Contre : sa mère n'avait pas le téléphone. Et pas de voiture.
3. Elle pouvait appeler son père. Ha ha.
4. Elle pouvait appeler sa grand-mère. Histoire de dire bonjour.

Assise sur les marches du lycée, elle regardait les files de bus jaunes. Le sien était juste là. Numéro 666.

Même si Eleanor pouvait éviter le bus aujourd'hui, même si sa marraine la bonne fée se pointait avec une citrouille pour carrosse, elle devrait toujours trouver un moyen de retourner en cours le lendemain.

Et ce n'était pas comme si les suppôts de Satan dans son bus allaient se lever du bon pied demain. Sérieux. Eleanor ne serait pas surprise de les voir montrer les dents lors de leur prochaine confrontation. Non mais cette fille dans le fond avec sa tignasse blonde et sa veste en jean délavé ? On voyait presque ses cornes dépasser de sa frange. Et le géant qui lui servait de mec était certainement un nephilim.

Cette fille, comme toutes les autres en fait, détestait Eleanor avant même d'avoir posé les yeux sur elle. Comme si elles avaient été engagées dans une vie antérieure pour la liquider.

Eleanor ne savait pas si l'Asiatique qui l'avait finalement laissée s'asseoir était un des leurs, ou s'il était juste débile. (Enfin pas complètement débile... Il était dans deux de ses cours renforcés.)

Sa mère avait flippé en voyant ses mauvaises notes l'an dernier et elle avait insisté auprès du lycée pour qu'Eleanor suive les cours renforcés.

— Ça ne doit pas être une surprise pour vous, madame Douglas, avait dit la conseillère.

« Ha ha, avait ricané Eleanor intérieurement, si vous saviez, au point où on en est, on n'est plus à une surprise près. »

Soit. Eleanor pouvait tout aussi facilement regarder passer les nuages dans ces cours-là. Il y avait autant de fenêtres.

Pour peu qu'elle revienne dans cette école.

Pour peu qu'elle rentre chez elle.

Eleanor ne pouvait pas parler de l'incident du bus à sa mère, qui lui avait dit qu'elle n'avait pas besoin de le prendre. Hier soir, pendant qu'elle aidait Eleanor à défaire son sac :

— Richie a proposé de t'emmener, c'est sur la route de son travail.

— Et il va me faire monter à l'arrière de son pick-up ?

— Il veut faire la paix, Eleanor. Tu m'as promis que tu essaierais aussi.

— C'est plus facile pour moi de faire la paix à distance.

— Je lui ai dit que tu étais prête à faire partie de la famille.

— Je fais déjà partie de la famille. Je suis un peu son membre fondateur.

— Eleanor. S'il te plaît.

— Je vais prendre le bus. C'est pas grave. Je rencontrerai des gens.

« Ha ha, s'est gaussée Eleanor sur les marches. La bonne blague. »

Son bus était sur le point de partir. D'autres avaient déjà démarré. Quelqu'un a dévalé les marches à côté d'elle et fauché son sac par accident. Elle l'a ôté du passage, prête à bredouiller une excuse, mais c'était ce débile d'Asiatique, et il a froncé les sourcils quand il s'est aperçu que c'était elle. Elle lui a rendu un méchant regard, et il a tracé sa route.

« Super, a songé Eleanor, je me présente : "Tête de Turc", pour vous servir. »

3

park

La nouvelle ne lui a pas décroché un mot du trajet.

Park avait passé la journée à essayer de trouver un moyen de lui échapper. Faudrait qu'il change de place. C'était la seule solution. Mais pour aller où ? Il ne voulait pas déranger. Et puis le simple fait de changer de place attirerait l'attention de Steve.

Park s'était attendu à ce qu'il lui tombe dessus à la seconde où la fille s'était assise à côté de lui, mais Steve s'était remis à parler de kung-fu. Park, soit dit en passant, s'y connaissait pas mal en kung-fu. Parce que son père était un taré d'arts martiaux, pas parce que sa mère était coréenne. Lui et son petit frère, Josh, faisaient du taekwondo depuis qu'ils savaient marcher.

« Changer de place... Comment ? »

Il pourrait certainement se mettre à l'avant avec les bizuts, mais ce serait faire preuve d'une formidable faiblesse. Et il ne pouvait se résoudre à laisser la nouvelle bizarroïde toute seule au fond du bus.

Rien que d'y penser lui était insupportable.

Si son père savait qu'il avait ce genre de mentalité, il traiterait Park de fiotte. Tout haut, pour une fois. Si sa grand-mère l'apprenait, elle lui collerait une tape derrière la tête, et le sermonnerait : « Où sont tes bonnes manières ? Est-ce que c'est une façon de traiter ceux qui n'ont pas de chance ? »

Sauf que Park n'avait pas de chance, ou d'influence, à sacrifier pour cette idiote de rouquine. Il en avait tout juste assez pour s'éviter des ennuis. Et il savait que c'était dégueulasse, mais il était assez reconnaissant que des gens comme cette fille existent. Parce que des gens comme Steve, Mikey et Tina existaient eux aussi, et ils avaient besoin de tomber sur quelqu'un. Si ce n'était pas la rouquine, ce serait quelqu'un d'autre. Et si ce n'était pas quelqu'un d'autre, ce serait Park.

Steve avait laissé couler ce matin, mais ça ne durerait pas...

Park entendait encore sa grand-mère : « Sérieusement, mon garçon, tu te rends malade parce que tu as été gentil alors que tout le monde regardait sans lever le petit doigt ? »

Ce n'était pas si gentil que ça, réflexion faite. Il avait laissé cette fille s'asseoir, mais il lui avait gueulé dessus. Quand elle a débarqué dans son cours de littérature cet après-midi, il a eu l'impression qu'elle le traquait.

— Eleanor, a sifflé M. Stessman. Quel noble prénom. C'est un nom de reine, vous savez ?

— C'est le nom de la grosse Chipette dans les *Chipmunks*, a murmuré quelqu'un dans son dos.

Ça en a fait marrer un autre.

M. Stessman a désigné une table libre au premier rang.

— On lit de la poésie aujourd'hui, Eleanor. Dickinson. Nous feriez-vous l'honneur de commencer ?

Il a ouvert le livre à la bonne page et a tapoté du doigt.

— Allez-y, à voix haute et intelligible. Je vous dirai quand vous arrêter.

La nouvelle a dévisagé le prof comme s'il blaguait. Quand elle a compris que non (ça lui arrivait rarement...), elle a commencé à lire :

— *J'ai eu faim, toutes ces années...*

Plusieurs élèves ont explosé de rire. « Punaise, s'est dit Park, il n'y a que Stessman pour demander à une boulotte de déclamer un poème sur la faim pour son premier jour au lycée. »

— Continuez, Eleanor.

Elle a recommencé – ce qui de l'avis de Park, était une très mauvaise idée – plus fort cette fois.

— *J'ai eu faim, toutes ces années,*
Mon midi était venu, de manger
Je m'approchais de la table en tremblant
Et touchais le vin étrange.
C'est cela que j'avais vu sur les tables,
Quand rentrant, affamée, à la Maison
Je convoitais dans les vitrines, la richesse
Que je ne pouvais espérer, mienne[1].

Le prof ne l'a pas interrompue, alors elle a lu tout le poème de cette voix posée et provocante avec laquelle elle avait rembarré Tina.

— C'était merveilleux, jubila le prof à la fin, un sourire béat aux lèvres. Tout simplement merveilleux. J'espère que vous allez rester parmi nous, Eleanor, au moins jusqu'à ce qu'on fasse *Médée*. Voilà une voix qui arrive sur un char tiré par des dragons.

Quand la fille s'est pointée en histoire, M. Sanderhoff n'en a pas fait cas. Il s'est simplement fendu d'un : « Ah, Eleanor, comme la reine d'Aquitaine », pendant qu'elle lui tendait son devoir.

Elle s'est assise quelques rangs devant Park et, pour autant qu'il puisse en juger, elle a passé toute l'heure à fixer le soleil.

Park ne trouvait aucun moyen de se débarrasser d'elle

1. *Emily Dickinson, Poésie complète*, Poème n° 579, Françoise Delphy, trad. Claire Malroux.

dans le bus. Ou de se débarrasser de lui-même. Alors il a mis son casque avant que la fille s'assoie à côté de lui et il a monté le volume au maximum.

Heureusement, elle n'a pas essayé d'engager la conversation.

4

eleanor

Elle est rentrée avant les petits cet après-midi-là, ce qui tombait bien parce qu'elle n'était pas prête à les revoir. Les retrouvailles de la veille avaient été si surréalistes...

Eleanor avait passé tellement de temps à imaginer son retour à la maison, ils lui avaient tous tant manqué ; elle avait pensé qu'ils lui auraient préparé des banderoles de bienvenue et des confettis. Elle s'était attendue à un festival de câlins.

Mais lorsqu'elle était entrée dans la maison, c'était comme si ses frères et sa sœur ne la connaissaient plus.

Ben lui avait lancé un vague coup d'œil, et Maisie... Maisie était sur les genoux de Richie. Eleanor en aurait vomi direct si elle ne venait pas de promettre à sa mère qu'elle se tiendrait à carreau pour le restant de ses jours.

Seul Mouse avait couru vers elle pour l'embrasser. Elle l'avait soulevé dans ses bras avec gratitude. Il avait cinq ans maintenant, et il était devenu bien lourd.

— Salut, Mouse.

Ils l'appelaient comme ça depuis qu'il était bébé, elle ne se souvenait pas pourquoi. Il lui faisait plutôt penser à un gros chiot mal léché : toujours excité et à vouloir vous sauter sur les genoux.

— Regarde, papa, c'est Eleanor, a bredouillé Mouse en sautant par terre. Tu connais Eleanor ?

Richie avait fait la sourde oreille. Maisie observait la scène en suçant son pouce. Eleanor ne l'avait pas vue faire ça depuis des années. Elle avait huit ans maintenant, mais avec son pouce dans la bouche, on aurait dit un bébé.

Le bébé, lui, ne se souviendrait pas d'elle. Il devait avoir deux ans... Il était là, par terre avec Ben. Ben avait onze ans. Il fixait le mur derrière la télé.

Leur mère avait emporté le sac marin contenant les affaires d'Eleanor dans une chambre qui jouxtait le salon, et Eleanor l'avait suivie. La pièce était minuscule, juste assez spacieuse pour une commode et des lits superposés. Mouse leur avait emboîté le pas.

— Tu as le lit du haut, avait-il annoncé, et Ben va dormir par terre avec moi. Maman nous a déjà prévenus, et même que Ben, il a pleuré.

— Ne t'en fais pas pour ça, l'avait rassurée leur mère d'une voix douce. Il faut juste qu'on se réorganise.

Il n'y avait pas la place de se réorganiser dans cette pièce. (Ce qu'Eleanor s'était bien gardée de lui faire remarquer.) Elle était allée se coucher dès qu'elle l'avait pu, pour éviter de retourner dans le salon.

Lorsqu'elle s'était réveillée au milieu de la nuit, ses trois frères dormaient par terre. Il n'y avait pas moyen de se lever sans en piétiner un, et elle ne savait même pas où se trouvait la salle de bains.

Elle l'avait vite trouvée : il n'y avait que cinq pièces dans cette maison, et la salle de bains donnait sur la cuisine ; littéralement, il n'y avait pas de porte. « Cette baraque a été conçue par des trolls », s'était dit Eleanor. Quelqu'un, probablement sa mère, avait tendu un rideau à fleurs entre le réfrigérateur et les toilettes.

De retour du lycée, Eleanor est entrée avec sa nouvelle clef. La maison apparaissait encore plus déprimante en plein jour, miteuse et meublée du strict nécessaire, mais au moins, Eleanor avait les lieux, et sa mère, pour elle toute seule.

C'était étrange de rentrer et de voir sa mère, là dans la cuisine, comme si... comme si de rien n'était. Elle émincait des oignons pour la soupe. Eleanor a eu envie de pleurer.

— Comment c'était, l'école ?

— Bien.

— Ta première journée s'est bien passée ?

— Ouais. Enfin, l'école quoi.

— Tu as beaucoup de travail à rattraper ?

— Je ne pense pas.

Sa mère s'est essuyé les mains sur son jean et a replacé ses cheveux derrière les oreilles. Eleanor a été frappée, pour la dix millième fois, par sa beauté.

Quand Eleanor était petite, elle trouvait que sa mère ressemblait à une reine, une héroïne de conte de fées.

Pas une princesse – les princesses sont juste jolies. La mère d'Eleanor était belle. Grande et noble, avec de larges épaules et une taille élégante. Chacun de ses os avait une utilité là où ils semblaient superflus chez d'autres. Comme s'ils n'étaient pas simplement là pour la faire tenir debout, mais pour prouver quelque chose.

Elle avait le nez long et le menton affûté, les pommettes hautes et rebondies. En la regardant, on pouvait croire qu'elle avait été sculptée dans la proue d'un navire viking, ou alors peinte sur le fuselage d'un avion...

Eleanor lui ressemblait beaucoup.

Mais pas assez.

Eleanor ressemblait à sa mère vue à travers un bocal. Plus ronde et plus douce. Rebondie. Là où sa mère était sculpturale, Eleanor était lourde. Là où sa mère était finement dessinée, Eleanor était empâtée.

Après cinq enfants, sa mère avait la poitrine et les hanches d'une pin-up de publicité pour cigarettes.

À seize ans, Eleanor était bâtie comme une tenancière d'auberge médiévale.

Elle avait beaucoup de formes et n'était pas assez grande pour les mettre en valeur. Sa poitrine commençait sous son menton, ses hanches étaient... une caricature. Même les cheveux auburn de sa mère, longs et ondulés, étaient une meilleure version de ses boucles rousses.

Eleanor a posé une main sur sa tête avec maladresse.

— J'ai quelque chose à te montrer, lui a dit sa mère en posant un couvercle sur la casserole de soupe, mais je ne voulais pas le faire devant les petits. Viens.

Eleanor la suivit dans la chambre. Sa mère a ouvert le placard, sorti une pile de serviettes et un panier à linge rempli de chaussettes.

— Je n'ai pas pu prendre toutes tes affaires quand on a déménagé. Comme tu le vois, il y a moins de place ici que dans l'autre maison..., a-t-elle dit en fouillant dans le placard avant d'en ressortir un sac-poubelle noir. Mais j'ai pris tout ce que j'ai pu.

Elle a tendu le sac à Eleanor avant de souffler :

— Je suis désolée pour le reste.

Eleanor était convaincue que Richie avait jeté toutes ses affaires à la poubelle il y a un an de ça, dix secondes après l'avoir foutue à la porte.

Elle prit le sac dans ses bras.

— Ça ne fait rien. Merci.

Sa mère a tendu la main pour effleurer son épaule, juste une seconde.

— Les petits seront là dans moins d'une demi-heure. On dîne vers 16 h 30. J'aime bien que tout soit fait avant que Richie rentre.

Eleanor a hoché la tête. Elle a ouvert le sac dès que sa mère s'est éclipsée. Elle voulait voir ce qui était encore à elle...

Elle reconnut d'abord ses poupées en papier. Elles étaient éparpillées dans le sac et toutes froissées, certaines avec des traces de crayon de couleur. Eleanor n'y avait pas joué depuis des années, mais elle était quand même contente de les voir là. Elle les a aplaties avant d'en faire une pile.

Sous les poupées, il y avait des livres, une douzaine environ, que sa mère avait dû attraper en vitesse ; ce n'étaient pas ses préférés. Eleanor était heureuse de retrouver *Le Monde selon Garp* et *Les Garennes de Watership Down*. C'était con que *Love Story* n'ait pas survécu au déménagement alors que sa suite, *Oliver's Story*, si. De même, il y avait *Le rêve de Jo March*, mais aucun signe des *Quatre filles du docteur March* ni de *La grande famille de Jo March*.

Il y avait aussi de la paperasse dans le sac. Eleanor avait un classeur dans son ancienne chambre, et sa mère avait dû prendre la quasi-totalité de son contenu. Elle essaya de reformer une pile bien nette de tous ses bulletins et photos de classe et des lettres de ses correspondants.

Elle se demandait où était passé le reste des affaires. Pas seulement les siennes, mais celles des autres. Les meubles, les jouets, et toutes les plantes et les tableaux de sa mère. La porcelaine de mariage danoise de sa grand-mère. Le petit cheval rouge disant « *Uff Da !* » qui était accroché au-dessus de l'évier.

Peut-être que tout ça était emballé et remisé ailleurs. Peut-être que sa mère espérait que cette maison de lilliputiens n'était que temporaire.

Eleanor avait toujours le secret espoir que Richie ne soit que temporaire.

Au fond du sac-poubelle noir, elle aperçut une boîte. Son cœur s'est emballé. Son oncle du Minnesota ne manquait jamais de leur envoyer un abonnement au club du Fruit du mois pour Noël, et Eleanor, ses frères et sa sœur se battaient toujours pour avoir les boîtes dans lesquelles leur parvenaient les fruits. C'était stupide, mais les boîtes étaient de bonne qualité : solides et avec de jolis couvercles. Celle-ci avait contenu des pamplemousses, et les coins étaient élimés.

Eleanor l'ouvrit avec précaution. Tout était intact. Il y avait son papier à lettres, ses crayons de couleur et ses feutres Prismacolor (un autre cadeau de Noël de son oncle), une pile de bons de réduction du centre commercial qui sentaient encore les parfums de luxe. Et puis il y avait son Walkman. Intact. Sans piles, mais là malgré tout. Et qui disait Walkman, disait musique.

Eleanor a penché la tête au-dessus de la boîte. Ça embaumait le Chanel N° 5 et les copeaux de crayon. Elle a poussé un soupir.

Que pouvait-elle bien faire de ces objets ?

Il n'y avait même pas assez de place pour ses vêtements dans le placard. Alors elle a mis la boîte et les livres de côté, et a soigneusement replacé le reste dans le sac. Puis elle l'a fourré aussi loin que possible sur l'étagère du haut, derrière des serviettes de bain et un humidificateur.

Elle a grimpé sur son lit pour trouver un vieux chat hirsute qui faisait la sieste.

— Ouste, a soufflé Eleanor en le poussant.

Le chat a sauté par terre avant de se carapater.

5

park

M. Stessman voulait qu'ils apprennent un poème par cœur, n'importe lequel.

— Vous allez oublier tout ce que je vous ai appris, déclara M. Stessman en se caressant la moustache. Absolument tout. Vous vous rappellerez sûrement que Beowulf a affronté un monstre et que « Être ou ne pas être », c'est *Hamlet* et non *Macbeth*... Mais tout le reste ? Oubliez.

Il allait et venait lentement entre les rangs. M. Stessman adorait ça, arpenter sa classe comme une scène de théâtre. Il s'est immobilisé près de la table de Park avant de s'appuyer d'une main nonchalante au dossier de sa chaise. Park a aussitôt cessé ses gribouillages et s'est redressé. Il ne savait pas dessiner de toute façon.

— Donc, vous allez apprendre un poème par cœur, poursuivit le prof.

Il observa un silence et adressa à Park un sourire digne de Gene Wilder dans *Charlie et la chocolaterie*.

— Le cerveau adore la poésie. Il ne peut s'en débarrasser. Vous allez me mémoriser ce poème, et dans cinq ans, on se croisera au *Village Inn*, et vous me direz « M. Stessman, je me souviens encore de *La Route non prise* ! Écoutez : « *Deux routes divergeaient dans un bois jaune* »...

Il s'est avancé vers la table suivante. Park s'est avachi un peu.

— Interdiction formelle de prendre *La Route non prise*, soit dit en passant, je ne peux plus l'entendre ! Et pas de Shel Silverstein. Il est grandiose, mais vous n'êtes plus au collège. Nous sommes entre adultes ici. Choisissez un poème d'adulte... Un poème romantique. Si vous voulez mon avis, il vous sera fort utile.

Il est passé au bureau de la nouvelle, mais elle n'a pas quitté la fenêtre du regard.

— Bien sûr, c'est à vous de voir. Vous pouvez prendre *Un rêve différé*... Eleanor ?

Elle a tourné la tête, l'air absent. M. Stessman s'est penché vers elle :

— Vous pourriez le prendre, Eleanor. Il est poignant de vérité. Mais quand aurez-vous l'occasion de le citer ? Non. Prenez un poème qui vous parle, et qui vous aidera à parler à quelqu'un.

Park avait l'intention de choisir un poème avec des rimes, facile à retenir. Il appréciait M. Stessman, vraiment, mais il aurait aimé qu'il n'en fasse pas toujours des caisses. Chaque fois qu'il déambulait dans la classe de cette manière, Park était mal à l'aise pour lui.

— On se retrouve à la bibliothèque demain, conclut le prof, de retour à son bureau. Demain, nous cueillerons les roses de la vie.

La cloche a sonné. À point nommé.

6

eleanor

— Fais gaffe, Ragnoute !

Tina a brutalement poussé Eleanor pour monter dans le bus avant elle.

Elle avait convaincu toutes les filles du cours de gym d'appeler Eleanor « Bozo », mais elle était déjà passée à « Ragnoute » et « Bloody Mary ». « Parce qu'on dirait que son crâne à ses ragnoutes », avait-elle expliqué dans le vestiaire.

Évidemment, Tina était dans le même cours de gym qu'Eleanor : la gym était un enfer, et Tina assurément un démon. Un étrange démon miniature. Pas plus haut qu'une figurine ou qu'une poupée de porcelaine. Et elle avait une armée de sous-fifres, toutes en survêtements assortis.

En fait, tout le monde portait des survêtements assortis.

Dans son ancienne école, Eleanor trouvait que le port obligatoire du short craignait déjà pas mal. (Elle détestait ses jambes encore plus que le reste de son corps.) Mais ici à North, c'était port obligatoire du *survêtement* pour tous. Un une-pièce en polyester. Le bas était rouge, et le haut rayé rouge et blanc, avec une longue fermeture Éclair sur le devant.

— C'est pas ta couleur le rouge, Bozo, a jeté Tina la première fois qu'Eleanor l'a enfilé.

Les autres ont explosé de rire, même les Noires qui la détestaient pourtant. Mais se moquer d'Eleanor revenait à gravir la montagne du Dr Martin Luther King.

Après que Tina l'a bousculée, Eleanor a pris son temps pour monter dans le bus, mais elle est tout de même arrivée à sa place avant ce débile d'Asiat. Ce qui impliquait qu'elle se lève pour qu'il se faufile à la sienne côté fenêtre. Ce qui serait gênant. Tout était gênant. Chaque fois que le bus prenait un nid-de-poule, Eleanor lui tombait pratiquement sur les genoux.

Peut-être que quelqu'un dans le bus allait abandonner le lycée ou mourir, et qu'elle pourrait s'asseoir loin de lui.

Au moins, il ne lui adressait jamais la parole. Ni le moindre regard.

Du moins, elle ne pensait pas qu'il le faisait : Eleanor ne le regardait pas non plus.

Parfois elle lorgnait ses chaussures qui étaient cool. D'autres fois, ce qu'il lisait...

Toujours des comics.

Eleanor n'emportait jamais de livre dans le bus. Elle ne voulait pas que Tina, ou qui que ce soit, profite de ce qu'elle baisse la garde.

park

C'était bizarre de s'asseoir tous les jours à côté de la même personne sans lui adresser la parole. Même si elle était bizarre. « Bon sang, ce qu'elle est bizarre ! On dirait un sapin de Noël aujourd'hui, avec tous ces trucs épinglés sur ses vêtements : des bouts de tissus, des rubans... » Le trajet du retour était interminable. Park avait hâte de s'éloigner d'elle, et de tous les autres.

— Hé, il est où ton dobok ?

Il voulait dîner tranquille dans sa chambre, mais son petit frère n'allait pas lui faire ce plaisir. Josh était planté devant le pas de sa porte, déjà en tenue de taekwondo, en train de renifler une cuisse de poulet.

— Papa va arriver, genre maintenant, et ça va chier si t'es pas prêt.

Leur mère s'est pointée derrière Josh et lui a collé une tape sur la tête

— Ne jure pas, grossier personnage.

Elle dut tendre le bras pour ça. Josh était bien le fils de son père : il faisait déjà quinze centimètres de plus que sa mère, et sept de plus que Park.

Ce qui craignait pas mal.

Park a poussé Josh dans le couloir avant de claquer la porte. Jusqu'ici, sa stratégie pour maintenir son statut de grand frère malgré leur écart croissant de taille consistait à faire comme s'il pouvait encore lui botter le cul.

Il arrivait encore à le battre au taekwondo, mais uniquement parce que Josh perdait patience dans tous les sports où sa taille ne lui permettait pas de l'emporter rapidement. Si Josh jouait encore en benjamins, le coach de football américain du lycée venait déjà assister à ses matchs.

Park enfila son dobok en se demandant s'il devrait bientôt porter les vieilles affaires de son frère. Peut-être qu'il pourrait transformer ses innombrables tee-shirts de foot à l'effigie des Huskers en « Hüsker Dü » avec un marqueur Sharpie. À moins que le problème ne se pose pas : Park ne dépasserait peut-être jamais un mètre soixante-deux. Peut-être que ses vêtements actuels ne seraient jamais trop petits pour lui.

Il a mis ses Chuck Taylor et emporté son assiette dans la cuisine, pour finir de manger debout au-dessus du plan de travail. Sa mère essayait d'éliminer une tache de sauce sur la veste de Josh avec un torchon humide.

— Mindy ?

C'est ce que disait le père de Josh tous les soirs en rentrant à la maison, comme dans les sitcoms. (« Lucy ? ») Et sa mère, où qu'elle soit, s'écriait : « Je suis là ! »

Sauf qu'elle disait « Suilaa ! » parce qu'elle ne cesserait manifestement jamais de parler comme si elle débarquait tout juste de Corée. Parfois, Park la soupçonnait de conserver intentionnellement son accent, parce qu'il plaisait à son père. Pourtant sa mère se donnait du mal pour s'intégrer… Si elle pouvait se débarrasser complètement de son accent, elle le ferait.

Son père déboula dans la cuisine et prit sa mère dans ses bras. Ils faisaient ça tous les soirs aussi. Une longue séance de baisers langoureux, sans se soucier des témoins. C'était comme regarder un bûcheron rouler des pelles à une poupée de porcelaine.

Park a tiré son frère par la manche.

— Viens, on y va.

Ils pouvaient patienter dans l'Impala. Leur père les rejoindrait sans tarder, dès qu'il aurait enfilé son dobok géant.

eleanor

Elle ne s'habituait toujours pas à dîner si tôt.

Quand avaient-ils donc avancé l'heure du dîner ? Dans son ancienne maison, ils mangeaient tous ensemble, avec Richie. Eleanor n'allait pas se plaindre de ne pas avoir à prendre ses repas en présence de Richie… Mais maintenant, c'était comme si leur mère voulait qu'ils débarrassent le plancher avant que l'autre rentre.

Elle lui concoctait même un repas spécial. Toasts au fromage pour les enfants, et steak pour Richie. Eleanor n'allait pas se plaindre des toasts au fromage non plus ; ça la changeait des soupes aux haricots, du riz aux haricots, et des *huevos y frijoles*…

Après le repas, Eleanor s'éclipsait dans sa chambre pour bouquiner, alors que les petits sortaient jouer. Qu'est-ce qu'ils pourraient bien faire quand il commencerait à faire froid, et nuit plus tôt ? Est-ce qu'ils se terreraient tous dans la chambre ? C'était inconcevable. Promiscuité genre *Journal d'Anne Frank*.

Eleanor a grimpé sur son lit et sorti sa boîte de papier à lettres. Ce stupide chat gris dormait encore là-haut. Elle l'a fait déguerpir.

Elle a ouvert la boîte à pamplemousses et inspecté son papier à lettres. Elle voulait écrire à ses anciens copains du lycée. Elle n'avait pas eu le temps dire au revoir à qui que ce soit lorsqu'elle était partie. Sa mère s'était pointée sans prévenir et l'avait fait sortir de cours, en disant simplement : « Va chercher tes affaires, tu rentres à la maison. »

Sa mère était tellement heureuse.

Eleanor aussi.

Elles étaient directement allées inscrire Eleanor à North, puis elles s'étaient arrêtées au Burger King sur le chemin de la nouvelle maison. Sa mère n'avait pas lâché sa main… Et Eleanor avait fait semblant d'ignorer les bleus sur ses poignets.

La porte de la chambre s'est ouverte, et sa petite sœur est entrée, le chat dans les bras.

— Maman veut que tu laisses la porte ouverte, a fait Maisie, pour les courants d'air.

Toutes les fenêtres de la maison étaient ouvertes, mais il n'y avait pas le moindre courant d'air. Avec la porte ouverte, Eleanor voyait Richie assis sur le canapé. Elle s'est vite aplatie sur son lit.

— Qu'est-ce que tu fais ?

— J'écris une lettre.

— À qui ?

— Je ne sais pas encore.

— Je peux monter ?

— Non.

À cet instant, Eleanor n'avait qu'une seule chose en tête : garder sa boîte en lieu sûr. Elle ne voulait pas que Maisie voie les crayons de couleur et le papier vierge. Et puis, une part d'elle en voulait encore à Maisie de s'asseoir sur les genoux de Richie.

Ça ne serait jamais arrivé avant.

Avant que Richie mette Eleanor à la porte, tous les petits étaient ligués contre lui. Peut-être qu'Eleanor était celle qui le détestait le plus, et le plus ouvertement aussi, mais ils étaient tous de son côté, Ben et Maisie, même Mouse. Mouse chipait les cigarettes de Richie. C'était lui qu'ils envoyaient frapper à la porte de leur mère, dès qu'ils entendaient des bruits de ressorts...

Quand c'était pire que les ressorts, quand c'était les cris ou les larmes, ils se blottissaient tous les cinq sur le lit d'Eleanor. (Ils avaient chacun leur lit dans l'ancienne maison.)

Maisie était la préférée d'Eleanor à l'époque. Quand Mouse pleurait, que le visage de Ben se vidait de toute expression et qu'il commençait à rêvasser, Maisie et Eleanor se regardaient droit dans les yeux.

— Je le déteste, disait Eleanor.

Maisie répondait :

— Je le déteste tellement que je voudrais qu'il meure.

— J'espère qu'il va tomber d'une échelle au travail.

— J'espère qu'il va se faire renverser par un camion.

— Un camion-poubelle.

— Ouais, acquiesçait Maisie en serrant les dents, et toutes les ordures lui tomberaient dessus.

— Et après un bus foncerait sur lui.

— Ouais.

— J'espère que je serais dedans.

Maisie reposa le chat sur son lit.

— Il aime bien dormir en haut.

— Est-ce que tu l'appelles papa, toi aussi ? lui a demandé Eleanor.

— C'est notre papa maintenant.

Eleanor s'est réveillée au milieu de la nuit. Richie s'était endormi devant la télé dans le salon. Elle a retenu sa respiration jusqu'aux toilettes et n'a pas tiré la chasse d'eau. Quand elle est retournée en tremblant dans la chambre, elle a fermé la porte.

Rien à foutre des courants d'air.

7

park

— Je vais demander à Kim si elle veut sortir avec moi, murmura Cal.

— Fais pas ça, a soufflé Park.

— Pourquoi ?

Ils étaient à la bibliothèque, et ils étaient censés chercher des poèmes. Cal en avait déjà choisi un court qui parlait d'une certaine Julia et de la « liquéfaction de ses vêtements ». (« Vulgos », de l'avis de Park. « Ça peut pas être vulgos, avait rétorqué Cal. C'est vieux de trois cents ans. »)

— Parce que c'est Kim. Tu ne peux pas lui demander de sortir avec toi. Regarde-la.

Kim occupait la table en face de la leur avec deux de ses copines bon chic bon genre.

— T'as vu, elle est trop stylée.

— Bon sang. C'est quoi cette expression débile ?

— Quoi ? Ça se dit. Ça se dit, trop stylée.

— T'as lu ça dans *Thrasher* ou un de tes magazines de skate, non ?

— C'est comme ça que les gens apprennent des nouveaux mots, Park, rétorqua Cal en tapotant un recueil de poésie du doigt. En lisant.

— Tu te donnes beaucoup trop de mal.

— Elle est trop stylée, a répété Cal en désignant Kim d'un hochement de tête.

Il a sorti un sachet de bœuf séché Slim Jim de son sac à dos.

Park a dévisagé Kim. Elle avait les cheveux blonds au carré, avec une frange très définie et ondulée, et c'était la seule au lycée à avoir une Swatch. Kim faisait partie de ces gens qui sont toujours bien repassés. Elle n'osait pas regarder Cal dans les yeux. De peur d'être souillée.

— C'est mon année, a continué Cal. Je vais me trouver une copine.

— Mais probablement pas Kim.

— Pourquoi pas Kim ? Tu crois que je devrais viser plus bas ?

Park a levé les yeux vers lui. Cal n'était pas moche. Il avait un faux air de Barney Rubble dans *Les Pierrrafeu*... Il avait déjà des bouts de *Slim Jim* entre les dents.

— Cherche ailleurs.

— Que dalle ! Je vais commencer par le haut du panier. Et je vais te trouver une copine à toi aussi.

— Merci, mais non merci.

— On se fera des rencards à quatre.

— Non.

— Dans l'Impala.

— T'emballe pas trop.

Le père de Park avait viré facho question permis ; il avait annoncé à Park la veille au soir qu'il devrait d'abord apprendre à conduire une boîte de vitesses.

Park ouvrit un nouveau recueil de poèmes. Qui ne parlaient que de guerre. Il le referma.

— En tout cas, je crois qu'il y a une fille qui te sauterait bien dessus, comme dans *Jungle Fever*.

— T'as même pas la bonne référence raciste, a rétorqué Park en levant les yeux.

Cal a désigné du menton le coin de la bibliothèque. La nouvelle était assise là, à les fixer.

— Elle est du genre un peu grosse, mais l'Impala est une voiture spacieuse.

— Elle est pas en train de me regarder. Elle a juste les yeux dans le vide, elle fait ça tout le temps. Regarde.

Park lui fit un signe de la main, mais elle ne cilla pas.

Il avait croisé son regard une seule fois depuis le premier jour dans le bus. C'était la semaine dernière, en histoire, et elle lui avait pratiquement écorché les yeux avec les siens.

« Si tu ne veux pas que les gens te remarquent, s'était dit Park à ce moment-là, t'as qu'à arrêter de mettre des leurres dans tes cheveux. » Sa boîte à bijoux devait ressembler à une boîte de matériel de pêche. Enfin, tout ce qu'elle portait n'était pas si pourri...

Il aimait bien sa paire de Vans avec des fraises dessus. Et elle avait un blazer vert en peau de requin qu'il aurait bien porté s'il avait pu l'assumer en toute impunité.

Est-ce qu'elle se croyait au-dessus de ce genre de considération ?

Tous les matins, Park se préparait psychologiquement avant qu'elle monte dans le bus, mais la voir le déstabilisait toujours autant.

— Tu la connais ?

— Non. Elle est dans mon bus. Elle est bizarre.

— *Jungle Fever,* je te dis.

— Quand t'es attiré par les Blacks, ouais. Mais je ne pense pas que ce soit politiquement correct.

— Tes ancêtres viennent bien de la jungle, non ? a fait Cal en pointant un doigt sur lui. *Apocalypse Now,* ça te dit quelque chose ?

— Tu devrais demander à Kim de sortir avec toi. Je crois que c'est vraiment une super idée.

eleanor

Eleanor n'allait pas se battre pour un recueil d'E.E. Cummings comme si c'était la dernière poupée Patouf en rayon. Elle s'est installée à une table libre dans la section Littérature afro-américaine.

Encore un truc complètement con, pardon, tordu, dans ce lycée.

La majorité des élèves étaient noirs, mais dans les matières renforcées, la plupart étaient blancs. Ils arrivaient par bus entiers depuis l'ouest d'Omaha. Par contre, les Blancs du quartier des Flats, des élèves médiocres, venaient de l'est.

Eleanor aurait bien voulu avoir plus de cours avancés, en sport surtout...

Mais cela n'arriverait jamais, enfin pas avant d'être passé par le cours de soutien. Avec toutes les autres grosses incapables de faire des abdos.

Soit. Les bons élèves – noirs, blancs, ou d'Asie Mineure – étaient souvent plus sympas que les autres. Peut-être qu'ils étaient tout aussi méchants en vérité, mais qu'ils avaient peur de s'attirer des ennuis, ou alors on leur avait appris à se montrer polis, à laisser leur place aux vieilles dames, aux femmes, et cetera.

Eleanor était dans le niveau renforcé en littérature, en histoire, et en géographie, mais elle passait le reste de sa journée dans un monde de fous. Sérieux, c'était *Graine de violence*. Elle devrait certainement se donner un peu plus de mal dans ses cours d'intellos pour ne pas se faire virer.

Elle a commencé à recopier un poème intitulé *L'Oiseau en cage* dans son cahier... Cool, il avait des rimes.

8

park

Elle lisait ses comics.

Au début, Park se disait que c'était simplement son imagination. Il avait souvent l'impression qu'elle le fixait, mais chaque fois qu'il lui lançait un coup d'œil, sa tête était baissée.

Finalement, il a compris qu'elle regardait ses cuisses. Pas d'une manière dégueu ou quoi. Elle lorgnait ses comics ; il voyait ses yeux bouger.

Park ne pensait pas qu'on puisse avoir des cheveux roux et des yeux noisette. (Il ne pensait pas non plus qu'on puisse avoir des cheveux *aussi* roux. Ou une peau aussi blanche.) Les yeux de la nouvelle étaient très foncés, encore plus que ceux de sa mère, ça lui faisait comme des trous dans le visage.

Ça ne sonnait pas super dit comme ça, mais c'était tout l'inverse. C'était peut-être même le meilleur détail chez elle. Elle lui rappelait la manière dont les dessinateurs représentent Jean Grey lorsqu'elle utilise ses pouvoirs télépathiques, avec ses yeux noirs impénétrables.

Aujourd'hui, elle portait une immense chemise d'homme avec des coquillages partout dessus. Le col devait être vraiment grand, genre disco pelle à tarte, parce qu'elle l'avait coupé, et il s'effilochait. Elle avait noué une cravate autour de sa queue de cheval comme un gros nœud en polyester. Elle avait l'air ridicule.

Et puis elle lisait ses comics.

Park avait le sentiment qu'il devait dire quelque chose. Il avait toujours le sentiment qu'il devait lui parler, même si ça se limitait à « salut » ou « pardon ». Mais il avait attendu trop longtemps sans rien dire depuis la première fois qu'il avait juré devant elle, et maintenant la situation était irrévocablement étrange. Une heure par jour. Trente minutes aller, trente minutes retour.

Park n'a rien dit. Il s'est contenté d'ouvrir sa BD plus grand et de tourner les pages plus lentement.

eleanor

Sa mère lui a paru fatiguée lorsqu'elle est rentrée du lycée. Plus que d'habitude. Tendue et à fleur de peau.

Quand les petits ont déboulé de l'école, elle s'est énervée pour un rien – Ben et Mouse se disputaient un jouet – elle a ouvert la porte de derrière et les a mis dehors, Eleanor avec.

Elle était tellement surprise de se retrouver à l'extérieur qu'elle est restée debout un moment, à observer le rottweiler de Richie. Il l'avait appelé Tonya, comme son ex-femme. Tonya, la chienne, était censée être une mangeuse d'hommes, mais Eleanor ne l'avait jamais vraiment vue faire autre chose que somnoler.

Elle a toqué à la porte, pour voir :

— Maman ! Laisse-moi rentrer. Je n'ai pas encore pris mon bain.

Elle avait l'habitude de se laver après l'école, avant que Richie rentre. C'était moins stressant, surtout depuis que quelqu'un avait déchiré le rideau de douche.

Sa mère fit la sourde oreille.

Les petits avaient déjà pris d'assaut l'aire de jeux. La maison était juste à côté d'une école primaire – celle où Ben, Mouse et Maisie allaient – et la cour jouxtait leur jardin.

Eleanor ne savait pas quoi faire, alors elle alla s'asseoir sur une balançoire, d'où elle pourrait surveiller Ben. La saison des manteaux était enfin arrivée. (Elle aurait bien aimé en avoir un.)

— Vous ferez quoi quand il fera trop froid pour jouer dehors ? demanda-t-elle à Ben.

Il sortait ses petites voitures Matchbox de ses poches pour les aligner dans la poussière.

— L'année dernière, papa nous a dit d'aller au lit à sept heures et demie.

— Punaise. Alors toi aussi ? Pourquoi vous l'appelez tous comme ça ? a-t-elle rétorqué en essayant de contenir son amertume.

— Parce qu'il est marié à maman, a-t-il répondu avec un haussement d'épaules.

— Ouais, mais...

Eleanor a fait glisser ses mains de haut en bas sur les chaînes de la balançoire, avant de coller son nez dessus.

— On ne l'a jamais appelé comme ça. T'as vraiment l'impression que c'est ton papa ?

— Je ne sais pas, a soufflé Ben platement. C'est censé faire quelle impression un papa ?

Elle n'a rien répondu, alors il a continué à aligner ses petites voitures. Il avait besoin d'une bonne coupe de cheveux : sa crinière blond-roux faisait des bouclettes dans son cou. Il portait un vieux tee-shirt d'Eleanor et un short en velours côtelé que leur mère avait coupé dans un pantalon usé. À onze ans, il était presque trop grand pour tout ça : jouer aux petites voitures dans la cour. Les garçons de son âge traînaient en bandes et jouaient au basket toute la soirée. Eleanor croisait les doigts pour que Ben ne soit pas trop précoce. Il n'y avait pas assez de place dans cette maison pour un adolescent.

— Il aime bien que je l'appelle papa, a dit Ben le nez sur ses voitures.

Eleanor a levé les yeux en direction de la cour. Mouse jouait au ballon avec d'autres gosses et Maisie avait dû emmener le bébé quelque part avec ses copines...

Avant, c'était toujours Eleanor qui se retrouvait avec le bébé sur les bras. Ça ne l'aurait pas dérangée de le surveiller maintenant, ça l'aurait même occupée, mais Maisie ne voulait pas de son aide.

— C'était comment ? a soufflé Ben.

— Comment quoi ?

— La vie chez ces gens.

Le soleil était à un petit centimètre au-dessus de l'horizon, Eleanor l'observa longuement.

— Pas mal.

Horrible. Chiant. Mieux qu'ici.

— Y avait d'autres enfants ?

— Ouais, des tout-petits. Y en avait trois.

— T'avais une chambre pour toi toute seule ?

— On peut dire ça.

Techniquement, elle n'avait jamais eu à partager le salon des Hickman avec qui que ce soit d'autre.

— Ils étaient gentils ?

— Mouais, ils étaient gentils. Pas autant que toi.

Les Hickman s'étaient montrés accueillants au début. Mais ils s'étaient vite lassés.

Eleanor était censée rester quelques jours seulement, une semaine tout au plus. Le temps que Richie se calme et la laisse revenir à la maison.

— C'est un peu comme une soirée pyjama, avait fait Mme Hickman à Eleanor le premier soir en dépliant le canapé. Mme Hickman, Tammy, était une copine de lycée de la mère d'Eleanor. Il y avait une photo de mariage au-dessus de la télé où cette dernière était demoiselle d'honneur – en robe vert foncé, avec une fleur blanche dans les cheveux.

Au début, sa mère l'appelait chez les Hickman presque tous les soirs après l'école. Au bout de quelques mois, les coups de fil ont cessé. En fait, Richie n'avait pas payé la facture de téléphone, et la ligne avait été coupée. Mais Eleanor ne l'a appris que bien plus tard.

— On devrait appeler les services sociaux, répétait M. Hickman à sa femme.

Ils pensaient qu'Eleanor ne les entendait pas, mais leur chambre était juste au-dessus du séjour.

— Ça ne peut pas durer, Tammy.

— Andy, ce n'est pas sa faute.

— Je ne dis pas que c'est sa faute, je dis juste que je n'ai pas signé pour ça.

— Elle ne dérange pas.

— Elle n'est pas de la famille.

Eleanor s'est évertuée à encore moins déranger. Elle prenait soin d'effacer toute trace de sa présence dans une pièce, n'allumait jamais la télé, ne demandait jamais la permission d'utiliser le téléphone ou à se resservir au dîner. Elle ne demandait jamais rien à Tammy ou à M. Hickman ; n'ayant jamais eu d'ado, il ne leur serait pas venu à l'esprit qu'elle avait peut-être des besoins particuliers. Heureusement qu'ils ne connaissaient pas la date de son anniversaire...

— On pensait que tu étais partie, a fait Ben en poussant une voiture dans la terre.

Il avait du mal à retenir ses larmes.

— Oh ! garçon de peu de foi, a répliqué Eleanor en prenant son élan.

Elle a cherché Maisie du regard, elle était assise près des grands qui jouaient au basket. Eleanor reconnut la plupart des garçons du bus. Ce débile d'Asiat était là, il sautait plus haut que ce qu'elle pensait. Il portait un short long et un tee-shirt avec écrit « Madness » dessus.

— Je me casse, a fait Eleanor à Ben en descendant de la balançoire avant de lui appuyer légèrement sur la tête. Mais pas longtemps. Pas la peine de craquer ton slip.

Elle est retournée dans la maison et elle a traversé la cuisine en vitesse avant que sa mère ait le temps de lui dire quoi que ce soit. Richie était dans le salon. Eleanor s'est faufilée entre lui et la télé, en regardant droit devant elle. Elle aurait bien aimé avoir un manteau.

9

park

Il lui dirait qu'elle s'en était bien sortie avec son poème.

Et encore, c'était une litote. Elle était la seule de la classe à avoir lu son poème comme si ce n'était pas un devoir. Il avait pris vie simplement en sortant de sa bouche. Park trouvait ça difficile de ne pas la regarder en temps normal, mais pendant sa récitation, c'était devenu carrément impossible. Quand elle a terminé, beaucoup d'élèves ont applaudi et M. Stessman l'a prise dans ses bras. Ce qui allait complètement à l'encontre du règlement du lycée.

« Hé. Bon boulot en littérature. » Voilà ce que Park lui dirait.

Ou peut-être : « Je suis dans ton cours de littérature. Ce poème que tu as lu était vraiment cool. »

Ou bien : « T'es dans la classe de M. Stessman, non ? Ouais, c'est bien ce que je pensais. »

Park a acheté ses comics après le taekwondo mercredi soir, mais il a attendu jeudi matin pour les lire.

eleanor

Ce débile d'Asiat savait pertinemment qu'elle lisait ses comics. Il levait les yeux vers elle parfois avant de tourner la page, comme s'il était extrêmement poli.

C'est clair qu'il ne faisait pas partie des suppôts du fond. Il ne parlait à personne dans le bus. (Surtout pas à elle.) Mais il était de mèche avec eux d'une certaine manière parce que, quand Eleanor s'asseyait à côté de lui, ils lui foutaient tous la paix. Même Tina. Du coup, Eleanor aurait bien voulu passer ses journées assise à côté de lui.

Ce matin, lorsqu'elle est montée dans le bus, elle a eu le sentiment qu'il l'attendait d'une certaine manière. Il avait un numéro des *Watchmen* dans les mains, et ça avait l'air tellement moche qu'elle n'a même pas jugé bon d'y jeter un œil.

Elle préférait les *X-Men*, même si elle ne captait pas toute l'histoire ; pour elle c'était pire que la saga médicale *Alliances & Trahisons*. Eleanor avait mis quelques semaines avant de comprendre que Scott Summers et Cyclope étaient le même type, et elle n'était pas tout à fait sûre de ce qui se tramait avec Phénix.

Mais Eleanor n'avait rien d'autre à faire, alors ses yeux se sont promenés vers les horribles pages… et elle a commencé à les lire. Puis ils sont arrivés devant le lycée. Ce qui était vraiment bizarre parce qu'ils en étaient à peine à la moitié.

Et ça craignait parce que ça voulait dire qu'il lirait la suite dans la journée, et qu'il sortirait un truc nul du genre *Rom* pour le trajet retour.

Sauf que non.

Quand Eleanor est montée dans le bus cet après-midi-là, l'Asiat a ouvert les *Watchmen* pile à la page où ils s'étaient arrêtés.

Ils étaient encore plongés dans le magazine quand le bus s'est immobilisé à l'arrêt d'Eleanor – il y avait tellement d'action, et ils bloquaient tous les deux sur chaque case pendant des minutes entières – et lorsqu'elle s'est levée pour descendre, il le lui a tendu.

Eleanor a été prise de court, elle a essayé de le lui rendre, mais il avait déjà tourné la tête. Elle a glissé le magazine entre ses livres comme pour le garder secret, et puis elle est descendue du bus.

Elle l'a relu trois fois ce soir-là, allongée sur son lit, en caressant le vieux chat dépenaillé. Et puis elle l'a rangé dans sa boîte à pamplemousses pour la nuit, pour être sûre qu'il ne lui arrive rien.

park

Et si elle ne le lui rendait pas ?

Et s'il n'avait jamais l'occasion de terminer le premier numéro des *Watchmen* parce qu'il l'avait prêté à une fille qui ne lui avait rien demandé et qui ne savait probablement pas qui était Alan Moore ?

Si elle ne le lui rendait pas, ils seraient quittes. Le magazine annulerait tout l'épisode du Putain-de-Dieu-assieds-toi-à-la-fin.

Punaise… non, en fait il n'annulerait rien.

Et si elle le lui rendait ? Il était censé lui dire quoi ? Merci ?

eleanor

Quand elle est arrivée à hauteur de leur banquette, il regardait par la fenêtre. Elle lui a tendu le numéro des *Watchmen,* et il l'a pris.

10

eleanor

Le matin suivant, quand Eleanor est montée dans le bus, une pile de comics l'attendait à sa place.

Elle les a pris avant de s'asseoir. Il était déjà plongé dans sa lecture.

Eleanor a rangé les numéros entre ses livres et puis elle a regardé par la fenêtre. Pour une raison quelconque, elle ne voulait pas lire devant lui. Ç'aurait été un peu comme manger devant lui. Ça revenait un peu à… admettre quelque chose.

Mais elle a pensé aux comics toute la journée, et à peine arrivée chez elle, elle a grimpé sur son lit pour les sortir de son sac. Ils avaient tous le même titre : *Swamp Thing*.

Eleanor a dîné assise en tailleur sur son lit, en prenant bien soin de ne rien renverser parce que chaque numéro était en parfait état ; pas une seule page n'était écornée. (Stupidement parfait, cet Asiat.)

Cette nuit-là, une fois ses frères et sœurs endormis, Eleanor a rallumé la lumière pour continuer sa lecture. Ils ne pouvaient pas être plus bruyants. Ben parlait dans son sommeil, Maisie et le bébé ronflaient. Mouse a fait pipi au lit, ce qui n'était pas bruyant en soi, mais qui troublait tout de même l'atmosphère. La lumière n'avait pas l'air de les déranger, cela dit.

Eleanor avait presque oublié que Richie regardait la télé à côté, et elle a failli tomber de son lit quand il a ouvert la porte brusquement. On aurait dit à sa tête qu'il s'attendait à tomber sur une bataille de polochons au beau milieu de la nuit, mais lorsqu'il a compris que ce n'était qu'Eleanor et qu'elle ne faisait que lire, il a grogné et lui a dit d'éteindre pour que les petits puissent dormir.

Il a refermé la porte, Eleanor s'est levée pour éteindre la lumière. (Elle avait appris à sortir de son lit sans piétiner personne désormais ; heureusement pour eux parce qu'elle était la première à se lever le matin.)

Elle aurait pu laisser la lumière allumée, mais le jeu n'en valait pas la chandelle. Elle ne voulait pas voir Richie revenir.

Il avait tout du rat, version humanoïde, comme le méchant dans les films de Don Bluth. Qu'est-ce que sa mère pouvait bien lui trouver ? Le père d'Eleanor aussi avait une sale tête.

Une fois de temps en temps – quand Richie se décidait à prendre un bain, à mettre des vêtements propres, à ne pas picoler, et tout ça dans la même journée – Eleanor entrevoyait *presque* pourquoi sa mère le trouvait beau. Dieu merci, cela n'arrivait que rarement. Quand c'était le cas, Eleanor avait simplement envie de foutre la tête dans la cuvette des toilettes et de s'enfoncer deux doigts au fond de la gorge.

Bref. Peu importe. Elle pouvait encore lire. Assez de lumière filtrait par la fenêtre.

park

Elle lisait les comics au rythme où il les lui donnait. Et quand elle les lui rendait le lendemain, elle les maniait toujours comme si c'étaient des objets fragiles et précieux.

On n'aurait pas pu dire qu'elle les avait eus entre les mains, l'odeur exceptée.

Un parfum embaumait tous les numéros que Park lui prêtait. Ce n'était pas celui de sa mère, Imari, ni celui de la nouvelle, à la vanille.

Non, ses comics sentaient désormais aussi fort qu'un champ de roses.

Elle avait lu tous ses Alan Moore en moins de trois semaines. Maintenant il lui passait les *X-comics* par cinq, et il savait qu'elle les aimait bien parce qu'elle écrivait les noms des personnages sur ses cahiers, entre les noms de groupes de musique et les paroles de chansons.

Ils ne s'adressaient toujours pas la parole dans le bus, mais leur silence était plus détendu, presque amical. (Mais pas trop non plus.)

Park serait obligé de lui parler aujourd'hui, pour lui dire qu'il n'avait rien à lui donner. Il s'était réveillé en retard, et puis il avait oublié d'emporter la pile d'albums qu'il avait préparés pour elle la veille. Il n'avait même pas eu le temps de prendre un petit déjeuner ni de se brosser les dents, ce qui le rendait un peu nerveux, sachant qu'il allait s'asseoir si près d'elle.

Mais quand elle est montée dans le bus et qu'elle lui a rendu les comics de la veille, Park s'est contenté de hausser les épaules. Elle a évité son regard. Ils gardaient tous les deux la tête basse.

Elle portait encore cette horrible cravate. Elle l'avait nouée autour de son poignet aujourd'hui. Ses bras et ses poignets étaient couverts de taches de rousseur jusque sur le dos des mains, des rangées entières de différentes nuances d'or et de rose. Elle avait des « mains de petit garçon », comme dirait sa mère, avec des ongles hyper courts et des cuticules abîmées.

Elle fixait ses cahiers posés sur ses genoux. Peut-être qu'elle s'imaginait qu'il lui faisait la tête. Il l'a imitée : ses cahiers étaient maculés d'encre et de volutes de style Art nouveau.

— Bon, a dit Park avant même de savoir ce qu'il allait raconter ensuite. Tu aimes les Smiths ?

Il fit bien attention à ne pas souffler son haleine matinale dans sa direction.

Elle a levé les yeux, surprise, ou gênée. Il a désigné la couverture du livre où elle avait écrit « How Soon Is Now ? » en majuscules vertes.

— Je ne sais pas. J'ai jamais écouté.

— Alors tu veux juste *faire croire* que tu aimes les Smiths ?

Il ne put s'empêcher de le dire d'un ton dédaigneux.

— Ouais, a-t-elle dit en balayant le bus du regard. J'essaie d'impressionner les locaux.

Il se demandait si elle pouvait s'empêcher de faire la maligne une fois de temps en temps, mais elle ne faisait vraiment aucun effort. L'atmosphère est devenue glaciale : Park s'est rencogné près de la fenêtre et elle a tourné la tête du côté de l'allée pour regarder dehors.

Quand il est arrivé en cours de littérature, il a essayé de croiser son regard, mais elle l'a esquivé. Il avait l'impression qu'elle voulait tant l'ignorer qu'elle refusait même de participer au cours.

M. Stessman essaya de capter son attention, elle était devenue sa cible de choix dès que la classe s'endormait. Aujourd'hui, ils étaient censés parler de *Roméo et Juliette*, mais personne ne voulait prendre la parole.

— Leur mort ne semble pas vous troubler, mademoiselle Douglas.

— Pardon ? balbutia-t-elle en plissant les yeux.

— Vous ne trouvez pas ça triste ? Deux jeunes amants gisant sans vie ? « Jamais histoire n'eut de plus triste écho. » Cette phrase ne vous touche-t-elle pas ?

— Apparemment non.

— Êtes-vous donc froide et insensible ?

Il se tenait au-dessus de son bureau, faisant mine de l'implorer.

— Non, c'est juste que je ne pense pas que ce soit une tragédie.

— C'est la plus grande tragédie ! a observé le prof.

Elle a levé les yeux au ciel. Elle portait deux ou trois colliers, de vieilles perles de pacotille, comme celles que la grand-mère de Park mettait à l'église, et elle les triturait en parlant.

— C'est évident qu'il se moque d'eux, rétorqua-t-elle.

— Qui ça ?

— Shakespeare.

— Je suis curieux d'entendre vos explications là-dessus...

Elle a levé les yeux au ciel une seconde fois. Elle connaissait le petit jeu de Stessman maintenant.

— Roméo et Juliette sont juste deux gosses de riches qui ont toujours eu ce qu'ils voulaient. Et maintenant, ils croient qu'ils se veulent l'un l'autre.

— Ils sont amoureux, a rétorqué Stessman, la main sur le cœur.

— Ils ne se connaissent même pas.

— Ils se sont aimés au premier regard.

— C'était plutôt « Oh ! mon Dieu, elle l'a trouvé mignon » au premier regard. Si Shakespeare voulait nous faire croire qu'ils sont amoureux, il ne dirait pas, pratiquement dès la première scène, que Roméo en pince pour Rosaline... Shakespeare se moque de l'amour.

— Alors pourquoi ce texte a-t-il survécu ?

— Je ne sais pas, parce que Shakespeare est un très bon écrivain peut-être ?

— Non ! s'est rebiffé Stessman. Quelqu'un d'autre, avec un cœur ? Monsieur Sheridan, dites-moi ce qui bat dans votre poitrine ? Dites-nous, pourquoi *Roméo et Juliette* ont-ils survécu quatre cents ans ?

Park détestait parler en classe. Eleanor lui a lancé un regard noir, avant de tourner la tête. Il s'est senti rougir.

— Parce que..., a-t-il commencé à voix basse, les yeux fixés sur sa table, parce que les gens aiment se rappeler ce que c'est que d'être jeunes, et amoureux?

Le prof s'est appuyé contre le tableau et s'est caressé la barbe.

— Est-ce que c'est ça?

— Oui, c'est tout à fait ça. Je ne sais pas si c'est pour cette raison que *Roméo et Juliette* est devenue la pièce la plus aimée de tous les temps. Mais, oui, monsieur Sheridan. On n'a jamais dit aussi vrai.

Elle n'a pas salué Park en cours d'histoire, mais elle ne le faisait jamais.

Quand il est monté dans le bus cet après-midi-là, elle était déjà assise. Elle s'est levée pour le laisser s'installer près de la fenêtre, et puis elle l'a pris au dépourvu quand elle s'est mise à lui parler. À voix si basse qu'elle chuchotait presque. Qu'importe, elle lui parlait.

— C'est plus une sorte de liste de souhaits.

— Quoi?

— Les chansons et les groupes, j'aimerais bien les écouter. Ils ont l'air intéressants.

— Si tu n'as jamais entendu les Smiths, comment sais-tu qu'ils existent?

— Je ne sais pas, dit-elle sur la défensive. Par mes potes, mes anciens potes... des magazines. Je n'en sais rien. J'en ai entendu parler.

— Pourquoi tu ne les écoutes pas, alors?

Elle l'a regardé comme si c'était un attardé mental.

— C'est pas comme s'ils passaient les Smiths sur Radio Sweet 98.

Et là, comme Park ne répondait rien, elle a levé ses yeux d'encre au ciel avant de souffler:

— Punaise.

Il n'ont plus ouvert la bouche pendant le reste du trajet.

Ce soir-là, en faisant ses devoirs, Park lui a enregistré une cassette avec ses titres préférés des Smiths, plus quelques chansons d'Echo & the Bunnymen et de Joy Division.

Il a pris soin de glisser la cassette et cinq nouveaux *X-comics* dans son sac à dos avant d'aller se coucher.

11

eleanor

— Je te trouve bien silencieuse.

Eleanor prenait son bain, et sa mère réchauffait une boîte de soupe aux quinze pois.

— Ça nous fera trois pois chacun, avait blagué Ben un peu plus tôt.

— Je ne suis pas silencieuse, je prends mon bain.

— D'habitude tu chantes dans le bain.

— Jamais de la vie.

— Si. Tu chantes *Rocky Raccoon.*

— Bon sang ! Eh bien, merci de m'avertir, je ne le ferai plus. Plus jamais !

Eleanor se rhabilla en vitesse et tenta de se faufiler devant sa mère, mais celle-ci l'attrapa par les poignets.

— J'aime bien t'entendre chanter.

Elle a tendu la main pour prendre un flacon sur la tablette dans son dos et déposé une goutte de vanille derrière ses oreilles. Eleanor a rentré la tête dans son cou comme si ça la chatouillait.

— Pourquoi tu fais toujours ça ? J'ai l'impression de sentir comme Charlotte aux fraises.

— Je fais ça, parce que c'est moins cher que le parfum, mais que ça sent aussi bon.

Elle s'est mis un peu de vanille elle aussi et elle a ri.

Eleanor a ri avec elle, et elle est restée là, un instant, à sourire. Sa mère portait un vieux jean élimé, et elle s'était fait une queue-de-cheval bien lisse. Elle ressemblait presque à comme avant. Il y avait une photo d'elle – elle préparait des cornets de glace à un anniversaire de Maisie – où elle était coiffée exactement pareil.

— Ça va ?

— Ouais... Ouais, je suis fatiguée c'est tout. Je vais aller faire mes devoirs et me mettre au lit.

Sa mère sembla deviner que quelque chose n'allait pas, mais elle n'a pas insisté. Avant, elle insistait pour qu'Eleanor lui dise tout. « Qu'est-ce qu'il se passe là-dedans ? » disait-elle en toquant sur son front. « C'est la tempête sous ce crâne ? » Sa mère n'avait pas fait ce genre de réflexion depuis qu'Eleanor était revenue à la maison. Elle semblait avoir compris qu'elle avait perdu le droit de toquer.

Eleanor s'est installée sur son lit et a repoussé le chat à ses pieds. Elle n'avait rien à lire. Rien de nouveau en tout cas. Est-ce qu'il avait décidé de ne plus lui apporter de comics ? Pourquoi avait-il commencé, d'abord ? Elle a fait courir ses doigts sur les titres de chansons embarrassants, « This Charming Man » et « How Soon Is Now ? », qui ornaient son cahier de maths. Elle avait envie de les repasser au feutre, mais il le remarquerait sans doute et il la regarderait de haut.

Eleanor était crevée ; elle n'avait pas menti. Elle avait veillé presque toutes les nuits, pour bouquiner. Ce soir-là, elle s'est endormie juste après le dîner.

Elle fut réveillée par des cris. Les cris de Richie. Eleanor ne comprenait pas ce qu'il disait.

Sous les cris, sa mère pleurait. Elle devait pleurer depuis un moment déjà, elle devait être folle de tristesse pour les laisser l'entendre pleurer comme ça.

Eleanor sentit que tout le monde dans la chambre était déjà réveillé. Elle s'est assise sur le bord de son lit jusqu'à ce que les petits prennent forme dans le noir. Ils étaient pelotonnés tous les quatre par terre dans un enchevêtrement de couvertures. Maisie tenait le bébé dans ses bras, elle le berçait avec frénésie. Eleanor s'est laissée glisser de son lit sans un bruit pour se blottir contre eux. Mouse s'est aussitôt assis sur ses genoux. Tremblant et mouillé, il a passé ses bras et ses jambes autour d'Eleanor comme un petit singe. Leur mère a crié, deux pièces plus loin, et ils ont sursauté tous les cinq.

Si ça s'était passé deux étés plus tôt, Eleanor serait allée tambouriner à leur porte. Elle aurait hurlé à Richie d'arrêter. Au minimum, elle aurait appelé 911. Mais maintenant, seul un enfant ferait ça, ou un fou. Maintenant, elle était simplement obnubilée par ce qu'ils deviendraient si le bébé se mettait à pleurer. Par chance, il se tenait tranquille. Même lui semblait comprendre que tenter quoi que ce soit ne ferait qu'empirer les choses.

Lorsque son réveil a sonné le lendemain, Eleanor ne se souvenait pas de s'être rendormie. Elle ne se rappelait pas quand les cris avaient cessé.

Une horrible pensée lui a traversé l'esprit, et elle s'est levée, se prenant les pieds dans les petits et les couvertures. Elle a ouvert la porte et senti une odeur de bacon.

Ce qui signifiait que sa mère était en vie.

Et son beau-père encore au petit déjeuner.

Eleanor a pris une longue inspiration. Elle sentait le pipi. « C'est pas vrai ! » Ses vêtements les moins sales étaient ceux qu'elle avait portés la veille, chose que Tina ne manquerait pas de remarquer, parce qu'il y avait ce putain de cours de sport aujourd'hui pour couronner le tout.

Elle a attrapé ses vêtements avant de sortir de la chambre d'un pas décidé, déterminée à ne pas croiser le regard de

Richie dans le salon s'il s'y trouvait. Il était là. (« Ce démon. Ce bâtard. ») Sa mère était debout devant la gazinière, plus droite que d'habitude. Impossible d'ignorer le bleu sur le côté de son visage. Ou le suçon sous son menton. (« Quel connard, quel connard, quel connard. »)

— Maman, a chuchoté Eleanor en vitesse, il faut que je me débarbouille.

Les yeux de sa mère se sont lentement portés sur elle :

— Quoi ?

Eleanor a désigné ses vêtements, qui avaient simplement l'air chiffonnés.

— J'ai dormi par terre avec Mouse, ajouta-t-elle.

Sa mère a lancé un coup d'œil nerveux en direction du séjour ; Richie punirait Mouse s'il savait.

— D'accord, d'accord, souffla-t-elle en poussant Eleanor dans la salle de bains.

— Donne-moi tes habits, je surveille la porte. Et ne lui fais surtout pas sentir. J'ai pas besoin de ça ce matin.

Comme si c'était Eleanor qui avait pissé partout !

Eleanor s'est lavé le haut du corps, puis le bas, pour rester toujours un peu vêtue. Puis elle a retraversé le séjour, dans ses vêtements de la veille, en essayant très fort de ne pas sentir l'urine.

Ses livres étaient dans sa chambre, mais elle ne voulait pas ouvrir la porte de peur de laisser échapper un peu plus de cette odeur âcre – alors elle est partie.

Elle est montée dans le bus avec quinze minutes d'avance. Elle se sentait encore sur les nerfs et paniquée, et grâce à l'odeur du bacon grillé, son estomac gargouillait.

12

park

Quand Park est monté dans le bus, il a posé les comics et la cassette des Smiths sur le siège à côté de lui, pour qu'elle les trouve à son arrivée. Pour qu'il n'ait rien à dire.

Lorsqu'elle est montée quelques minutes plus tard, Park a deviné que quelque chose n'allait pas. Comme si elle était perdue et qu'elle s'était retrouvée là par hasard. Elle était attifée comme la veille – ce qui n'était pas si étrange que ça, elle portait toujours des associations différentes des mêmes vêtements – mais aujourd'hui, c'était autre chose : elle ne portait ni collier ni bracelet, et sa masse de boucles rousses était emmêlée comme tout.

Elle s'est immobilisée devant son siège et elle a baissé les yeux sur la pile de trucs qu'il avait laissés pour elle. (« Où sont ses livres ? ») Puis elle a tout ramassé, aussi délicatement que possible, avant de s'asseoir.

Park voulait lever les yeux vers son visage, mais il en était incapable. Il s'est contenté de fixer ses poignets à la place. Elle a soulevé la cassette. Il avait écrit : « HOW SOON IS NOW AND MORE » sur la fine languette autocollante blanche.

Elle la lui a tendue.

— Merci...

Ce mot, il ne lui avait jamais entendu dire avant.

— Mais je ne peux pas.

Il n'a pas cillé.

— C'est pour toi, garde-la, a-t-il chuchoté.

Il a promené son regard de ses mains à sa tête baissée.

— Non, insista-t-elle. Je veux dire, merci, mais... je ne peux pas.

Elle a essayé de lui redonner sa cassette encore une fois, mais il ne voulait toujours pas la reprendre. Pourquoi est-ce que tout était toujours aussi compliqué avec elle ?

— Je n'en veux pas, a-t-il protesté.

Elle a serré les dents et l'a fixé durement. Elle devait vraiment le détester.

— Non, a-t-elle répété, presque assez fort pour que tout le monde l'entende. Je veux dire, je ne *peux* pas. Je n'ai rien pour l'écouter. Allez, reprends-la.

Il a repris la cassette. Elle a caché son visage dans ses mains. Le mec assis de l'autre côté de l'allée, un débile de senior qui s'appelait en fait Junior, les observait.

Park a jeté un regard noir à Junior jusqu'à ce qu'il détourne la tête. Puis il est revenu à la fille...

Il a sorti son Walkman de la poche de son trench-coat et enlevé la cassette des Dead Kennedys. Il a inséré la nouvelle cassette, appuyé sur « Lecture », puis il a posé avec délicatesse son casque sur ses cheveux. Il était si précautionneux qu'il ne l'a même pas effleurée.

Il a entendu filtrer l'intro de guitare marécageuse et la première phrase de la chanson : « *I am the son... and the heir...* »

Elle a levé un peu la tête mais elle ne l'a pas regardé. Elle se tenait toujours le visage dans les mains.

Lorsqu'ils sont arrivés au lycée, elle a enlevé le casque avant de le lui redonner.

Ils sont descendus du bus ensemble et ils sont restés ensemble. C'était bizarre. D'habitude, ils se séparaient dès qu'ils posaient le pied sur le trottoir. Réflexion faite, c'était ça qui lui semblait bizarre, maintenant. Ils prenaient le même chemin tous les jours, son casier était un peu plus loin que le sien au bout du couloir, alors comment s'étaient-ils débrouillés pour faire le chemin séparément tous les matins ?

Park s'est immobilisé un instant à hauteur de son casier. Il ne s'est pas approché d'elle, mais il s'est arrêté. Eleanor aussi.

— Bon, a-t-il fait les yeux rivés sur le bout du couloir, tu as entendu les Smiths maintenant.

Et elle...

Eleanor a rigolé.

eleanor

Elle aurait dû prendre la cassette. Point barre.

Elle n'avait pas besoin de dire à tout le monde ce qu'elle avait et ce qu'elle n'avait pas. Elle n'avait pas besoin de dire quoi que ce soit à un débile d'Asiat.

Ce débile d'Asiat bizarre.

Elle était presque certaine qu'il était asiatique. Difficile d'en avoir le cœur net. Il avait les yeux verts. Et une peau couleur rayon de soleil sous un filtre de miel.

Peut-être qu'il était philippin. Est-ce que ça faisait partie de l'Asie ? Probablement, le continent asiatique était tellement gigantesque.

Eleanor n'avait rencontré qu'un Asiatique dans sa vie : Paul, qui était dans son cours de maths à son ancien lycée. Paul était chinois. Ses parents s'étaient réfugiés à Omaha pour échapper au gouvernement chinois. (Ce qui semblait un choix assez radical, comme s'ils avaient regardé un globe terrestre et s'étaient dit : « Ouais, on ne pourrait vraiment pas aller plus loin. »)

Paul avait appris à Eleanor à dire « asiatique » et pas « oriental ». « Oriental, c'est pour la nourriture », lui avait-il expliqué.

— Cause toujours, Suzi Wan, lui avait-elle rétorqué.

Eleanor ne comprenait pas bien comment un Asiatique avait pu atterrir dans les Flats. Tout le monde dans ce quartier était résolument blanc. Genre, blanc par choix. Eleanor n'avait jamais entendu prononcer le mot « nègre » avant d'arriver ici, mais ceux du bus employaient ce terme comme si c'était le seul moyen de signifier que quelqu'un était noir. Comme si aucun autre mot ou aucune autre phrase ne faisait l'affaire.

Eleanor ne voulait pas employer le mot « nègre », ni y penser d'ailleurs. Ça lui suffisait déjà d'avoir à l'esprit « enculé de sa mère », à force d'entendre Richie le répéter. (Quelle ironie...)

Il y avait trois ou quatre autres Asiatiques au lycée. Ils étaient cousins. L'un d'entre eux avait rédigé un devoir qui parlait du fait d'être réfugié du Laos.

Et puis il y avait Yeux-Verts.

À qui elle allait apparemment raconter l'histoire de sa vie. Peut-être que sur le chemin du retour, elle lui dirait qu'elle n'avait ni téléphone, ni machine à laver, ni brosse à dents.

Sur ce dernier point, elle hésitait à en parler à sa conseillère. Mme Dunne avait fait asseoir Eleanor à son premier jour au lycée et lui avait sorti, sans lui lâcher le bras, un petit laïus comme quoi elle pouvait absolument tout lui dire.

Si Eleanor racontait absolument tout à Mme Dunne – Richie, sa mère, tout –, elle n'était pas sûre de ce qu'il se passerait ensuite.

Mais si elle ne mentionnait que son problème de brosse à dents, peut-être que Mme Dunne lui en dégoterait une. Point barre. Et alors Eleanor n'aurait plus besoin de se faufiler dans les toilettes après le déjeuner pour se brosser les dents avec du sel. (Elle avait vu ça dans un western une fois. Elle n'était même pas sûre que ça marche.)

La cloche a sonné : 10 h 12.

Encore deux heures avant le cours de littérature. Elle se demanda s'il lui adresserait la parole en classe. Peut-être qu'il le ferait à partir de maintenant.

Elle entendait encore sa voix dans sa tête, pas la sienne, celle du chanteur des Smiths. On devinait son accent britannique, même quand il chantait. Une voix qui sonnait comme un cri.

I am the sun...
And the air...

Eleanor n'a pas tout de suite remarqué que les filles n'étaient pas hargneuses envers elle en cours de gym. (Elle avait encore la tête dans le bus.) C'était jour de volley, et Tina lui a lancé: « À toi de servir, pétasse », mais ça s'est arrêté là, rien de bien méchant de la part de Tina.

Quand Eleanor est retournée au vestiaire, elle a compris pourquoi Tina avait fait profil bas; elle attendait simplement son heure. Tina et ses copines, les Noires, aussi, parce que tout le monde voulait assister au spectacle, étaient agglutinées au bout de l'allée, à attendre qu'Eleanor arrive à son casier.

Celui-ci était recouvert de serviettes hygiéniques. Elles avaient dû en vider une boîte entière.

Au premier coup d'œil, Eleanor a cru qu'elles étaient maculées de sang, mais en s'approchant, elle a compris que c'était juste du feutre rouge Magic Marker. Quelqu'un avait écrit *Ragnoute* et *Rouquemoutte* sur certaines serviettes, mais comme elles étaient de bonne qualité, l'encre était déjà à moitié absorbée.

Si ses affaires n'avaient pas été dans ce foutu casier, si elle avait porté autre chose que ce survêtement, Eleanor se serait contentée de déguerpir.

Au lieu de ça, elle est passée devant les filles, le menton aussi haut que possible, et elle a méthodiquement décollé les serviettes hygiéniques de la porte en métal. Il y en avait même dedans, collés sur ses habits.

Eleanor a pleuré un peu, c'était plus fort qu'elle, mais elle leur a tourné le dos tout du long pour qu'elles ne le remarquent pas. Le spectacle n'a duré que quelques minutes de toute façon parce que personne ne voulait arriver à la bourre au déjeuner. La plupart des filles devaient encore se changer et se recoiffer.

Tout le monde est parti, à l'exception de deux filles noires. Elles se sont approchées d'Eleanor et ont commencé à retirer les serviettes de la porte.

— C'est pas grave, a murmuré l'une d'elles en roulant une serviette en boule.

Elle s'appelait DeNice, et elle avait l'air bien trop jeune pour une deuxième année. Elle était minuscule et avait deux tresses.

Eleanor a hoché la tête sans un mot.

DeNice a repris :

— Ces filles n'ont pas d'intérêt. Elles sont tellement insignifiantes que le bon Dieu les voit à peine.

— Hmm-hmm, a acquiescé sa copine.

Eleanor était quasi certaine qu'elle s'appelait Beebi. Beebi était ce que la mère d'Eleanor appelait une fille « ronde ». Bien plus ronde qu'Eleanor. Le survêtement de Beebi était d'une couleur différente des autres, le lycée avait dû en commander un spécialement pour elle. Du coup, Eleanor culpabilisait de se sentir aussi mal dans sa peau… et elle se demandait aussi pourquoi c'était elle que tout le monde jugeait être la grosse de service en cours de gym.

Elles ont jeté les serviettes hygiéniques à la poubelle en les dissimulant sous des feuilles d'essuie-main humides pour que personne ne tombe dessus.

Si DeNice et Beebi n'avaient pas été là, Eleanor aurait peut-être gardé certaines serviettes, celles sans inscriptions, parce que, punaise, quel gâchis.

Elle est arrivée en retard à la cafétéria, puis en retard en cours de littérature. Et si elle ne s'était pas rendu compte jusque-là qu'elle aimait bien ce débile d'Asiat, ce fichu d'Asiat, elle le savait maintenant.

Parce que malgré les événements des dernières quarante-cinq minutes, et ceux des dernières vingt-quatre heures, la seule chose qui comptait, c'était d'apercevoir Park.

park

Sur le trajet retour, elle a pris son Walkman sans rechigner. Et sans qu'il ait besoin de lui mettre le casque sur les oreilles. À l'arrêt avant le sien, elle le lui a redonné.

— Tu peux le prendre, dit-il à voix basse. Pour écouter le reste de la cassette.

— Je ne veux pas le casser.

— Tu ne vas pas le casser.

— Je ne veux pas vider toutes les piles.

— Je m'en fous des piles.

Elle a levé les yeux et les a plantés droit dans les siens, peut-être pour la première fois. Ses cheveux étaient encore plus hirsutes que ce matin – plus frisés que bouclés, une véritable coiffure afro en roux. Mais un sérieux implacable et une sobriété glaciale habitaient son regard. Prenez n'importe quel cliché jamais entendu pour décrire le regard de Clint Eastwood, et vous avez les yeux d'Eleanor.

— Vraiment ? Tu t'en fiches ?

— C'est que des piles.

Elle a retiré les piles et la cassette du Walkman de Park, avant de le lui rendre, puis elle est descendue du bus sans se retourner.

Ce qu'elle pouvait être bizarre !

eleanor

Les piles ont commencé à faiblir vers 1 heure du matin, mais Eleanor a continué à écouter la cassette pendant encore une heure jusqu'à ce que les voix ralentissent et se taisent pour de bon.

13

eleanor

Elle a pensé à prendre ses livres ce jour-là, et elle portait des vêtements propres. Elle avait dû laver son jean dans la baignoire hier soir, alors il était encore humide… Mais l'un dans l'autre, elle se sentait mille fois mieux qu'hier. Même ses cheveux ne lui donnaient pas trop de fil à retordre. Elle s'est fait un chignon avec un élastique en caoutchouc. Ça lui ferait un mal de chien quand elle l'enlèverait, mais au moins, ça tenait pour l'instant.

Le mieux, c'est qu'elle avait les chansons de Park dans la tête – et dans son cœur, aussi, d'une certaine manière.

La musique sur cette cassette était spéciale… Elle se détachait des autres, elle lui mettait les poumons et l'estomac en boule. Il y avait quelque chose d'excitant dedans, et une sorte d'impatience aussi. Elle lui faisait prendre conscience que tout, le monde entier, n'était pas ce qu'elle pensait. Et c'était plutôt chouette comme sensation. C'était la meilleure des sensations.

Lorsqu'elle est montée dans le bus ce matin-là, elle a aussitôt cherché Park des yeux. Il la guettait aussi, comme s'il l'attendait. Elle n'a pas pu s'en empêcher, elle a souri. Juste une seconde.

À peine assise, elle s'est avachie sur la banquette pour que les sbires du dernier rang ne puissent pas deviner au sommet de son crâne à quel point elle était heureuse.

Elle sentait la présence de Park à côté d'elle, même s'il était assis à une bonne trentaine de centimètres.

Elle lui a rendu ses comics, puis elle a trituré avec nervosité le ruban vert autour de son poignet. Elle ne savait pas quoi dire. Elle s'est mise à stresser de ne pas arriver à émettre le moindre son, alors qu'elle voulait le remercier.

Les mains de Park étaient parfaitement immobiles sur ses genoux. Et parfaitement parfaites. D'une couleur de miel, avec des ongles propres et roses. Tout chez lui était sec et élancé. Chacun de ses mouvements était réfléchi.

Ils étaient presque arrivés lorsqu'il a rompu le silence :

— T'as écouté ?

Elle a acquiescé et a trouvé le courage de lever les yeux jusqu'à son épaule.

— Ça t'a plu ?

Elle a levé les yeux au ciel.

— Punaise c'était... juste, c'était..., a-t-elle fait en desserrant les mains et en écartant tous les doigts. Trop génial.

— Tu te moques de moi, là ? J'arrive pas à savoir.

Elle l'a dévisagé, même si elle savait parfaitement qu'elle se sentirait mal, comme si on lui enfonçait un crochet en plein cœur pour la vider de ses entrailles.

— Non. C'était incroyable. J'écoutais et je ne voulais pas m'arrêter. Cette chanson, là... *Love Will Tear Us Apart* ?

— Ouais, Joy Division.

— Punaise, elle a la meilleure intro de tous les temps.

Il a imité la guitare et la batterie.

— Ouais, exactement. J'avais envie d'écouter ces trois secondes-là en boucle.

— T'aurais pu.

Ses yeux souriaient même si ses lèvres s'étirèrent tout juste.

— Je ne voulais pas gaspiller les piles.

Il a secoué la tête comme si elle était demeurée.

— En plus, ajouta-t-elle, j'adore autant la suite, la partie dans les aigus, la mélodie et les dahhh, dah-di-dah-dah, di-dah, di dahhh.

Il a approuvé.

— Et puis sa voix à la fin, quand il monte un tout petit peu trop haut... et puis à la toute fin, quand on a l'impression que la batterie résiste, comme si elle refusait que la chanson se termine...

Park a imité le son de la batterie :

— Ch-ch-ch, ch-ch-ch.

— J'ai juste envie de mettre cette chanson en pièces détachées, et de les aimer toutes comme une folle.

Ça l'a fait rire.

— Et les Smiths alors ?

— Je ne savais pas qui chantait quoi, avoua Eleanor.

— Je t'écrirai les noms.

— J'ai tout aimé.

— Bien.

— J'ai adoré.

Il a souri, mais il a détourné son regard du côté de la vitre. Elle a baissé les yeux.

Ils arrivaient sur le parking. Eleanor ne voulait pas que ce nouveau truc – s'adresser la parole, parler *vraiment*, à tour de rôle et en se souriant – s'arrête.

— Et puis..., a-t-elle balbutié, j'adore les *X-Men*. Mais je déteste Cyclope.

Il a tourné la tête vers elle d'un coup.

— Comment peux-tu détester Cyclope ? C'est le chef de la bande.

— Il est chiant. Pire que Batman.

— Quoi ? T'aimes pas Batman ?

— Trop, trop chiant. Je n'arrive même pas à me forcer à le lire. Chaque fois que tu apportes *Batman*, je me surprends à écouter Steve, ou à regarder par la fenêtre, et même à rêver qu'on m'a plongée dans un hyper sommeil.

Le bus s'est arrêté.

— Ah ouais, a-t-il fait en se levant.

Il a dit ça d'un ton dédaigneux.

— Quoi ?

— Maintenant je sais à quoi tu penses quand tu regardes par la fenêtre.

— Non, tu ne sais pas. Ça change tout le temps.

Les autres se pressaient le long de l'allée. Eleanor s'est levée à son tour.

— Je vais t'amener *Le Retour du Chevalier noir*, dit-il.

— C'est quoi ?

— Le *Batman* le moins chiant qui existe !

— Le *Batman* le moins chiant qui existe ? Vraiment ? Est-ce que Batman lève les deux sourcils en même temps cette fois ?

Il a de nouveau rigolé. Son visage se métamorphosait quand il riait. Il n'avait pas de fossettes à proprement parler, mais ses joues se repliaient sur elles-mêmes, et ses yeux disparaissaient presque.

— Tu verras bien.

park

Ce matin-là, en cours de littérature, Park a remarqué que les cheveux d'Eleanor étaient d'une nuance de rouge plus douce au creux de sa nuque.

eleanor

Cet après-midi-là, en histoire, Eleanor a remarqué que Park mâchouillait son crayon quand il réfléchissait. Et que la fille assise derrière lui (C'est quoi son nom déjà, Kim ? Avec les seins énormes et un sac orange Esprit.) avait manifestement un faible pour lui.

park

Ce soir-là, Park enregistra une cassette avec la chanson de Joy Division dessus, en boucle.

Il a vidé tous ses jeux électroniques et la commande de la voiture téléguidée de Josh, et puis il a appelé sa grand-mère pour lui dire que tout ce qu'il voulait pour son anniversaire, c'était des piles AA.

14

eleanor

— Je sais qu'elle ne me croit pas capable de sauter par-dessus ce truc, souffla DeNice.

Elle et sa copine rondouillette, Beebi, adressaient la parole à Eleanor en cours de gym maintenant. (Parce qu'une agression à la serviette hygiénique super plus est un excellent moyen de se faire des amis et d'étendre son influence.)

Aujourd'hui, leur prof de sport, Mme Burt, leur avait montré comment sauter par-dessus un cheval-d'arçons datant du siècle dernier. Elle les avait avertis que la prochaine fois, tout le monde y passerait.

— Elle part encore dans un de ses délires, pestait DeNice dans le vestiaire. J'ai la tête de Marie Lou Retton ou quoi ? Je suis pas médaillée d'or aux JO, moi.

Beebi a gloussé :

— Tu ferais mieux de lui dire que t'as oublié de prendre tes céréales Wheaties au petit déj.

Réflexion faite, Eleanor se dit que DeNice avait un peu le physique d'une gymnaste, avec sa frange et ses tresses de petite fille. Elle faisait très jeune pour une lycéenne, et ses vêtements n'arrangeaient rien : chemisier à manches ballons, salopette, élastiques à cheveux assortis... et son survêtement baggy, on aurait dit une barboteuse.

Ce n'était pas le cheval-d'arçons qu'Eleanor redoutait, mais la course d'élan sur le praticable devant témoins. Elle ne voulait pas courir, point barre. Parce que ça lui donnait la sensation que ses seins allaient se détacher de son corps.

— Je vais dire à Mme Burt que ma mère ne veut pas que je fasse quoi que ce soit qui risque de me rompre l'hymen, lança Eleanor. Par conviction religieuse.

— Pour de vrai ? lui a fait Beebi.

— Non, a ricané Eleanor. Quoique, maintenant que j'y pense...

— T'es aussi vilaine que Janet Jackson dans le clip de *Nasty Boys*, a fait DeNice en accrochant les bretelles de sa salopette.

Eleanor s'est tortillée pour enfiler son tee-shirt tout en retirant le haut de son survêtement.

DeNice s'impatientait.

— Tu viens ou quoi ?

— Ben je vais pas commencer à sécher les cours à cause de la gym, a rétorqué Eleanor en sautillant pour enfiler son jean.

— Mais non. Tu viens à la cafét' ?

— Oh !

Eleanor a levé la tête. Les filles l'attendaient au bout de la rangée de casiers.

— Ouais, j'arrive.

— Alors, magne-toi, Miss Jackson.

Elle s'est installée avec DeNice et Beebi à leur table habituelle près de la fenêtre. Pendant la pause, Eleanor a vu Park passer devant elle.

park

— Pourquoi est-ce que tu ne peux pas passer ton permis avant le bal de promo ? lui demanda Cal.

M. Stessman les faisait travailler par groupes de deux. Ils devaient comparer Juliette à Ophélie.

— Parce que je ne peux pas tordre l'espace-temps, a chuchoté Park.

Eleanor était assise de l'autre côté de la classe près des fenêtres. Elle était en binôme avec un type appelé Eric, un basketteur. Il parlait, et Eleanor le dévisageait en fronçant les sourcils.

— Si t'avais une voiture, on pourrait inviter Kim.

— Tu peux inviter Kim.

Eric était un de ces grands serins qui déambulait, les épaules trente centimètres en arrière des hanches. En position de limbo. Comme s'il flippait en permanence de se prendre en pleine face le premier montant de porte venu.

— Elle veut aller au bal en groupe, insista Cal. En plus, je crois qu'elle t'aime bien.

— Quoi ? Je ne veux pas aller au bal avec Kim. Elle ne me plaît même pas. Enfin, je veux dire, c'est *toi* qui l'aime bien.

— Je sais. C'est exactement mon plan. On y va tous ensemble. Elle comprend qu'elle ne te plaît pas, elle est malheureuse comme les pierres, et devine qui est juste là pour l'inviter à danser un slow ?

— Je ne veux pas faire de peine à Kim.

— C'est elle ou moi, mec.

Eric a dit autre chose, et Eleanor s'est renfrognée de plus belle. Puis elle a regardé Park, et son visage s'est illuminé. Park a souri.

Stessman a annoncé :

— Plus qu'une minute !

— Merde, a pesté Cal. Qu'est-ce qu'on a ? Ophélie était tarée, non ? Et Juliette, elle avait genre quoi, douze ans ?

eleanor

— Alors Psylocke est une autre fille télépathe ?

— Oui, a acquiescé Park.

Chaque fois qu'elle s'asseyait dans le bus, Eleanor redoutait que Park ne garde son casque sur les oreilles, qu'il ne cesse de lui parler aussi soudainement qu'il avait commencé... Et si ça devait arriver, si elle montait dans le bus un jour sans qu'il lui prête attention, elle ne voudrait pas qu'il voie à quel point ça la rendrait triste.

Jusqu'ici, ce n'était pas arrivé.

Jusqu'ici, ils *n'arrêtaient* pas de parler. Pas une seconde. Ils passaient le trajet entier l'un à côté de l'autre à discuter. Presque toutes leurs conversations commençaient par « Qu'est-ce que tu penses de... ? »

Qu'est-ce qu'elle pensait de cet album de U2 ? Elle l'avait adoré.

Qu'est-ce qu'il pensait de *Deux flics à Miami* ? Il trouvait ça chiant.

— Oui, acquiesçaient-ils, lorsqu'ils étaient du même avis. Comme une partie de ping-pong : « Oui », « Oui », « Oui ! ».

— Tout à fait.

— Carrément.

— Pas vrai ?

Ils étaient du même avis sur les choses les plus importantes et débattaient de tout le reste. Et c'était bien, ça aussi, parce que chaque fois qu'ils n'étaient pas d'accord, Eleanor arrivait toujours à le faire marrer.

— Pourquoi les X-Men ont-ils besoin d'une autre télépathe ?

— Celle-là a les cheveux violets.

— C'est juste sexiste.

Park a écarquillé les yeux. Enfin, presque. Parfois elle se demandait si la forme de ses yeux affectait sa manière de percevoir le monde. C'était certainement la question la plus raciste de toute l'histoire de l'humanité.

— Les X-Men ne sont pas sexistes, a-t-il rétorqué en secouant la tête. Ils sont une métaphore de l'acceptation ; ils ont juré de protéger un monde qui les déteste et les craint.

— Ouais, mais...

— Il n'y a pas de « mais », a-t-il soufflé en riant.

— *Mais,* a insisté Eleanor, les filles sont vraiment des stéréotypes de la nunuche passive. La moitié d'entre elles passent leur temps à se triturer le cerveau. Comme si c'était ça, leur super-pouvoir : *réfléchir.* Et Shadowcat, c'est encore pire, son pouvoir, c'est de disparaître.

— Elle devient invisible. Nuance.

— Ouais, enfin c'est quand même un truc qu'on peut faire quand on prend le thé avec ses copines.

— Pas si on a une tasse de thé fumant à la main. Et en plus, tu oublies Tornade.

— Je n'oublie pas Tornade. Elle contrôle le temps qu'il fait par l'esprit, et là encore on est dans la pure réflexion. Et puis c'est à peu près la seule chose qu'elle est capable de faire vu les bottes qu'elle se traîne.

— Sa crête est quand même cool...

— Argument invalide.

Park renversa la tête contre le dossier de la banquette, il souriait, les yeux rivés au plafond.

— Les X-Men ne sont pas sexistes.

— Tu cherches un exemple de X-Woman qui ait un peu de pouvoir, là ? Tu vois Dazzler ? On dirait une boule à facettes. Ou la Reine Blanche ? Elle se triture les méninges et se balade en lingerie blanche.

— Quel genre de pouvoirs tu aimerais avoir, toi ? lui demanda-t-il, pour changer de sujet.

Il a tourné son visage vers elle, la joue appuyée contre le haut de la banquette. Il souriait toujours.

— Je voudrais voler, a dit Eleanor en regardant ailleurs. Je sais que c'est pas très utile, mais, quand même, voler !

— Oui, a murmuré Park.

park

— Putain, Park ! T'es en mission ninja ou quoi ?

— Les ninjas portent du noir, Steve.

— Quoi ?

Park aurait dû rentrer se changer après le taekwondo, mais son père lui avait dit d'être de retour avant 9 heures, alors ça lui laissait moins d'une heure pour le montrer à Eleanor.

Steve bricolait sa Camaro dehors. Il n'avait pas encore le permis non plus, mais il s'y préparait.

— Tu vas voir ta copine ? lança-t-il à Park.

— Quoi ?

— Tu sors en douce pour aller voir ta copine ? Bloody Mary ?

— C'est pas ma copine, a rétorqué Park, avant de déglutir.

— Mission ninja, top secret, a répété Steve.

Park a secoué la tête et s'est mis à courir. C'est vrai, ce n'était pas sa copine, s'est-il dit en coupant par l'allée.

Il ne savait pas où Eleanor habitait, précisément. Il connaissait son arrêt de bus, et il savait qu'elle vivait près de l'école primaire...

« Ça doit être celle-là », s'est dit Park. Il s'est arrêté devant une petite maison blanche. Des jouets cassés traînaient dans le jardin, et un rottweiler géant dormait sous le porche.

Park s'est lentement approché de l'entrée. Le chien a levé la tête pour l'observer un instant, puis s'est remis à somnoler. Il n'a pas cillé, même quand Park a gravi les marches pour frapper à la porte.

Le type qui a ouvert semblait trop jeune pour être le père d'Eleanor. Park était quasi certain de l'avoir déjà vu dans le quartier. Il ne savait pas sur qui il s'attendait à tomber. Quelqu'un d'autre, quelqu'un qui ressemble à Eleanor.

Le type ne disait rien. Il restait planté sur le seuil.

— Est-ce qu'Eleanor est là ?

— Qui est-ce qui demande ?

Son nez était affûté comme un couteau, et il regardait Park droit dans les yeux.

— On va au lycée ensemble.

Le type a dévisagé Park encore un instant, puis il a refermé la porte. Park ne savait pas quoi faire. Il a attendu quelques minutes ; et juste au moment où il se décidait à partir, Eleanor a entrouvert la porte juste assez pour se faufiler dehors.

Ses yeux étaient ronds de panique. Comme ça dans l'obscurité, on aurait dit qu'elle n'avait pas d'iris.

Dès qu'il a vu sa tête, il a compris qu'il n'aurait pas dû venir chez elle ; il s'en voulait de ne pas l'avoir compris avant. Il avait tellement envie de lui montrer...

— Salut.

— Salut.

— Je suis...

— ... venu pour m'affronter dans un duel à mains nues ?

Park a sorti le deuxième numéro de *Watchmen* de sa veste de dobok. Le visage d'Eleanor s'est éclairé ; sa peau était si pâle à la lueur du lampadaire. Elle était lumineuse, et ce n'était pas qu'une expression.

— Tu l'as lu ?

Il a fait non de la tête.

— Je me disais qu'on pourrait le lire... ensemble.

Eleanor a jeté un coup d'œil vers sa maison, et elle s'est éloignée du porche en vitesse. Il a dévalé les marches après elle et l'a suivie dans l'allée de graviers du garage, jusque derrière l'école primaire. Il y avait une grosse borne lumineuse de sortie de secours au-dessus de la porte. Eleanor s'est assise sur la marche la plus haute, et lui à côté d'elle.

Ça prenait deux fois plus de temps de lire les *Watchmen* que n'importe quelle autre BD, et c'était encore plus long ce soir parce que c'était vraiment étrange d'être assis l'un à côté de l'autre ailleurs que dans le bus. Ils se voyaient en dehors du lycée ! Les cheveux d'Eleanor étaient mouillés et ses longues boucles foncées encadraient son visage.

Arrivés à la dernière page, tout ce que Park voulait faire, c'était rester assis là pour en discuter. En fait, qu'importent les *Watchmen*, il souhaitait simplement rester et parler avec elle.

Mais Eleanor était déjà debout, les yeux rivés sur sa maison.

— Je dois y aller.

— Ah, OK. Je crois que moi aussi, alors.

Elle l'a laissé sur les marches de l'école primaire. Elle avait déjà disparu à l'intérieur avant qu'il ne pense à lui dire au revoir.

eleanor

Lorsqu'elle est rentrée chez elle, le salon était plongé dans l'obscurité, mais la télé était allumée. Eleanor devinait Richie affalé sur le canapé et sa mère debout sur le seuil de la cuisine.

Dans quelques pas, elle serait dans sa chambre...

— C'est ton mec ? a lancé Richie avant qu'elle atteigne la porte.

Ses yeux étaient rivés sur l'écran.

— Non. C'est juste un garçon du lycée.

— Qu'est-ce qu'il voulait ?

— Parler d'un devoir qu'on a à faire.

Elle est restée là à attendre dans l'embrasure de la porte. Puis, comme Richie ne disait rien, elle s'est glissée dans la chambre, en fermant derrière elle.

— Je sais ce que tu mijotes, a beuglé Richie, une fois la porte close. Espèce de petite pute en chaleur.

Eleanor s'est pris sa remarque en pleine face. Juste dans le menton.

Elle a grimpé sur son lit et elle a serré les yeux, les dents et les poings ; elle a gardé tout bien serré jusqu'à ce qu'elle puisse respirer sans pousser de hurlements.

Jusqu'à cet instant-là, elle avait gardé Park dans un endroit de sa tête que Richie ne pouvait pas atteindre. Un endroit complètement séparé de cette maison et de tout ce qu'il s'y passait. (C'était un endroit assez chouette, le seul de son cerveau qui soit encore assez sain pour prier.)

Mais maintenant Richie s'était immiscé là aussi, et il pissait partout. Si bien que tout ce qu'elle ressentait était aussi rance et pourri que lui.

Maintenant elle ne pouvait plus penser à Park...

À son allure dans l'obscurité, tout de blanc vêtu, comme un super-héros.

À son odeur, de sueur et de savon.

À son sourire ; lorsqu'il aimait quelque chose, les commissures de ses lèvres se relevaient légèrement.

Elle ne pouvait plus penser à Park sans sentir le regard lubrique de Richie posé sur elle.

Elle a dégagé le chat d'un coup de pied, pour se passer les nerfs. Il a poussé un cri, mais il est aussitôt remonté d'un bond.

— Eleanor, a murmuré Maisie depuis le lit du bas, c'était ton amoureux ?

Eleanor a serré les dents.

— Non, a-t-elle chuchoté méchamment. C'est juste un garçon.

15

eleanor

Sa mère est entrée dans la chambre le lendemain pendant qu'elle se préparait.

— Donne, a-t-elle murmuré en lui prenant la brosse à cheveux des mains, pour lui faire une queue de cheval sans aplatir ses boucles. Eleanor…

— Je sais très bien pourquoi tu es là, a-t-elle répondu en s'écartant. Je n'ai pas envie de parler.

— Écoute-moi.

— Non, c'est bon. Il ne reviendra pas, d'accord ? Je ne l'ai pas invité, et je lui dirai de ne plus remettre les pieds ici.

— D'accord, eh bien… très bien, a dit sa mère en croisant les bras. C'est juste que tu es si jeune, a-t-elle murmuré.

— Non, s'est récriée Eleanor, ce n'est pas ce que tu crois. Oh ! et puis tant pis. Il ne reviendra pas, d'accord ? Ce n'est même pas ce que t'imagines, en plus.

Sa mère s'est éclipsée. Richie était encore là. Eleanor a filé en douce lorsqu'elle l'a entendu ouvrir le robinet de la salle de bains.

« Ce n'est pas ce que tu crois », s'est-elle répété en chemin vers l'arrêt de bus. À y repenser, elle avait envie de pleurer, parce qu'elle savait que c'était vrai.

Et avoir envie de pleurer la mettait en colère.

Parce que si elle avait une seule raison de pleurer, c'était à cause de sa vie complètement merdique, pas parce qu'un garçon ne l'aimait pas *de cette manière-là.*

Surtout qu'être simplement amie avec Park était sans doute la meilleure chose qui lui soit arrivée.

Elle devait avoir l'air agacé en arrivant dans le bus parce que Park ne lui a pas dit bonjour lorsqu'elle s'est assise.

Eleanor a tourné la tête du côté de l'allée.

Au bout de quelques secondes, il a tendu la main pour tirer légèrement sur le vieux foulard en soie qu'elle avait noué autour de son poignet.

— Excuse-moi, a-t-il lâché.

— Pourquoi ?

Même sa voix était pleine de colère. Punaise, ce qu'elle pouvait se sentir conne.

— Je ne sais pas. Je me dis que t'as peut-être eu des ennuis à cause de moi hier...

Il a tiré sur son foulard encore une fois, alors elle l'a regardé. Elle prenait sur elle pour ne pas avoir l'air folle de rage, mais elle préférait avoir la tête d'une fille en colère que la tête d'une fille qui aurait passé la nuit à se dire que les lèvres de ce garçon étaient vraiment jolies.

— C'était ton père ?

Elle a renversé la tête en arrière.

— Non ! Non, c'était mon... le mari de ma mère. Il n'est rien pour moi. Enfin, c'est mon problème.

— Je t'ai attiré des ennuis ?

— En quelque sorte.

Elle n'avait aucune envie de discuter de Richie avec Park. Elle venait à peine de chasser Richie du petit endroit réservé à Park dans sa tête.

— Excuse-moi, a-t-il répété.

— C'est rien. Ce n'était pas ta faute. En tout cas, merci pour *Watchmen.* Je suis contente de l'avoir lu.

— C'était chouette, hein ?

— Carrément ! Un peu violent. Le moment avec le Comédien, surtout.

— Ouais... désolé.

— Non, ce n'est pas ce que je voulais dire. Je voulais... je crois que j'ai besoin de le relire.

— Je l'ai relu deux fois hier. Tu peux le prendre ce soir.

— Vraiment ? Merci.

Il triturait toujours le bout de son foulard, faisant machinalement glisser la soie entre ses doigts. Eleanor était comme hypnotisée par sa main.

S'il levait les yeux vers elle à cet instant, il comprendrait tout de suite à quel point elle était stupide. Elle a senti son visage se décomposer. Si Park levait les yeux vers elle à cet instant, il saurait tout.

Il n'a pas levé les yeux. Il a entortillé le foulard autour de ses doigts jusqu'à soulever la main d'Eleanor.

Alors il a laissé glisser la soie et ses doigts dans la paume ouverte d'Eleanor.

Et Eleanor s'est désintégrée.

park

Tenir la main d'Eleanor, c'était comme tenir un papillon. Ou un battement de cœur. C'était tenir une chose pleine, et pleinement vivante.

Dès qu'il l'a touchée, il s'est demandé comment il avait tenu aussi longtemps sans le faire. Il caressait sa paume avec son pouce pour remonter vers la naissance de ses doigts, et il était conscient de chacune de ses respirations.

Park avait déjà tenu la main à des filles avant. Plusieurs filles au skate-park. Une fille au bal de fin d'année l'an dernier. (Ils s'étaient embrassés en attendant que son père vienne les chercher.) Il avait même tenu la main à Tina, du temps où ils « sortaient » ensemble au collège.

Et chaque fois, c'était bien. Pas très différent de tenir la main de Josh pour traverser la rue lorsqu'ils étaient petits. Ou celle de sa grand-mère lorsqu'elle l'emmenait à l'église. Peut-être un peu plus moite, et embarrassant aussi.

Lorsqu'il avait embrassé cette fille l'an dernier, avec la bouche sèche et les yeux ouverts, Park s'était dit que quelque chose clochait peut-être chez lui.

Il s'était même demandé (sans mentir, pendant qu'il l'embrassait, il s'était vraiment fait cette réflexion) s'il n'était pas gay. Sauf qu'il n'avait pas envie d'embrasser des garçons non plus. Et s'il pensait à Miss Hulk ou à Tornade (plutôt qu'à cette fille, Dawn), l'embrasser devenait plus agréable.

« Peut-être que je ne suis pas attiré par les vraies filles, s'était-il dit à ce moment-là. Peut-être que je suis un genre de pervers "comicso-sexuel". »

À moins que, ça lui traversait l'esprit maintenant, il n'ait reconnu aucune de ces filles. Comme un ordinateur qui recrache une disquette quand il ne reconnaît pas le format.

Lorsqu'il a touché la main d'Eleanor, il l'a reconnue. Il a su.

eleanor

Désintégrée.

Comme si un truc avait merdé pendant sa téléportation sur le vaisseau *Enterprise*.

Si vous vous êtes jamais demandé ce que ça peut faire, c'est un peu comme si vous fondiez – mais en plus violent.

Même réduite en un million de petits morceaux, Eleanor sentait encore la main de Park tenir la sienne. Elle sentait encore son pouce explorer sa paume. Elle ne bougeait plus sur son siège parce qu'elle n'avait pas d'autre choix.

Elle essayait de se rappeler quelles sortes d'espèces animales paralysaient leur proie avant de les manger...

Peut-être que Park l'avait paralysée avec ses pouvoirs de ninja, sa poigne de Vulcain, et maintenant, il allait s'en repaître.

Ce serait incroyablement bon.

park

Ils se sont lâché la main dès que le bus s'est immobilisé. Park a été rattrapé par la réalité, et il a jeté des coups d'œil nerveux autour de lui en se demandant si on les avait vus. Puis il a observé Eleanor en se demandant si elle l'avait vu faire.

Elle regardait par terre, même quand elle a ramassé ses livres et qu'elle s'est dirigée dans l'allée.

S'il y avait un témoin, qu'est-ce qu'il aurait vu ? Park aurait bien voulu voir sa propre tête quand il a touché Eleanor. Il devait ressembler à celui qui boit sa première gorgée de soda dans les pubs Pepsi. La tête du bonheur absolu.

Il était juste derrière elle dans l'allée. Elle faisait presque sa taille. Ses cheveux étaient relevés, et sa nuque empourprée. Il s'est retenu pour ne pas coller sa joue tout contre.

Il l'a accompagnée jusqu'à son casier, et il s'est adossé au mur quand elle l'a ouvert. Elle ne disait rien, elle a simplement rangé quelques livres sur son étagère avant d'en sortir d'autres.

Pendant que la sensation du contact avec sa peau se dissipait, il a pris conscience qu'Eleanor n'avait rien fait pour le toucher en retour. Elle n'avait pas replié les doigts autour des siens. Elle ne l'avait même pas regardé. Elle ne le regardait toujours pas. « Punaise. »

Il a toqué à son casier avec douceur.

— Hé, a-t-il soufflé.

Elle a refermé la porte.

— Hé quoi ?
— Ça va ?
Elle a acquiescé.
— On se voit en littérature ?
Elle a hoché la tête et elle a tracé.
« Punaise. »

eleanor

Eleanor a passé toute la première heure, et la deuxième, et la troisième, à se caresser la paume de la main.

Rien.

Comment était-ce possible d'avoir autant de terminaisons nerveuses en un seul et même endroit ?

Étaient-elles toujours présentes ou est-ce qu'elles entraient en action seulement quand elles le décidaient ? Parce que, si elles étaient là tout le temps, comment faisait-elle pour ne pas tourner de l'œil chaque fois qu'elle tournait un bouton de porte ?

C'était peut-être pour ça qu'on disait que c'était plus agréable de conduire une boîte manuelle qu'une automatique.

park

« Punaise. » Était-il possible de violer la main de quelqu'un ?

Eleanor ne lui a pas adressé le moindre regard en littérature ou en histoire. Il est allé à son casier après les cours, mais elle n'y était pas.

Quand il est monté dans le bus, elle était déjà assise – mais à sa place à lui, contre la vitre. Il était trop gêné pour dire quoi que ce soit. Il s'est installé à côté d'elle et il a laissé ses mains en suspens entre ses genoux...

En d'autres termes, elle a vraiment dû faire l'effort de tendre le bras pour lui attraper le poignet, et attirer sa main dans la sienne. Elle a enroulé ses doigts autour des siens et caressé sa paume avec le pouce.

Les doigts d'Eleanor tremblaient.

Park s'est tourné sur la banquette, dos à l'allée.

— Ça va ? a chuchoté Eleanor.

Il a hoché la tête, en prenant une grande inspiration. Ils ont baissé les yeux sur leurs mains.

« Punaise. »

16

eleanor

Le pire, c'était le samedi.

Le dimanche, Eleanor pouvait se consoler en se disant que le lundi n'était plus très loin. Mais le samedi durait une éternité.

Elle avait déjà terminé ses devoirs. Un tordu avait écrit : *je te fais mouiller?* sur son livre de géographie. Elle a passé un temps fou à essayer de transformer l'inscription en une sorte de fleur, avec un stylo noir.

Elle a regardé des dessins animés avec les petits puis a joué au double solitaire avec Maisie, jusqu'à ce qu'elles soient toutes les deux abruties d'ennui.

Enfin, elle a écouté sa musique. Elle avait gardé les deux dernières piles de Park exprès pour s'en servir ce jour-là, au moment où il lui manquerait le plus. En tout, elle avait cinq cassettes désormais ; si les piles duraient assez longtemps, elle pourrait passer quatre cent cinquante minutes dans sa tête avec Park, à lui tenir la main.

C'était sans doute idiot. Dans ses rêves, elle était libre d'imaginer ce qu'elle voulait, mais elle ne faisait rien d'autre que lui tenir la main. Ça montrait juste à quel point c'était fantastique.

(En plus, ils ne faisaient pas *que* se tenir la main. Park la maniait comme s'il s'agissait d'un bien rare et précieux, comme si ses doigts étaient intrinsèquement liés au reste de son corps. Ce qui, bien sûr, était le cas. Difficile à expliquer : à son contact, elle se sentait plus... entière.)

Le seul problème, avec leur nouveau rituel, c'est qu'il nuisait franchement à leurs conversations. Elle pouvait à peine regarder Park quand il la touchait. Et lui semblait avoir du mal à terminer ses phrases. (Ce qui voulait dire qu'il l'aimait bien. « Ha ha ! »)

La veille, sur le chemin du retour, leur bus avait dû faire un détour d'un quart d'heure à cause de la rupture d'un branchement d'égout. Steve avait commencé à gueuler qu'il allait être en retard à son nouveau boulot à la station-service.

Park avait lancé : « Waouh !... »

— Qu'est-ce qu'il y a ?

Eleanor s'asseyait côté fenêtre désormais ; elle s'y sentait plus en sécurité, moins exposée. Elle pouvait presque croire qu'ils avaient le bus pour eux seuls.

— J'ai le pouvoir de percer des canalisations par la pensée.

— C'est très particulier, comme mutation génétique, avait-elle répondu. Et c'est quoi, ton nom de super-héros ?

— Euh...

Il s'était mis à rire et avait joué avec l'une de ses boucles. (C'était nouveau, ce truc de lui toucher les cheveux, un sacré pas en avant. Parfois, après les cours, il surgissait derrière elle en tirant sa queue de cheval ou en tapant sur son chignon.)

— En fait... je n'en ai pas encore.

— Peut-être « BTP » ? avait-elle fait en posant la main sur celle de Park.

Même bien à plat, elle recouvrait seulement sa paume. C'était sans doute la seule partie de son corps qui était menue.

— On dirait une petite fille.

— Comment ça ?

— Tes mains. Elles sont… Avait-il dit en prenant sa main entre les siennes. Je ne sais pas… fragiles.

— « Tuyaux Man », avait-elle murmuré.

— Quoi ?

— C'est ça, ton nom de super-héros. Non, attends, Park les Bons Tuyaux.

Il avait ri et attrapé une autre de ses boucles.

C'était la plus grande conversation qu'ils avaient eue en deux semaines.

Elle a décidé de lui écrire une lettre – elle avait déjà commencé un milliard de fois – mais ça ressemblait à un devoir de sixième. Qu'aurait-elle pu écrire ?

Cher Park, je t'aime bien. Tes cheveux sont vraiment beaux.

Ses cheveux étaient vraiment beaux. Vraiment, vraiment. Courts derrière, mais un peu longs et éparpillés sur le front. Totalement lisses et presque noirs, ce qui, chez Park, était un peu comme une marque de fabrique. Il était toujours habillé en noir, quasiment des pieds à la tête. Un tee-shirt noir de groupe punk par-dessus un pull à manches longues noir, des baskets noires, un jean noir. Presque tout en noir, presque tous les jours. (Il avait bien un tee-shirt blanc, mais il portait l'inscription « BLACK FLAG » en grosses lettres noires.)

Quand Eleanor mettait du noir, sa mère disait qu'elle avait l'air d'aller à un enterrement.

Sa mère lui sortait toujours des trucs comme ça, à l'époque où elle faisait encore attention à ses tenues vestimentaires. Eleanor avait piqué toutes les épingles à nourrice de sa boîte à couture pour recouvrir les trous de son jean avec des chutes de soie et de velours, et sa mère ne l'avait toujours pas remarqué.

Park était beau en noir. On avait l'impression qu'il était dessiné au fusain. Des sourcils épais et courbés, des cils courts et sombres. Des joues hautes, comme polies.

Cher Park. Je t'aime vraiment beaucoup. Tes joues sont magnifiques.

Il n'y avait qu'une chose à laquelle elle ne voulait pas songer, à propos de lui : c'était ce qu'il pouvait voir en elle.

park

Le pick-up n'arrêtait pas de caler.

Le père de Park ne disait rien, mais Park savait qu'il était énervé.

— Essaie encore. Écoute le moteur, et accélère.

Un peu trop réducteur, selon Park. Écoute le moteur, débraye, passe la première, accélère, relâche l'embrayage, vérifie tes rétros, mets ton clignotant, fais attention aux deux-roues...

Park s'imaginait pourtant très bien en train de conduire. Le problème, c'était justement que son père était assis à côté de lui, vert de rage.

Il lui arrivait la même chose au taekwondo, parfois. Park ne pourrait jamais réussir quelque chose si son père était dans les parages.

Embrayage, levier de vitesse, pédale d'accélérateur.

Le pick-up a calé.

— Tu réfléchis trop, a dit son père d'un ton sec.

Il répétait ça tout le temps. Quand Park était petit, il avait essayé de lui tenir tête.

— Je ne peux pas m'empêcher de penser, avait-il rétorqué en cours de taekwondo. Je ne peux pas éteindre mon cerveau !

— Si tu te bats comme ça, quelqu'un va le faire pour toi.

Embrayage, levier de vitesse... grincement.

— Recommence... Ne réfléchis pas, accélère. J'ai dit *ne réfléchis pas* !

La voiture a calé à nouveau. Park a posé ses mains et sa tête sur le volant. Son père ne cachait plus sa déception.

— Putain, Park, je ne sais plus comment faire avec toi ! Ça fait un an qu'on est là-dessus. Un an ! Ton frère a appris à conduire en quinze jours.

Si sa mère avait été là, elle aurait trouvé ça odieux : « Arrête ! Nos deux enfants différents, OK ? »

Et son père aurait serré les dents.

— Je suppose que Josh n'a aucun problème pour arrêter de penser, a lâché Park.

— Traite ton frère d'idiot tant que tu voudras. Lui, il est capable de conduire une boîte manuelle.

— De toute façon, je ne vais conduire que l'Impala, a marmonné Park pour le tableau de bord. Et c'est une automatique.

— Son père a haussé le ton :

— Ce n'est pas la question !

Si sa mère avait été là, elle aurait protesté : « Hé, si tu veux hurler, dehors ! »

Pourquoi Park souhaitait-il autant que sa mère soit là pour le défendre ? Parce que c'était une fiotte. Voilà ce que pensait son père. Il devait le penser à cet instant précis. C'était sans doute pour ça qu'il était aussi silencieux, parce qu'il se retenait de ne pas le dire à voix haute.

— Recommence, a dit son père.

— Non, j'arrête.

— Tu arrêteras quand je l'aurai décidé.

— Non, a soutenu Park, je m'arrête maintenant.

— Bien, ne compte pas sur moi pour nous ramener à la maison. Essaie encore.

Park a démarré la voiture. Elle a calé. Son père a écrasé son énorme main sur la boîte à gants. Park a ouvert la portière et sauté à terre. Son père a gueulé son nom, mais Park a continué à marcher. Ils n'étaient qu'à trois kilomètres de chez eux.

Sans doute son père l'a-t-il suivi sur le chemin du retour. Mais Park ne l'a pas remarqué. Quand il est arrivé dans leur quartier, à la nuit tombante, au lieu de prendre leur rue, il a tourné dans celle d'Eleanor. Deux enfants roux jouaient dans le jardin, malgré l'air frais.

Il n'arrivait pas à voir à l'intérieur de la maison. S'il attendait assez longtemps, elle passerait peut-être la tête par la fenêtre... Il voulait juste apercevoir son visage. Ses grands yeux marron, ses lèvres rebondies. Sa bouche, presque comme celle du Joker – selon qui le dessinait – très large et pulpeuse. Pas une bouche de psychopathe, évidemment...! Park ne pourrait jamais lui dire une chose pareille. Ça n'avait clairement rien d'un compliment.

Eleanor n'a pas regardé par la fenêtre. Mais les enfants, eux, le fixaient, alors Park est rentré chez lui.

Le pire, c'était le samedi.

17

eleanor

Le mieux, c'était le lundi.

Aujourd'hui, quand elle est montée dans le bus, Park lui a souri. Un sourire gigantesque, qui l'a accompagnée pendant qu'elle parcourait l'allée.

Eleanor n'arrivait pas à lui rendre son sourire, pas devant tout le monde. Mais elle ne pouvait pas s'en empêcher non plus, alors elle a souri au plancher et elle relevait la tête toutes les deux secondes pour voir s'il la regardait encore.

Oui.

Tina aussi la regardait, mais Eleanor ne fit pas attention à elle.

Park s'est levé pour la laisser passer et, à peine s'était-elle assise qu'il lui a pris la main et l'a embrassée. Il l'a fait si vite qu'elle n'a même pas eu le temps de mourir d'extase ou d'embarras.

Elle a laissé tomber sa tête sur son épaule une poignée de secondes seulement, contre la manche de son trench noir. Il serrait sa main.

— Tu m'as manqué, a murmuré Park.

Elle a senti les larmes monter, alors elle s'est détournée vers la vitre.

Ils n'ont pas dit un mot de plus jusqu'au lycée. Park a

accompagné Eleanor à son casier, et ils sont restés plantés là en silence, adossés au mur, jusqu'à ce que la cloche sonne. Le couloir était presque désert.

Alors Park a tendu la main et entortillé une de ses boucles autour de son doigt couleur de miel.

— Tu vas recommencer à me manquer, a-t-il dit en laissant filer la boucle.

Elle est arrivée en retard dans la salle d'appel et elle n'a pas entendu M. Sarpy lui dire qu'elle devait passer à l'administration. Il a plaqué la convocation sur sa table.

— Eleanor, debout ! Tu es convoquée chez ta conseillère.

Quel pauvre type ! Elle était bien contente de ne pas l'avoir comme prof. En chemin vers l'administration, elle a laissé ses doigts courir le long du mur de brique en fredonnant une chanson que Park lui avait donnée.

Elle était tellement euphorique qu'elle a souri à Mme Dunne en entrant dans son bureau.

— Eleanor, lui a-t-elle lancé en la prenant dans ses bras.

Mme Dunne était à fond sur les câlins. Elle l'avait prise dans ses bras dès leur première rencontre.

— Comment vas-tu ?

— Bien.

— Tu en as l'air.

Eleanor a baissé les yeux sur son sweat (un très gros monsieur l'avait probablement acheté pour jouer au golf en 1968) et son jean troué. Eh bien, elle devait vraiment avoir une sale dégaine quand elle avait sa tête des mauvais jours !

— Ah bah, merci.

— J'ai parlé avec tes professeurs. Tu sais que tu as des A dans presque toutes tes matières ?

Eleanor a haussé les épaules. Elle n'avait ni le câble ni le téléphone, et elle avait l'impression d'être une clandestine chez elle... Elle avait plus de temps qu'il n'en fallait pour faire ses devoirs.

— C'est vrai, je t'assure. Je suis extrêmement *fière* de toi.

Eleanor était bien contente qu'un bureau les sépare à cet instant. Mme Dunne avait l'air de vouloir un autre câlin.

— Mais ce n'est pas la raison pour laquelle je t'ai convoquée. Je t'ai fait venir parce que j'ai reçu un coup de fil pour toi ce matin, avant les cours. Un homme a appelé, il s'est présenté comme étant ton père, il appelait ici parce qu'il n'avait pas le numéro de chez toi...

— J'ai pas le téléphone, en fait.

— Ah. Je vois. Et-ce que ton père est au courant ?

— Probablement pas.

Elle était même surprise qu'il sache dans quel lycée elle allait.

— Est-ce que tu veux l'appeler ? Tu peux utiliser ma ligne.

Est-ce qu'elle voulait l'appeler ? Pourquoi avait-il cherché à la joindre d'abord ? Peut-être que quelque chose d'atroce, de terriblement atroce était arrivé ? Peut-être que sa grand-mère était morte ? Punaise.

— D'accord.

— Tu peux utiliser ma ligne quand tu veux, tu sais.

Elle s'est levée pour s'asseoir au bord de son bureau, puis elle a posé une main sur le genou d'Eleanor. Eleanor était à deux doigts de lui demander une brosse à dents, mais elle s'est ravisée en se disant que ça donnerait certainement lieu à une longue séance de câlins.

— Merci, a-t-elle simplement dit.

— Entendu, a fait Mme Dunne avec un sourire béat. Je reviens tout de suite. Je vais aller me remettre du rouge à lèvres.

Une fois seule, Eleanor a composé le numéro de son père. Il a décroché à la troisième sonnerie.

— Salut, papa. C'est Eleanor.

— Bonjour ma chérie, comment tu vas ?

Elle a été tentée de lui dire la vérité l'espace d'une seconde.

— Bien.

— Comment vont les autres ?

— Bien.

— Vous ne m'appelez jamais.

Ça ne servait à rien de lui dire qu'ils n'avaient pas le téléphone. Ou de lui faire remarquer qu'il ne les avait jamais appelés, même du temps où ils en avaient un. Ou de lui dire que c'était peut-être à lui de trouver un moyen de prendre de leurs nouvelles, vu qu'il avait le téléphone, une voiture et une vie digne de ce nom.

Ça ne servait à rien de dire quoi que ce soit à son père. Eleanor l'avait intégré depuis si longtemps qu'elle ne se rappelait même pas s'en être fait la réflexion.

— Hé, j'ai une chouette proposition à te faire, dit-il. Je me disais que tu pourrais venir vendredi soir.

Son père a pris une voix de présentateur télé, le genre qui essaie de vous refourguer des disques : les tubes disco des années 1970 ou la dernière compilation de Time-Life.

— Donna veut me traîner à un mariage, et je lui ai dit que tu pourrais garder Matt. J'ai pensé que tu aimerais te faire un peu d'argent de poche.

— C'est qui Donna ?

— Tu sais, Donna... Donna, ma fiancée. Vous vous êtes aperçues la dernière fois que tu es venue.

Ça faisait presque un an déjà.

— Ta voisine ?

— Ouais, Donna. Tu peux dormir à la maison. Tu gardes Matt, tu te commandes une pizza, et tu peux passer des coups de fil... Ce sera les dix dollars les plus faciles que tu te sois jamais faits.

À bien y réfléchir, les dix premiers en fait.

— D'accord, a soufflé Eleanor. Tu passes nous prendre ? Tu connais notre nouvelle adresse ?

— Je viendrai te chercher au lycée, que toi cette fois-ci. Je veux pas que tu te coltines une flopée de gamins à garder. À quelle heure ils vous laissent sortir ?

— Trois heures.

— Super. Alors à vendredi, 3 heures.

— OK.

— Eh bien OK. Je t'aime, chérie, travaille bien.

Mme Dunne patientait sur le seuil, les bras grands ouverts.

« Bien, s'est répété Eleanor dans le couloir. Tout va bien. Tout le monde va bien. » Elle a embrassé le dos de sa main, juste pour voir l'effet que ça faisait sur ses lèvres.

park

— Je n'irai pas au bal d'automne, protesta Park.

— Bien sûr que tu n'iras pas... au *bal*, a embrayé Cal. Je veux dire, c'est bien trop tard pour louer un smoking de toute manière.

Ils étaient en avance pour le cours de littérature. Cal était assis deux tables derrière lui, alors Park n'arrêtait pas de se retourner pour voir si Eleanor était arrivée ou pas.

— Tu vas louer un smoking ?

— Bah... ouais.

— Mais personne ne loue de costume pour le bal d'automne.

— Alors qui sera le type plus classe du bal ? En plus, qu'est-ce que ça peut te faire – tu n'y vas même pas ! Au bal, je veux dire. Parce qu'au match de foot tu viens, non ?

— Je n'aime pas le foot américain, a fait Park en jetant un nouveau coup d'œil vers la porte.

— Est-ce que tu pourrais arrêter d'être le pire ami de la terre, ne serait-ce que cinq minutes ?

Park avisa la pendule :

— D'accord.

— S'il te plaît, accorde-moi au moins cette faveur. Il y a tout un tas de gens cool qui y vont, et si tu y vas, Kim s'assoira avec nous. Elle te colle sans arrêt.

— Et ça ne te pose aucun problème ?

— Non, j'ai trouvé le parfait appât pour attirer Kim.

— Arrête de répéter son nom comme ça.

— Pourquoi ? Elle n'est pas là, que je sache.

Park a regardé en arrière.

— Tu ne peux pas trouver une fille à qui tu plais aussi ?

— Y a pas une fille à qui je plaise. Alors autant jeter mon dévolu sur celle que je veux vraiment. Allez, s'il te plaît. Viens au match vendredi ; pour moi.

— Je ne sais pas...

— Waouh, qu'est-ce qu'elle a aujourd'hui ? On dirait qu'elle vient de trucider quelqu'un juste pour le plaisir.

Park s'est retourné d'un coup. Eleanor. Elle lui souriait.

Elle avait un sourire de pub pour dentifrice, le genre où on voit pratiquement toutes les dents. Elle devrait sourire comme ça tout le temps, se dit Park ; son visage était passé de bizarre à beau. Il avait envie de la faire sourire comme ça tout le temps.

M. Stessman a fait semblant de se prendre le tableau en entrant.

— Juste ciel, Eleanor, arrêtez. Vous m'aveuglez. Est-ce la raison pour laquelle vous gardez votre sourire pour vous, parce qu'il est trop radieux pour nous, pauvres hommes ?

Gênée, elle a baissé les yeux et tordu son sourire en une sorte de moue prétentieuse.

— Psst, a soufflé Cal dans le dos de Park alors que Kim s'asseyait entre eux deux.

Cal a joint les mains en signe de prière. Park a hoché la tête avec un soupir.

eleanor

Elle attendait que le coup de fil de son père lui revienne en pleine tronche. (Les conversations avec son père étaient un peu comme des coups de fouet, ils faisaient mal à retardement.)

Mais non. Rien ne pouvait l'atteindre. Rien ne pouvait chasser les mots de Park qui résonnaient dans sa tête.

Elle lui *manquait*...

Allez savoir ce qui lui manquait exactement. Le fait qu'elle soit grosse, ou bizarre. Le fait qu'elle soit incapable de s'adresser à lui comme le commun des mortels. Peu importe. Peu importe que quelque chose ne tourne pas rond chez lui, c'était son problème à lui. Parce qu'elle lui plaisait vraiment ; elle en était sûre.

En tout cas pour le moment.

Aujourd'hui.

Elle lui *plaisait*. Elle lui manquait.

Elle avait tellement la tête dans les nuages en gym qu'elle en a oublié de ne faire aucun effort. Ils jouaient au basket et Eleanor a rattrapé le ballon en rentrant dans le lard d'une pote de Tina, une brindille sautillante répondant au doux nom d'Annette.

— Tu me cherches ou quoi ? lui a fait Annette.

Elle a poussé Eleanor et lui a enfoncé le ballon dans la poitrine.

— Tu me cherches ? Vas-y, alors, allez. Viens.

Eleanor a reculé de quelques pas pour sortir du terrain et attendu que Mme Burt siffle la touche.

Annette était folle de rage tout le restant du match, mais Eleanor a décidé de s'en foutre.

Ce sentiment qu'elle éprouvait lorsqu'elle s'asseyait à côté de Park dans le bus – qu'elle était à sa place, en sécurité, ne serait-ce qu'un bref moment – elle arrivait à le faire ressurgir maintenant. Comme un champ magnétique. Comme si elle était la Femme invisible.

Ce qui faisait de Park M. Fantastique.

18

eleanor

Sa mère ne la laisserait jamais faire du baby-sitting.

— Il a *quatre* enfants, gémit-elle, en étalant de la pâte à tortillas. Est-ce qu'il l'a oublié ?

Eleanor avait bêtement évoqué le coup de fil de son père devant ses frères et sa sœur, et ils s'étaient tous emballés. Et alors elle avait dû leur dire qu'ils n'étaient pas invités, que c'était juste pour un baby-sitting, et que Papa ne serait même pas là.

Mouse avait fondu en larmes, et Maisie s'était mise dans une rage folle avant de déguerpir. Ben demanda à Eleanor si elle pouvait rappeler papa pour voir s'il ne pouvait pas l'accompagner pour lui filer un coup de main.

— Dis-lui que je fais tout le temps du baby-sitting, a insisté Ben.

— C'est vraiment quelque chose ton père, a continué sa mère. Chaque fois, il vous brise le cœur. Et chaque fois, il compte sur moi pour ramasser les morceaux.

Ramasser, planquer sous le tapis – c'était la même chose dans le monde de sa mère. Eleanor n'a pas relevé.

— Laisse-moi y aller, s'il te plaît.

— Pourquoi tu y tiens tant que ça ? Pourquoi tu veux faire ça pour lui ? Il n'a jamais rien fait pour toi.

Punaise. Même si c'était vrai, ça faisait quand même mal à entendre.

— Je m'en *fiche*. Je veux juste sortir d'ici. J'ai pas mis les pieds ailleurs qu'à l'école depuis deux mois. En plus, il a dit qu'il me paierait.

— S'il a de l'argent qui dort, il ferait mieux de payer sa pension.

— Maman, c'est dix dollars. S'il te plaît.

Sa mère soupira.

— D'accord. J'en parlerai à Richie.

— Non ! Surtout pas. Ne lui dis rien. Il dira non. Et il ne peut pas m'interdire de voir mon père.

— Richie est le chef de famille. Richie est celui qui apporte la nourriture sur la table.

« Quelle nourriture ? Eleanor aurait aimé lui demander. Et pendant qu'on y est, quelle table ? »

Ils mangeaient sur le canapé, par terre ou sur les marches du perron derrière la maison dans des assiettes en carton. En plus, Richie refuserait pour le simple plaisir de dire non. Pour avoir l'impression d'être le roi du monde. Ce qui était probablement la raison pour laquelle sa mère voulait le consulter.

— Maman, a imploré Eleanor en enfouissant son visage dans les mains, appuyée contre le réfrigérateur. S'il te plaît.

— Oh, d'accord, souffla-telle d'une voix amère. D'accord. Mais s'il te donne de l'argent, tu le partages avec tes frères et sœurs. C'est le minimum que tu puisses faire.

Elle leur filerait tout. Tout ce qu'elle voulait, c'était une occasion d'appeler Park. De pouvoir lui parler sans que les suppôts nourris à l'enfer des Flats laissent traîner leurs oreilles.

Le lendemain matin dans le bus, alors que Park faisait courir son doigt le long de son bracelet, Eleanor lui a demandé son numéro de téléphone.

Il a rigolé.

— Pourquoi c'est si marrant ?

— Parce que, a-t-il dit doucement.

Ils parlaient tout le temps à voix basse, même si le reste du bus passait son temps à beugler, même s'il fallait un mégaphone pour se faire entendre au-dessus des injures et de la débilité ambiante.

— J'ai l'impression que tu me dragues.

— Je ne devrais peut-être pas te demander ton numéro. Tu ne m'as jamais demandé le mien.

Il l'a regardée droit dans les yeux à travers sa frange.

— Je me suis dit que tu étais privée de téléphone... après ma rencontre avec ton beau-père.

— Ce serait sûrement le cas, si j'avais le téléphone.

Elle essayait autant que possible de ne pas révéler ce genre de choses à Park, tous ces trucs qu'elle n'avait pas. Elle attendit une réaction de sa part, mais rien. Il a simplement fait courir son pouce le long de la veine sur son poignet.

— Alors pourquoi tu veux mon numéro ?

« C'est pas vrai, songea-t-elle, laisse tomber. »

— T'es pas obligé de me le donner.

Il a levé les yeux au ciel et sorti un stylo de son sac à dos, puis il a tendu la main pour attraper un de ses livres.

— Non, a chuchoté Eleanor. Fais pas ça. Je ne veux pas que ma mère tombe dessus.

Il a sourcillé à la vue de son livre.

— Je crois que j'aurais plus peur qu'elle ne tombe sur *ça*.

Eleanor baissa les yeux. Merde. Celui ou celle qui avait écrit ce truc dégueulasse sur son livre de géographie avait aussi écrit sur son livre d'histoire.

suce-moi, pouvait-on lire dans d'atroces lettres bleues.

Elle a attrapé le stylo de Park et s'est mise à gribouiller par-dessus.

— Pourquoi t'as écrit ça ? C'est une chanson ?

— Je ne l'ai pas écrit.

Elle sentit des plaques rouges lui coloniser le cou.

— Alors c'est qui ?

Elle lui a lancé le regard le plus méchant qui soit. (C'était difficile de lui faire autre chose que les yeux doux.)

— J'en sais rien.

— Et qui pourrait bien écrire un truc pareil d'abord ?

— J'en sais rien.

Elle a plaqué ses livres contre la poitrine et mis ses bras autour.

— Hé...

Eleanor l'ignora et regarda par la fenêtre. Elle n'arrivait pas à croire qu'elle l'avait laissé voir ce truc sur ses livres. C'était une chose de lui laisser entrevoir sa vie de tarée par petites touches... « Bon, ouais, j'ai un beau-père atroce, et je n'ai pas le téléphone, et parfois quand on n'a plus de liquide vaisselle, je me lave les cheveux avec du shampooing contre les puces et les tiques... »

C'en était une autre de lui rappeler qu'elle était cette fille-là. Autant l'inviter au cours de gym. Autant lui donner la liste alphabétique de tous les surnoms que les autres lui avaient trouvés.

A – Abrutie (moche)

B – Baleine (rousse)

C – Cageot (gros)

Il serait probablement tenté de lui demander *pourquoi* elle était cette fille-là.

— Hé, a répété Park.

Elle a secoué la tête.

Ça ne servait à rien non plus de lui dire qu'elle n'était pas cette fille-là dans son ancien lycée. Oui, on s'était moqué d'elle avant. Il y avait toujours des types méchants – et il y avait toujours, toujours des filles méchantes – mais elle avait des copains dans son ancien lycée. Des gens avec qui déjeuner et échanger des petits mots en cours. Les gens la prenaient dans leur équipe en gym simplement parce qu'elle était gentille et drôle.

— Eleanor...

Sauf qu'il n'y avait personne comme Park dans son ancien lycée.

Il n'y avait personne comme Park n'importe où ailleurs.

— Quoi ? répondit-elle à la vitre.

— Comment est-ce que tu vas m'appeler si tu n'as pas mon numéro ?

— Qui a dit que je t'appellerais ?

Elle a serré ses livres encore plus fort.

Il s'est penché vers elle, appuyant son épaule contre la sienne.

— Ne me fais pas la tête, a soupiré Park. Ça me rend fou.

— Je suis incapable de te faire la tête.

— C'est ça.

— Je ne te fais pas la tête.

— Alors tu dois souvent faire la tête *à côté* de moi.

Elle lui donna un coup d'épaule et elle sourit malgré elle.

— Je vais faire du baby-sitting chez mon père vendredi soir, et il a dit que je pourrais passer des coups de fil.

Park a tourné la tête direct. Son visage était atrocement proche du sien. Elle aurait pu l'embrasser – ou lui donner un coup de boule – avant qu'il ait le temps de reculer.

— Ah ouais ?

— Ouais.

— *Ouais,* a fait Park, tout sourire. Mais tu ne veux pas que je t'écrive mon numéro ?

— Je vais le retenir par cœur.

— Laisse-moi te l'écrire.

— Je vais le mémoriser sur l'air d'une chanson, comme ça je ne l'oublierai pas.

Il s'est mis à chanter son numéro sur l'air de *867-5309,* ça l'a fait exploser de rire.

park

Park essayait de se rappeler la première fois qu'il l'avait vue.

Parce qu'il se rappelait que, ce jour-là, il l'avait vue comme tous les autres l'avaient vue. Il se rappelait s'être dit qu'elle le faisait exprès...

C'était déjà pas super d'avoir les cheveux roux et bouclés. C'était déjà bien assez d'avoir une tête en forme de boîte de chocolats.

Non, ce n'était pas tout à fait ce qu'il s'était dit. Il s'était dit...

Que c'était déjà pas gagné d'avoir un million de taches de rousseur et des joues de bébé.

Bon sang, qu'est-ce que ses joues étaient mignonnes. Avec des fossettes en plus des taches de rousseur, ça devrait être interdit, et rondes comme des petites pommes. C'était même étonnant que les gens n'essaient pas de lui pincer les joues quand ils la croisaient. Quand elle la rencontrerait, sa grand-mère ne pourrait pas s'en empêcher, il en était sûr.

Mais Park ne s'était pas fait cette remarque non plus, la première fois qu'il avait vu Eleanor dans le bus. Il s'était dit que c'était déjà pas super d'avoir cette tête-là...

Est-ce qu'il fallait en plus qu'elle s'habille comme ça? Et qu'elle se comporte comme ça? Qu'elle ait besoin de se démarquer autant?

Il se rappelait qu'il s'était senti mal à l'aise pour elle.

Et maintenant...

Maintenant, il sentait la colère le prendre à la gorge dès qu'il avait le sentiment que quelqu'un se moquait d'elle.

Quand il pensait à celui ou celle qui avait écrit ce truc atroce sur son livre... il avait l'impression d'être Bill Bixby juste avant de se transformer en Hulk.

Ça avait été tellement dur, dans le bus, de faire semblant que ça ne l'atteignait pas. Il ne voulait pas envenimer la situation. Il avait mis les mains dans ses poches et serré les poings, et il ne les avait pas desserrés jusqu'au déjeuner.

Toute la matinée, il avait eu envie de filer des coups de poing. Ou des coups de pied. Park avait cours de sport juste après le repas, et il avait couru tellement vite à l'échauffement qu'il avait rendu une partie de son sandwich au poisson.

M. Keoning, son prof de gym, l'avait laissé partir plus tôt pour prendre une douche.

— Sheridan, au vestiaire, bordel ! On n'est pas dans une scène des *Chariots de feu,* là !

Park aurait aimé que sa colère soit *justifiée.* Il aurait aimé pouvoir jouer les défenseurs et les protecteurs d'Eleanor sans avoir à ressentir... tout le reste.

Il y avait des moments – pas seulement aujourd'hui, mais tous les jours depuis qu'ils s'étaient rencontrés – où ça le gênait un peu d'être avec Eleanor, quand il voyait des gens parler et qu'il était sûr qu'ils se moquaient d'eux. Quand ça beuglait dans le bus des fois, il était persuadé que tout le monde se foutait de leur gueule.

Et dans ces moments-là, Park pensait sérieusement à couper les ponts. Pas à « casser », parce que l'expression ne s'appliquait pas ici. Juste... à mettre de la distance. À réinstaurer les trente centimètres entre eux deux.

Il retournait cette idée dans sa tête jusqu'à ce qu'il la revoie.

En cours, à sa table. Dans le bus, à l'attendre. À la cafétéria, en train de bouquiner.

Dès qu'il voyait Eleanor, il ne pensait plus à couper les ponts. Il ne pensait plus à rien.

À part la toucher.

À part faire tout ce qu'il pouvait, ou tout ce qu'il devait, pour la rendre heureuse.

— Comment ça, tu ne viens pas ce soir ? demanda Cal.

Ils étaient en salle d'étude, et Cal mangeait un pudding au butterscotch.

Park essayait de ne pas hausser la voix.

— J'ai un empêchement de dernière minute.

— Un empêchement ? a soufflé Cal en jetant sa cuillère dans sa boîte de pudding. Genre t'es devenu un gros connard ; c'est ça, ton empêchement ? Parce que ça arrive souvent ces temps-ci.

— Non. Un truc. Genre un truc de fille.

Cal s'est penché vers lui :

— T'as un truc avec une fille ?

Park s'est senti rougir.

— En quelque sorte. Ouais. Je ne peux pas vraiment en parler.

— Mais on avait un plan.

— Tu avais un plan. Et il était pourri.

— T'es le pire pote de la terre.

eleanor

Elle stressait tellement qu'elle n'a pas touché à son déjeuner. Elle a donné son escalope de dinde à la crème à DeNice et sa salade de fruits à Beebi.

Park lui a fait répéter son numéro de téléphone pendant tout le trajet retour.

Et il a quand même fini par le noter sur son livre, le dissimulant entre les titres de chansons.

— « *For*ever Young ».

— C'est pour 4. Tu vas t'en souvenir ?

— Pas besoin. Je connais déjà ton numéro par cœur.

— Et là c'est juste un 5. Parce que je n'arrive pas à trouver un titre avec 5 dedans, et celle-là – « Summer of 69 » – avec celle-là, retiens que le 6, mais oublie le 9.

— Je déteste cette chanson.

— Je sais, moi aussi. Je n'arrive pas à trouver un truc en 2.

— « Two of Us » ? a-t-elle suggéré.

— Two of us ?

— C'est une chanson des Beatles.

— Oh... c'est pour ça que je ne la connais pas.

Il a noté le titre.

— Je connais ton numéro par cœur, a insisté Eleanor.

— J'ai juste peur que tu l'oublies, a-t-il dit tout bas.

Il a écarté les cheveux qui tombaient devant les yeux d'Eleanor avec la pointe de son stylo.

— Je ne l'oublierai pas.

Jamais. Elle crierait probablement encore le numéro de Park sur son lit de mort. Ou se le ferait tatouer à la place du cœur quand il en aurait enfin terminé avec elle.

— Je suis assez douée avec les chiffres.

— Si tu ne m'appelles pas vendredi soir, parce que tu ne te rappelles pas mon...

— Bon, et si je te donnais le numéro de mon père ? Si je n'ai pas appelé à 9 heures, tu m'appelles.

— Excellente idée. Vraiment.

— Mais c'est le seul moment où tu pourras appeler.

— J'ai l'impression que...

Il a rigolé et regardé ailleurs.

— Quoi ? lui a-t-elle demandé en lui filant un coup de coude.

— C'est comme si on avait un rencard. Tu crois que c'est bête ?

— Non.

— Même si on se voit tous les jours...

— On n'est jamais vraiment tous les deux.

— C'est comme si on avait cinquante chaperons.

— Des chaperons démoniaques, a chuchoté Eleanor.

— Ouais.

Il a remis son stylo dans sa poche, et lui a pris la main pour la serrer contre son cœur l'espace d'une minute.

C'était la plus belle chose qui soit. Ça lui donnait envie d'avoir des bébés avec lui, et de lui donner ses deux reins même.

Park a répété :

— Un rencard.

— Ou presque, a ajouté Eleanor.

19

eleanor

En ouvrant les yeux ce matin-là, elle avait l'impression que c'était son anniversaire, comme quand, petite, on servait encore de la glace en enfer pour les grandes occasions.

Peut-être qu'il y aurait de la glace chez son père... Si c'était le cas, il la balancerait probablement avant qu'elle débarque. Il faisait toujours des allusions à son poids. Enfin avant, en tout cas. Peut-être que le jour où il avait arrêté de se soucier d'elle pour de bon, il avait cessé de s'inquiéter de ça aussi.

Eleanor a enfilé une vieille chemise d'homme à rayures et demandé à sa mère de lui nouer sa cravate – de lui faire un nœud, un vrai – autour du cou.

Sa mère l'a carrément embrassée pour lui dire au revoir sur le pas de la porte avant de lui lancer : « Amuse-toi bien, et appelle les voisins si ça se passe mal avec ton père. »

« Mais bien sûr, s'est dit Eleanor, je ne manquerai pas de les appeler si la fiancée de papa me traite de pute et me force à me laver dans une salle de bains sans porte. Oh ! mais, attends une seconde... »

Elle était un peu nerveuse. Ça faisait un an, au moins, qu'elle n'avait pas vu son père, et il s'était passé encore plus de temps avant ça. Il ne l'avait jamais appelée quand elle vivait chez les Hickman. Peut-être qu'il n'était pas au courant. Elle ne le lui avait jamais dit.

Quand Richie a commencé à venir chez eux, Ben se mettait dans des colères noires et il menaçait d'aller vivre chez leur père – ce qui était une sacrée fausse promesse, et personne n'était dupe. Même Mouse ne l'était pas, alors qu'il était encore bébé.

Leur père ne supportait pas de les avoir ne serait-ce que quelques jours. Il passait les prendre chez leur mère, et il les déposait chez *sa* mère, avant de se casser faire ce qu'il devait faire tous les week-ends. S'enfumer la tête avec de la marijuana, probablement.

Park s'est marré en voyant la cravate d'Eleanor. C'était encore mieux que de le faire sourire.

— Je ne savais pas qu'il fallait s'habiller.

— Jc me suis dit que tu m'emmènerais dans un endroit chouette, susurra-t-elle.

— Je le ferai..., a-t-il assuré en lissant sa cravate dans ses mains. Un jour.

Il était plus susceptible de lui faire ce genre de remarques sur le trajet aller que sur le trajet retour. Parfois, elle se demandait s'il était bien réveillé.

Il se tourna vers elle :

— Alors tu pars direct après les cours ?

— Ouais.

— Et tu m'appelles dès que tu arrives là-bas... ?

— Non, je t'appellerai quand le gamin sera calmé. Je vais vraiment faire du baby-sitting.

— Je vais te poser plein de questions personnelles, a-t-il dit en se penchant vers elle. J'ai fait une liste.

— Je n'ai pas peur de ta liste.

— Elle est extrêmement longue, et très intime.

— J'espère que tu n'attends pas de réponses...

Il s'est remis droit sur la banquette avant de la dévisager.

— J'aimerais bien que tu t'en ailles, murmura-t-il, pour qu'on puisse enfin parler.

Eleanor attendait sur les marches du lycée. Elle espérait apercevoir Park avant qu'il prenne le bus, mais elle avait dû le louper.

Elle ne savait pas quelle voiture guetter au juste ; son père achetait toujours de vieilles voitures de collection, qu'il revendait ensuite pour boucler les fins de mois difficiles.

Elle commençait à s'inquiéter – il aurait pu se tromper d'école ou changer d'avis – lorsqu'il a klaxonné.

Il s'est arrêté dans une vieille Karmann Ghia décapotable. Elle ressemblait à la voiture dans laquelle James Dean s'était tué. Son bras pendait par la fenêtre, il tenait une cigarette entre les doigts.

— Eleanor !

Elle rejoignit la voiture et monta. Il n'y avait aucune ceinture de sécurité.

— C'est tout ce que t'as apporté ? lui a demandé son père, en avisant son sac de cours.

— Je ne reste qu'une nuit, a-t-elle répondu avec un haussement d'épaules.

— D'accord, a-t-il fait en passant la marche arrière.

Il est sorti de la place trop vite. Elle avait oublié qu'il conduisait comme un manche. Il faisait tout dans la précipitation, et d'une seule main.

Eleanor s'est accrochée au tableau de bord. Il faisait froid dehors, et une fois lancés à pleine vitesse, il a fait encore plus froid.

Elle s'est écriée :

— On peut rabattre le toit ?

— Je ne l'ai pas encore réparé, lui a dit son père, avant d'éclater de rire.

Il vivait toujours dans le même duplex depuis que ses parents s'étaient séparés. Un appartement en dur, en brique, à dix minutes en voiture de son lycée.

Une fois à l'intérieur, il a observé Eleanor attentivement.

— C'est ça que vous portez aujourd'hui, les jeunes à la mode ?

Elle a baissé les yeux sur sa gigantesque chemise blanche, sa cravate à imprimé cachemire et son pantalon en velours violet élimé.

— Ouaip, répondit-elle platement. C'est pratiquement notre uniforme.

La copine de son père – sa fiancée – Donna, ne sortait pas du travail avant 5 heures, et après ça, elle devait passer prendre son fils à la crèche. En attendant, Eleanor et son père se sont installés sur le canapé pour regarder *ESPN*.

Il fumait cigarette sur cigarette et sirotait du scotch dans un petit verre. De temps à autre, le téléphone sonnait, et il se lançait dans une longue conversation, émaillée de rires, à propos d'une voiture, d'un plan ou d'un pari. C'était comme si chaque personne qui l'appelait était son meilleur ami au monde. Son père avait les cheveux blonds et une bouille ronde de petit garçon. Quand il souriait, à savoir tout le temps, son visage s'illuminait comme un panneau publicitaire. Dès qu'Eleanor l'observait trop longuement, elle se mettait à le détester.

Son duplex avait changé depuis sa dernière visite, et ce n'était pas seulement à cause de la boîte de jouets Fisher-Price dans le salon et du maquillage dans la salle de bains.

Les premières fois qu'ils étaient venus – après le divorce, mais avant Richie – l'appartement de leur père ressemblait à une garçonnière spartiate. Il n'y avait pas assez d'assiettes à soupe pour tout le monde. Il avait même servi du potage aux palourdes à Eleanor dans un grand verre une fois. Et il n'y avait que deux serviettes de toilette. « Une mouillée, une sèche », comme il disait.

Maintenant, Eleanor s'attardait sur les petits luxes éparpillés çà et là dans l'appartement : paquets de cigarettes, journaux, magazines, céréales de marque et papier toilette triple épaisseur... Son réfrigérateur était rempli de trucs qu'on balance dans le Caddie sans y penser, simplement parce que ça a l'air bon : crème anglaise, jus de pamplemousse, petits fromages ronds emballés individuellement dans une coquille de cire rouge.

Elle était impatiente que son père s'en aille pour pouvoir TOUT dévorer. Il y avait des tonnes de canettes de Coca dans le placard. Elle en boirait comme de l'eau toute la soirée, elle se débarbouillerait même avec, pendant qu'elle y était. Et puis, elle se commanderait une pizza. Sauf si elle devait la payer avec l'argent du baby-sitting. (Ce serait un coup classique de son père.)

Eleanor se moquait bien de savoir si s'empiffrer toute cette nourriture foutrait son père en rogne ou ferait flipper Donna. Elle ne les reverrait peut-être jamais.

Maintenant, elle se disait qu'elle aurait dû prendre un sac de couchage. Elle aurait pu emporter en douce des boîtes de Chef Boyardee ou de soupe aux vermicelles et au poulet Campbell pour les petits. Elle aurait pu jouer au père Noël en rentrant...

Elle ne voulait pas penser aux petits maintenant. Ni à Noël.

Elle essaya de changer de chaîne pour regarder MTV, mais son père lui fit les gros yeux. Il était de nouveau pendu au téléphone.

— Je peux écouter des disques ? a chuchoté Eleanor.

Il a hoché la tête.

Elle avait une vieille cassette dans sa poche, et elle voulait réenregistrer des trucs dessus pour faire une compilation pour Park. Sauf qu'il y avait un paquet entier de cassettes Maxwell vierges posées sur la chaîne de son père. Eleanor a agité une cassette sous ses yeux, et il a acquiescé en balançant son mégot dans un cendrier en forme de femme africaine nue.

Elle s'est assise devant les casiers pleins de vinyles.

C'était la collection de ses parents. Sa mère n'avait pas dû en vouloir. Ou peut-être que son père les avait gardés sans lui demander son avis.

Sa mère adorait cet album de Bonnie Raitt. Eleanor se demanda si son père l'avait jamais écouté.

Elle avait l'impression d'avoir sept ans, à parcourir les disques comme ça.

Avant d'obtenir la permission de manipuler les vinyles, Eleanor se contentait de les étaler par terre pour admirer les pochettes. Et puis quand elle avait été assez grande, son père lui avait appris à dépoussiérer les disques avec une brosse en bois matelassée de velours.

Elle revoyait sa mère allumer de l'encens et mettre ses disques préférés: Judee Sill, Judee Collins, Crosby, Stills et Nash, pendant qu'elle faisait le ménage.

Elle revoyait son père qui passait des disques: Jimi Hendrix, Deep Purple et Jethro Tull, quand ses copains venaient à la maison et restaient tard dans la nuit.

Eleanor se revoyait couchée à plat ventre sur un vieux tapis persan, sirotant du jus de raisin dans un pot de confiture, se faisant la plus discrète possible parce que son petit frère dormait dans la pièce d'à côté. Elle étudiait chaque disque, les uns après les autres. Elle retournait leurs noms dans sa bouche encore et encore: Cream, Vanilla Fudge, Canned Heat.

Les disques avaient conservé leur odeur: celle de la chambre de son père, celle du manteau de Richie. Ils sentaient le shit, réalisa Eleanor. Pff. Elle s'est mise à parcourir les disques plus rapidement d'un coup, elle était en mission, à la recherche de *Rubber Soul* et *Revolver.*

Parfois elle avait le sentiment qu'elle ne pourrait jamais rien offrir à Park qui arrive à la cheville de ce qu'il lui avait donné. C'était comme s'il lui balançait des trésors sur les genoux tous les matins sans même le savoir, sans aucune idée de la valeur qu'ils avaient.

Elle ne pourrait pas le rembourser. Elle n'arrivait même pas à le remercier correctement. Comment peut-on correctement remercier quelqu'un pour les Cure ? Ou les *X-Men* ? Parfois, elle avait le sentiment qu'elle aurait toujours une dette envers lui.

Et là, elle s'est souvenue que Park ne connaissait pas les Beatles.

park

Park est allé jouer au basket après les cours, histoire de tuer le temps. Mais il n'arrivait pas à se concentrer sur la partie ; il n'arrêtait pas de jeter des coups d'œil vers la maison d'Eleanor.

Arrivé chez lui, il s'est écrié :

— Maman ! Je suis rentré !

— Suis dans le garage !

Il a pris un Popsicle à la cerise dans le congélateur avant d'aller la retrouver. L'odeur de solution pour permanente le prit à la gorge dès qu'il ouvrit la porte.

Son père avait réaménagé le garage en salon de coiffure quand Josh était entré à l'école maternelle et que leur mère avait commencé une formation à l'école d'esthétique. Elle avait même un petit panneau au-dessus de la porte qui disait « MINDY COIFFURE ET ONGLERIE ».

« Min-Jae » pouvait-on lire sur son permis de conduire.

Ceux qui avaient les moyens de s'offrir une coupe dans le quartier venaient chez sa mère. À l'approche du bal d'automne ou du bal de promo, elle passait ses journées dans le garage. Park et Josh étaient réquisitionnés de temps à autre pour lui tendre les fers à friser chauds.

Aujourd'hui, Tina était installée dans le fauteuil. Ses cheveux étaient serrés autour de petits rouleaux, et sa mère pressait une bouteille en plastique au-dessus pour les asperger d'une sorte de lotion. L'odeur lui piqua les yeux.

— Salut, maman. Salut, Tina.

— Bonjour mon chéri.

Elle le prononçait comme s'il y avait deux « r ».

Tina lui a fait un grand sourire.

— Fermer tes yeux, Tina, a ordonné sa mère. Rester fermés.

— Au fait, madame Sheridan, embraya-t-elle tout en maintenant une serviette blanche sur son visage, vous avez rencontré la petite amie de Park ?

Sa mère ne quittait pas les rouleaux des yeux.

— Nooon, dit-elle en faisant claquer sa langue. Pas petite amie. Pas Park.

— C'est ça, ouais. Dis-lui, Park : elle s'appelle Eleanor et c'est une nouvelle. Ils sont inséparables dans le bus.

Park fixait Tina. Choqué qu'elle ait pu le vendre comme ça. Impressionné aussi par sa vision romantique de la vie dans le bus. Surpris qu'elle se soucie même de lui, et d'Eleanor. Sa mère l'a regardé, un bref instant seulement car les cheveux de Tina entraient dans une phase critique.

— Pas entendu parler de petite amie.

— Je suis sûre que vous l'avez déjà vue dans le quartier. Elle a de très beaux cheveux roux. Des boucles naturelles.

— Ah oui ?

— Non, a sifflé Park, la colère et tout le reste lui tordant l'estomac.

— T'es bien un mec, a rétorqué Tina derrière sa serviette. Je suis sûre qu'elles sont naturelles.

— Non ! Ce n'est pas ma copine. Je n'ai pas de copine, se récria-t-il en s'adressant à sa mère.

— OK, OK. Trop discussion de filles pour toi. Trop discussion de filles, Tina. Va surveiller dîner maintenant, dit-elle à Park.

Il est sorti à reculons du garage, il voulait encore se défendre, il sentait encore plus le déni lui chatouiller la gorge. Il a claqué la porte, puis il est allé dans la cuisine où il a claqué tout ce qu'il pouvait : le four, les placards, la poubelle.

— Qu'est-ce qui te prend, bon sang ? a pesté son père en entrant dans la cuisine.

Park s'est immobilisé. Il ne pouvait *pas* faire de vagues ce soir.

— Rien. Désolé. Je suis désolé.

— Bon Dieu, Park, va te passer les nerfs sur le sac...

Il y avait un vieux punching-bag dans le garage, accroché bien trop haut pour Park.

Son père s'est écrié :

— Mindy !

— Suis dans le garage !

Eleanor n'a pas appelé pendant le dîner, et c'était aussi bien. Ça aurait énervé son père.

Sauf qu'elle n'a pas appelé après non plus. Park faisait les cent pas dans la maison, il saisissait un objet et il le reposait puis il recommençait. Même si ça ne rimait à rien, il avait peur qu'Eleanor ne l'appelle pas parce qu'il l'avait trahie. Parce qu'elle savait d'une certaine manière, parce qu'elle avait deviné la perturbation dans la Force.

Le téléphone a sonné à 7 h 15, et sa mère a décroché. Il a tout de suite su que c'était sa grand-mère.

Les doigts de Park pianotaient sur une étagère. Mais pourquoi est-ce que ses parents ne voulaient pas prendre le signal d'appel ? Tout le monde l'avait, même ses grands-parents ! Et pourquoi sa grand-mère ne venait pas carrément chez eux si elle voulait juste discuter ? Ils étaient voisins.

— Non, pas mon avis, dit sa mère. *Sixty Minutes* toujours le dimanche... Peut-être tu penser à *Twenty-Twenty*? Non? John Stossel? Non? Geraldo Rivera? Diane Sawyer?

Park se tapait la tête doucement contre les murs.

Son père s'est énervé :

— Bon sang, Park, qu'est-ce qui te prend?

Lui et Josh essayaient de suivre *L'Agence tous risques*.

— Rien, je suis désolé. J'attends un coup de fil, c'est tout.

— Un coup de fil de ta copine? a demandé Josh. Park sort avec la Grosse Rouquemoutte.

— C'est pas...

Park s'est retenu de crier, il a serré les poings.

— Si tu l'appelles comme ça encore une fois, je te tue. Littéralement, je te tuerai. J'irai en prison pour le restant de mes jours, et ça brisera le cœur de maman, mais je le ferai. Je. Te. Tuerai.

Son père le dévisagea de son habituel coup d'œil, comme s'il essayait de comprendre ce qu'était son putain de problème.

Il a tourné la tête vers Josh :

— Park a une copine? Pourquoi on l'appelle la Grosse Rouquemoutte?

— Peut-être parce qu'elle est rousse et qu'elle a des gros nichons.

— Pas d'accord, sale bouche, a protesté sa mère.

Elle couvrait le combiné avec sa main.

— Toi, a-t-elle dit en désignant Josh, dans ta chambre. *Maintenant.*

— Mais maman, y a *L'Agence tous risques*!

— Tu as entendu ta mère, a insisté son père. On ne tolère pas ce langage dans cette maison.

— Mais tu l'utilises, toi, ce langage, a maugréé Josh en se levant péniblement du canapé.

— J'ai trente-neuf ans. Et je suis un vétéran décoré. Je parle comme je veux.

Leur mère a menacé leur père d'un ongle long et manucuré :

— Moi envoyer toi aussi dans ta chambre.

— Si seulement, chérie, rétorqua-t-il en lui lançant un coussin.

Sa mère a repris sa conversation :

— Hugh Downs ?

Le coussin est tombé par terre et elle l'a ramassé.

— Non ?... OK, chercher encore alors. OK. Bisous. OK, bye-bye.

Elle avait à peine raccroché que le téléphone a sonné. Park s'est décollé du mur en faisait un bond. Son père lui a souri. Sa mère a répondu.

— Allô ? Oui, un moment, s'il te plaît.

Elle a regardé Park.

— Téléphone pour toi.

— Je peux le prendre dans ma chambre ?

Sa mère a acquiescé. Son père a articulé en silence : « Grosse Rouquemoutte ».

Park s'est précipité dans sa chambre, il s'est immobilisé pour reprendre son souffle avant de décrocher. Il n'y arrivait pas. Il a décroché quand même.

— C'est bon, maman, merci.

Il a attendu le « clic ».

— Allô ?

— Salut.

Il a senti toute la tension s'évanouir d'un coup, il tenait à peine debout.

— Salut, a-t-il soufflé.

Elle a rigolé.

— Quoi ?

— Je ne sais pas, a dit Eleanor. Salut.

— Je commençais à croire que t'appellerais pas.

— Il est même pas sept heures et demie.

— Ouais, bon... Ton frère dort déjà ?

— Ce n'est pas mon frère. Enfin, pas encore. Je crois que mon père est fiancé à sa mère. Mais, non, il ne dort pas. On regarde les *Fraggle Rock*.

Park a délicatement soulevé le téléphone pour l'emmener sur son lit. Il s'est assis tout doucement. Il ne voulait pas qu'elle entende quoi que ce soit. Il ne voulait pas qu'elle sache qu'il avait un lit à eau deux places et un téléphone en forme de Ferrari.

— Il rentre à quelle heure ton père ?

— Tard, j'espère. Ils m'ont dit qu'ils ne prenaient presque jamais de baby-sitter.

— Cool.

Elle a encore rigolé.

— Quoi ? lui a demandé Park une nouvelle fois.

— Je sais pas. C'est comme si tu chuchotais à mon oreille.

— Je passe mon temps à chuchoter à ton oreille, susurra-t-il en se calant contre ses oreillers.

— Ouais, mais en général, c'est pour parler de Magnéto ou d'autres personnages de comics.

Sa voix était plus aiguë au téléphone, et plus riche, comme s'il l'écoutait au casque.

— Ce soir, je ne te dirai aucun des trucs qu'on se raconterait dans le bus ou en cours de lettres, a fait Park.

— Et moi je ne dirai aucun truc que je ne puisse raconter devant un enfant de trois ans.

— Chouette.

— Je rigole. Il est dans la pièce à côté, et il m'ignore royalement.

— Bon...

— Bon..., répéta Eleanor... des trucs qu'on ne se raconterait pas dans le bus.

— Les trucs qu'on ne se raconterait pas dans le bus ; c'est parti.

— Je déteste vraiment ces types.

Il a ri, et puis il a pensé à Tina et il était bien content qu'Eleanor ne puisse pas voir sa tête.

— Moi aussi des fois. Je veux dire, j'imagine que je m'y suis habitué. Je les connais presque tous depuis que je suis tout petit. Steve est mon voisin.

— Comment c'est arrivé ?

— Qu'est-ce que tu veux dire ?

— Je veux dire, t'as pas vraiment la tête du type de ce quartier...

— Parce que je suis coréen ?

— T'es coréen ?

— À moitié.

— Je ne suis pas très sûre de ce que ça signifie, à vrai dire.

— Moi non plus.

— Comment ça ? T'as été adopté ?

— Non. Ma mère vient de Corée. Mais elle n'en parle pas trop.

— Et comment elle a atterri dans le quartier ?

— Mon père. Il a fait son service en Corée, ils sont tombés amoureux, et il l'a ramenée.

— Waaaouh, vraiment ?

— Ouais.

— C'est super romantique.

Si Eleanor savait... ses parents étaient probablement en train de se rouler des pelles à l'heure qu'il était.

— J'imagine.

— C'est pas ce que je voulais dire en tout cas. Je voulais dire... que tu es différent des autres du quartier, tu sais ?

Bien sûr qu'il le savait. On le lui répétait tous les jours depuis sa plus tendre enfance. Quand Tina avait jeté son dévolu sur lui au lieu de Steve en primaire, Steve lui avait dit :

— Je crois qu'elle se sent en sécurité avec toi parce que t'es à moitié une fille.

Park détestait le football. Il pleurait quand son père l'emmenait chasser le faisan. Personne dans le quartier n'arrivait à deviner en quoi il se déguisait pour Halloween («Je suis Doctor Who.» «Je suis Harpo Marx.» «Je suis Count Floyd.»). Et il était à deux doigts de demander à sa mère de lui faire des mèches blondes. Park *savait* qu'il était différent.

— Non, souffla-t-il. Je ne sais pas.

— Toi..., a dit Eleanor, t'es vraiment... cool.

eleanor

— Cool ? répéta Park.

Punaise. Elle n'arrivait pas à croire qu'elle avait dit ça. Ce n'était pas cool du tout... L'exact opposé de cool. Genre, si on regardait à « cool » dans le dictionnaire, il y aurait une photo de quelqu'un de cool disant : « C'est quoi ton problème, Eleanor ? »

— Je ne suis pas cool, a continué Park. C'est toi qui es cool.

— Ha ! Si je buvais du lait, et si tu étais là, tu pourrais me voir le recracher par les narines, là.

— Tu te fous de moi ? T'es Dirty Harry.

— Je suis quoi ?

— Le personnage de Clint Eastwood, tu sais ?

— Non.

— T'en as rien à faire de ce qu'on pense de toi.

— C'est n'importe quoi. Je me soucie tout le temps de ce qu'on pense de moi.

— C'est pas l'image que tu me renvoies. T'as juste l'air d'être toi-même, quoi qu'il se passe autour de toi. Ma grand-mère dirait que tu es bien dans ta peau.

— Mais pourquoi elle dirait ça ?

— Parce que c'est le genre de trucs qu'elle dit.

— Je suis plutôt *coincée* dans ma peau. Et pourquoi on parle de moi d'abord ? On parlait de toi, je te signale.

— Je préfère parler de toi, dit-il en baissant la voix.

C'était chouette t'entendre la voix de Park et rien d'autre. (Rien d'autre excepté les *Fraggle Rock* dans la pièce d'à côté.) Sa voix était plus grave qu'elle ne le pensait, mais avec une sorte de chaleur au milieu. Elle lui faisait un peu penser à Peter Gabriel. Pas quand il chantait, évidemment. Et sans accent britannique non plus.

— Et d'où est-ce que tu viens, toi ? lui a demandé Park.

— Du futur.

park

Eleanor avait réponse à tout. Mais elle avait le don pour esquiver la plupart de ses questions.

Elle n'évoquait ni sa famille ni sa maison. Elle n'évoquait ni ce qu'il s'était passé avant qu'elle emménage dans le quartier ni ce qu'il se passait après qu'elle descende du bus.

Quand son « demi-frère » s'est endormi vers 9 heures, elle a demandé a Park de rappeler quinze minutes plus tard, pour qu'elle mette le petit au lit.

Park s'est précipité aux toilettes en croisant les doigts pour ne pas tomber sur un de ses parents. Jusque-là, ils le laissaient tranquille.

Il est retourné dans sa chambre. Il a regardé l'heure : encore huit minutes. Il a mis une cassette dans sa chaîne avant d'enfiler son pantalon de pyjama et un tee-shirt.

Il l'a rappelée.

— Ça fait carrément pas quinze minutes, dit-elle.

— Je ne pouvais pas attendre. Tu veux que je te rappelle ?

— Non.

Sa voix était encore plus douce.

— Il ne s'est pas réveillé ?

— Non.

— T'es où là ?

— Tu veux dire, dans l'appart ?

— Ouais, t'es où ?

— Pourquoi ? lui a demandé Eleanor, avec une sorte de dédain dans la voix.

— Parce que je pense à toi, a soufflé Park, exaspéré.

— Et ?

— Et j'aimerais bien m'imaginer avec toi. Pourquoi tu compliques toujours tout ?

— Peut-être parce que je suis hyper cool...

— Ha, ha.

— Je suis allongée par terre dans le salon, dit-elle l'air absent. Devant la chaîne hi-fi.

— Dans le noir ? J'ai l'impression que tu es dans le noir.

— Dans le noir, ouais.

Il s'est recalé contre ses oreillers et s'est couvert les yeux avec son bras. Il la voyait. Dans sa tête. Il imaginait les diodes vertes de la chaîne, le halo des lampadaires filtrant par les fenêtres. Il imaginait l'éclat de son visage, la lueur la plus chaude de la pièce.

— C'est U2 ?

Il distinguait *Bad* en fond sonore.

— Ouais, je crois que c'est ma chanson préférée en ce moment. J'arrête pas de rembobiner pour la réécouter encore et encore. C'est chouette de ne pas avoir à se soucier des piles.

— C'est quoi ton passage préféré ?

— De la chanson ?

— Ouais.

— J'aime tout, surtout le refrain – enfin, je crois que c'est le refrain.

— *I'm wide awake,* a chantonné Park.

— Ouais, sussura-t-elle.

Il a continué à chanter du coup. Parce qu'il ne savait pas vraiment quoi dire d'autre.

eleanor

— Eleanor ?

Elle ne répondit pas.

— T'es là ?

Elle était tellement loin qu'elle a littéralement hoché la tête.

— Oui, a dit Eleanor tout haut, revenant à elle.

— Tu penses à quoi ?

— Je pense… je… je ne pense pas.

— Et alors c'est bien ou c'est pas bien ?

— J'en sais rien.

Elle s'est retournée à plat ventre et elle a enfoui son visage dans la moquette.

— Les deux.

Il ne disait rien. Elle l'écoutait respirer. Elle voulait lui demander d'approcher le combiné de sa bouche.

— Tu me manques, murmura-t-elle.

— Je suis juste là.

— J'aimerais que tu sois là. Ou être avec toi. J'aimerais qu'on ait une chance de se parler comme ça après ce soir, ou qu'on se voie. Qu'on se voie vraiment. Qu'on soit seuls, ensemble.

— Et pourquoi ça n'arriverait pas ?

Elle a rigolé. C'est à ce moment là qu'elle s'est rendu compte qu'elle pleurait.

— Eleanor…

— Arrête. Dis pas mon nom comme ça. C'est encore pire.

— Qu'est-ce qui est encore pire ?

— Tout.

Il s'est tu.

Elle s'est assise et s'est essuyé le nez avec sa manche.

— T'as un surnom ? lui lança-t-il.

C'était un de ses trucs : quand elle était distraite ou irritée, il changeait de sujet de la manière la plus douce possible.

— Ouais, Eleanor.

— Pas Nora ? Ou Ella ? Ou... Lena, on pourrait t'appeler Lena. Ou Lenny ou Elle...

— T'essaie de me trouver un surnom, là ?

— Non, j'adore ton prénom. Et je ne veux pas me priver de la moindre syllabe.

— T'es vraiment un gros naze.

Elle s'est frotté les yeux.

— Eleanor... Pourquoi ne pourrait-on pas se revoir ?

— Punaise, ne recommence pas. J'avais presque arrêté de pleurer.

— Dis-moi. Parle-moi.

— Parce que. Parce que mon beau-père me tuerait.

— Et qu'est-ce que ça peut lui faire ?

— Rien. Il veut me tuer, c'est tout.

— Pourquoi ?

— Arrête de me demander ça, a-t-elle rétorqué sur le ton de la colère, incapable de retenir ses larmes désormais. Tu demandes toujours ça : « Pourquoi ». Comme s'il y avait une réponse pour tout. Tout le monde n'a pas la même vie que toi ou ta famille, tu sais. Dans ta vie, les choses se produisent pour une bonne raison. Les gens sont raisonnables. Mais ce n'est pas ma vie. Personne dans *ma* vie n'est raisonnable.

— Même pas moi ?

— Ha ha ! Surtout pas toi.

— Pourquoi tu dis ça ?

Il avait l'air blessé. Pourquoi devait-il se sentir blessé ?

— Pourquoi, pourquoi, pourquoi..., a répété Eleanor.

— Ouais, insista Park, *pourquoi*. Pourquoi tu t'énerves toujours contre moi ?

— Je ne m'énerve pas contre toi, dit-elle dans un sanglot.

Il était trop stupide.

— Si. Tu me fais la tête, là. Tu me tournes toujours le dos, à chaque fois qu'on arrive enfin quelque part.

— Qu'on arrive où ?

— À un certain point. Nous deux. Il y a deux minutes, tu disais que je te manquais. Et pour la première fois, je crois, tu n'étais pas sarcastique ni sur la défensive, tu ne me parlais pas comme à un débile. Et maintenant tu me cries dessus.

— Je ne crie pas.

— Tu t'énerves. Pourquoi tu t'énerves ?

Elle ne voulait pas qu'il l'entende pleurer. Elle a retenu son souffle. C'était pire.

— Eleanor...

Encore pire.

— Arrête de *dire* ça.

— Qu'est-ce que j'ai le droit de dire, alors? Tu peux me demander pourquoi, tu sais. Je te promets que je te répondrai.

Elle devinait une pointe de frustration dans sa voix, mais il n'était pas en colère. Elle se souvenait seulement d'une fois où il s'était énervé contre elle. Le premier jour quand elle était montée dans le bus.

— Tu peux me demander pourquoi, à moi, a répété Park.

— Ouais ? a-t-elle reniflé.

— Ouais.

— OK.

Elle a baissé les yeux sur la platine, sur son reflet dans le couvercle en Plexiglas teinté. Elle avait l'air d'un fantôme avec une tête bouffie. Elle a fermé les yeux.

— Pourquoi tu m'aimes bien, d'abord ?

park

Il a ouvert les yeux.

Il s'est assis, puis levé, et il s'est mis à faire les cent pas dans sa chambre. Il s'est approché de la fenêtre, celle qui donnait sur la maison d'Eleanor, même si elle était à un pâté de maisons de là et qu'Eleanor n'y était pas. Il gardait serrée contre son ventre la base de son téléphone-voiture.

Elle venait de lui demander d'expliquer quelque chose qu'il ne s'expliquait pas lui-même.

— Je ne t'aime pas bien, dit Park. J'ai besoin de toi.

Il a attendu qu'elle l'interrompe. Qu'elle dise « Ha ha » ! ou « Punaise » ou « On dirait une chanson de Bread ».

Mais elle était silencieuse.

Il est remonté sur son lit, se fichant bien de savoir si elle entendrait le bruissement de l'eau.

— Tu peux me demander pourquoi j'ai besoin de toi, a-t-il murmuré.

Il n'avait même pas besoin de murmurer. Au téléphone, dans le noir, il pouvait se contenter de remuer les lèvres et de lâcher son souffle.

— Sauf que je ne sais pas. Je sais juste que j'ai besoin de toi... Tu me manques, Eleanor. Je veux être avec toi tout le temps. Tu es la fille la plus intelligente que j'aie jamais rencontrée, et la plus drôle, et tout ce que tu fais me surprend. Et j'aimerais pouvoir dire que ce sont les raisons qui font que tu me plais, parce que ça me donnerait l'air d'un être humain très évolué... Mais je crois que ça a aussi pas mal à voir avec le fait que tes cheveux sont roux et que tes mains sont douces... et que tu sens bon le gâteau d'anniversaire fait maison.

Il a attendu qu'elle réagisse. Mais elle n'a rien dit.

Quelqu'un a frappé doucement à sa porte.

— Une petite seconde, a murmuré Park dans le téléphone. Oui ?

Sa mère a entrouvert la porte de sa chambre et passé la tête.

— Pas trop tard, a soufflé sa mère.

— Pas trop tard, a acquiescé Park.

Elle a souri et refermé la porte.

— Je suis de retour. Tu es là ?

— Je suis là.

— Dis quelque chose.

— Je ne sais pas quoi dire.

— Dis quelque chose, pour que je ne me sente pas trop bête.

— Ne te sens pas bête, Park.

— Super.

Ils ont observé un silence tous les deux.

— Demande-moi pourquoi je t'aime bien, a finalement lâché Eleanor.

Il s'est senti sourire. Il a eu la sensation que quelque chose de chaud s'était renversé partout dans son cœur.

— Eleanor, a fait Park, pour le simple plaisir de répéter son prénom, pourquoi est-ce que tu m'aimes bien ?

— Je ne t'aime pas bien.

Il a attendu. Et attendu...

Puis il s'est mis à rire.

— T'es un peu méchante.

Il entendait son sourire, à elle aussi. Il la voyait. Tout sourire.

— Je ne t'aime pas bien, Park, a répété Eleanor. Je...

Elle s'est tue.

— Je peux pas faire ça.

— Pourquoi pas ?

— C'est embarrassant.

— Jusqu'ici, c'est juste pour moi que c'est embarrassant.

— J'ai peur d'en dire trop.

— C'est impossible.

— J'ai peur de te dire la vérité.

— Eleanor...

— Park.

— Tu ne m'aimes pas bien..., répéta-t-il pour la guider en enfonçant la base du téléphone dans ses côtes.

— Je ne t'aime pas bien, Park, a soufflé Eleanor, et pour une fois elle semblait vraiment le penser. Je... (sa voix n'était plus qu'un souffle) je crois que je vis pour toi.

Il a fermé les yeux et renversé la tête sur son oreiller.

— Je crois que je n'arrive pas à respirer quand on n'est pas tous les deux. En d'autres termes, quand je te vois le lundi matin, ça fait environ soixante heures que je retiens mon souffle. Ça explique peut-être que je sois grognon et que je m'énerve contre toi. Tout ce que je fais quand on est loin, c'est penser à toi, et tout ce que je fais quand on est ensemble, c'est paniquer. Parce que chaque seconde semble si importante. Et parce que je suis vraiment incontrôlable, je ne peux pas m'en empêcher. Je ne m'appartiens même plus, je suis à toi, et qu'est-ce qui se passera si un jour tu décides que tu ne veux plus de moi ? Comment est-ce que tu *pourrais* me vouloir autant que je te veux ?

Il était silencieux. Il aurait voulu que tout ce qu'elle venait de lui dire soit la dernière chose qu'il entende. Il voulait s'endormir avec ce « Je te veux » à son oreille.

— Punaise. Je t'avais bien dit qu'il fallait pas que je parle. Je n'ai même pas répondu à ta question.

eleanor

Elle n'avait rien dit de gentil à propos de lui. Elle ne lui avait même pas dit qu'il était encore plus joli qu'une fille et que sa peau était comme les rayons du soleil mais bronzés.

Et c'était exactement pour cette raison qu'elle ne l'avait pas dit. Parce que tous ses sentiments pour lui, si chauds et si beaux dans son cœur, se transformaient en bouillie dans sa bouche.

Elle a tourné la cassette et appuyé sur « Lecture », puis attendu que Robert Smith se mette à chanter avant de s'installer dans le canapé en cuir marron de son père.

— Pourquoi est-ce que je ne peux pas te voir ? demanda Park.

Sa voix était rauque et pure, comme quelque chose qui vient d'éclore.

— Parce que mon beau-père est taré.

— Est-ce qu'il a besoin de savoir ?

— Ma mère lui dira.

— Est-ce qu'elle a besoin de savoir ?

Eleanor a passé ses doigts sur le bord de la table basse en verre.

— Comment ça ?

— J'en sais rien. Je sais seulement que j'ai besoin d'être avec toi. Comme maintenant.

— Je n'ai même pas le droit de parler à des garçons.

— Jusqu'à quand ?

— Je ne sais pas, jamais. Ça fait partie de ces choses qui n'ont aucun sens. Ma mère ne veut rien faire qui puisse possiblement irriter mon beau-père. Ça l'excite d'être méchant. Surtout avec moi. Il me déteste.

— Pourquoi ?

— Parce que je le déteste.

— Pourquoi ?

Elle avait follement envie de changer de sujet, mais elle ne l'a pas fait.

— Parce qu'il est mauvais. Juste... Fais-moi confiance. Il est du genre à essayer d'anéantir tout ce qui est bon. S'il savait pour toi, il ferait tout son possible pour t'éloigner de moi.

— Il ne peut pas m'éloigner de toi.

« Bien sûr que si », a-t-elle pensé.

— Il peut m'éloigner *moi* de *toi*. La dernière fois qu'il s'est vraiment fâché, il m'a foutue dehors et il ne m'a pas laissée rentrer à la maison pendant un an.

— Punaise.

— Ouais.

— Je suis désolé.

— Pas la peine, dit-elle. Mais il ne faut lui offrir aucune occasion.

— On pourrait se retrouver au terrain de basket.

— Mes frères et ma sœur vendraient la mèche.

— On peut se retrouver ailleurs.

— Où ?

— Ici. Tu pourrais venir ici.

— Ils diraient quoi, tes parents ?

— Ravis de te rencontrer, Eleanor, tu restes dîner ?

Elle a ri. Elle voulait lui dire que ça ne marcherait jamais, mais peut-être que si. Peut-être.

— Tu es sûr de vouloir me présenter ?

— Oui. Je veux que tout le monde fasse ta connaissance. Tu es ma personne préférée de toute la vie.

Il lui donnait sans cesse l'impression que ce n'était pas interdit de sourire.

— Je ne veux pas te mettre mal à l'aise..., a soufflé Eleanor.

— Impossible.

Des phares ont balayé le salon.

— Mince. Je crois qu'ils rentrent.

Elle s'est levée pour aller à la fenêtre.

Son père et Donna descendaient de la Karmann Ghia. Donna avait les cheveux en pétard.

— Mince, mince, mince, je ne t'ai pas dit pourquoi je t'aimais bien, et maintenant je dois y aller.

— Ça va. T'inquiète.

— C'est parce que tu es gentil. Et que tu comprends toutes mes blagues...

— OK, a ri Park.

— Et tu es plus intelligent que moi.

— C'est pas vrai.

— Et tu ressembles à un héros.

Elle parlait aussi vite qu'elle déroulait le fil de sa pensée :

— Tu ressembles à celui qui gagne à la fin. Tu es tellement joli, et tellement bon. Tu as des yeux magiques, murmura-t-elle, et tu me transformes en cannibale.

— T'es folle.

— Faut que j'y aille.

Elle s'est penchée pour rapprocher le combiné le plus près possible de sa base.

— Eleanor, attends !

Elle entendit son père dans la cuisine et les battements de son cœur partout.

— Eleanor, attends, *je t'aime.*

— Eleanor ?

Son père était sur le pas de la porte. Il était entré en catimini, au cas où elle se serait endormie. Elle a raccroché et fait semblant de l'être.

20

eleanor

Elle a passé toute la journée du lendemain dans le brouillard.

Son père s'est plaint qu'elle avait mangé tout le fromage blanc.

— Je ne l'ai pas mangé, je l'ai donné à Matt.

Son père n'avait que sept dollars dans son portefeuille, alors c'est tout ce qu'il lui a donné. Il était sur le point de la ramener, et elle lui a dit qu'elle devait aller aux toilettes. Elle s'est dirigée vers le placard du couloir, a trouvé trois brosses à dents neuves, qu'elle a fourrées dans son sac, avec un savon Dove. Donna l'avait peut-être vue (elle était juste à côté dans la chambre), mais elle n'a rien dit.

Eleanor avait pitié de Donna. Son père ne riait jamais qu'à ses propres blagues.

Quand son père l'a déposée chez elle, les petits se sont rués dehors pour le voir. Il leur a fait faire le tour du quartier dans sa nouvelle voiture.

Eleanor aurait aimé avoir le téléphone pour appeler les flics. « Il y a un type qui tourne dans les Flats avec toute une flopée de gamins dans une décapotable. Je suis quasi certaine qu'aucun d'eux ne porte de ceinture de sécurité et qu'il a passé la matinée à boire du scotch. Oh ! et pendant que vous y êtes, il y a un autre type dans mon jardin qui fume du hasch. Juste à côté d'une école primaire. »

Lorsque son père est parti, Mouse n'arrêtait pas de parler de lui. Au bout de quelques heures, Richie a dit à tout le monde de mettre son manteau.

— On va au cinéma. Tous ensemble, lança-t-il en regardant Eleanor droit dans les yeux.

Eleanor et les petits sont montés à l'arrière du pick-up et se sont pelotonnés contre la cabine, pour faire des grimaces au bébé, qui avait le droit de faire le trajet au chaud. Richie est passé dans la rue de Park pour sortir du quartier, mais Park n'était pas dehors, Dieu merci. Bien sûr, Tina et son Néandertalien de copain traînaient. Eleanor n'a même pas essayé de baisser la tête. À quoi bon. Steve l'a sifflée sur son passage.

Il neigeait quand ils sont rentrés après le film, *Short Circuit*. Richie conduisait lentement, ce qui signifiait qu'encore plus de neige leur tombait dessus, mais au moins, personne n'est tombé du pick-up.

« Tiens tiens, s'est dit Eleanor. Je ne rêve même pas de me faire catapulter d'un véhicule en marche. Bizarre. »

Lorsqu'ils sont repassés devant chez Park dans l'obscurité, elle s'est demandé quelle fenêtre était la sienne.

park

Il regrettait de l'avoir dit. Pas parce que ce n'était pas vrai. Il l'aimait. Bien sûr qu'il l'aimait. Il n'y avait rien d'autre à expliquer... tout ce que Park ressentait.

Mais il n'avait pas prévu de le lui dire comme ça. Aussi tôt. Et au téléphone. Surtout vu ce qu'elle pensait de *Roméo et Juliette*.

Park attendait que son petit frère se change. Tous les dimanches, ils enfilaient un pantalon de ville et un beau pull pour aller dîner chez leurs grands-parents. Mais Josh jouait à Super Mario et il ne voulait pas éteindre la console. (Il était à deux doigts de réussir à gagner des vies infinies pour la première fois, en sautant sur une tortue.)

— J'y vais ! a lancé Park à ses parents. On se retrouve là-bas.

Il a traversé le jardin en courant parce qu'il avait la flemme de mettre un manteau.

La maison de ses grands-parents sentait le poulet frit. Sa grand-mère n'avait que quatre menus du dimanche à son actif : escalope de poulet pané, steak de bœuf pané, rôti de bœuf, et *corned-beef* ; ils étaient tous délicieux.

Son grand-père regardait la télé dans le salon. Park s'est arrêté en cours de route pour lui faire une demi-étreinte, puis il a filé dans la cuisine et pris sa grand-mère dans les bras. Elle était si petite que même Park avait l'air d'un géant à côté d'elle. Toutes les femmes de sa famille étaient petites, et tous les hommes immenses. Seul son ADN n'avait pas reçu le mémo. Peut-être que les gènes coréens court-circuitaient tout.

Ça n'expliquait pas l'immensité de Josh, cela dit. Il avait visiblement échappé aux gènes coréens. Il avait les yeux marron mais à peine en amande – saveur amande, disons. Et les cheveux foncés, mais loin d'être noirs. Josh ressemblait à un grand gaillard allemand ou à un Polonais, et ses yeux ne se plissaient que légèrement lorsqu'il souriait.

Leur grand-mère n'avait rien d'une Irlandaise. Ou peut-être que Park se faisait seulement la remarque parce que tout le monde dans sa famille attachait beaucoup d'importance à leurs origines irlandaises. Park recevait un tee-shirt « Kiss me, I'm Irish » à chaque Noël.

Il a mis la table sans que ses grands-parents le lui demandent, parce que ça avait toujours été son rôle. Lorsque sa mère est arrivée, il a traîné dans la cuisine, à l'écouter échanger les ragots sur les voisins avec sa grand-mère.

— Jamie m'a dit que Park sortait avec une des petites qui vit chez Richie Trout, a dit sa grand-mère.

Ça n'aurait pas dû le surprendre que son père en ait déjà parlé à sa grand-mère : celui-ci était incapable de garder un secret.

— Tout le monde parler de la copine de Park, sauf Park, a soufflé sa mère.

— J'ai entendu dire qu'elle était rousse.

Park faisait mine de lire le journal :

— Tu ne devrais pas te fier aux ragots, mamie.

— Eh bien, je n'en aurais pas besoin si tu voulais bien nous la présenter.

Il a levé les yeux au ciel. Ce qui l'a fait penser à Eleanor. Ce qui lui a presque donné envie de leur parler d'elle, pour avoir un prétexte de prononcer son nom.

— En tout cas, je compatis avec les enfants qui vivent dans cette maison. Ce Trout a toujours été une mauvaise graine. Il a cassé notre boîte à lettres quand ton père était dans l'armée. Je sais que c'est lui parce que c'était le seul du quartier à conduire une El Camino. Il a grandi dans cette petite maison, tu sais, jusqu'à ce que ses parents déménagent dans un trou pire qu'ici, dans le Wyoming, je crois. Ils ont probablement déménagé pour s'éloigner de lui.

— Tsss, a soufflé sa mère.

Mamie était un peu trop franche du collier pour elle parfois.

— On pensait qu'il était parti dans l'Ouest aussi, poursuivit-elle, mais maintenant il est de retour avec une femme plus âgée que lui qui ressemble à une star de cinéma et une flopée d'enfants roux qui ne sont pas les siens. Gil a raconté à ton papi qu'ils ont un vieux chien aussi. Je n'ai jamais...

Park avait le sentiment qu'il devait prendre la défense d'Eleanor, mais il ne savait pas comment faire.

— Ça ne m'étonne pas que tu aies un faible pour les rousses. Ton grand-père était amoureux d'une rousse autrefois. Heureusement pour moi, elle n'en avait rien à faire de lui.

Que dirait sa grand-mère si Park lui présentait Eleanor ? Qu'est-ce qu'elle irait raconter aux voisins ?

Et sa mère, qu'est-ce qu'elle dirait ?

Il a observé sa mère qui préparait les pommes de terre avec un écrase-purée aussi gros que son bras. Elle portait un jean délavé et un col en V rose avec des bottines en cuir à franges. Elle avait un pendentif doré en forme d'ange autour du cou, et deux croix en or pendaient à ses oreilles. Elle aurait été la fille la plus populaire du bus. Il n'arrivait pas s'imaginer sa mère vivant ailleurs qu'ici.

eleanor

Elle n'avait jamais menti à sa mère. Enfin, elle n'avait rien omis qui soit vraiment important. Mais dimanche soir, pendant que Richie était au bar, Eleanor l'a prévenue qu'elle irait peut-être chez une copine après les cours le lendemain.

— Qui ça ?

— Tina.

C'était le premier nom qui lui était venu.

— Elle habite le quartier.

Sa mère était distraite. Richie était en retard, et son steak se desséchait dans le four. Si elle le sortait, il s'énerverait parce qu'il serait froid. Mais si elle le laissait, il s'énerverait parce qu'il serait sec.

— OK, a répondu sa mère. Je suis contente que tu te fasses enfin des amis.

21

eleanor

Est-ce qu'il aurait l'air différent ?

Maintenant qu'elle savait qu'il l'aimait ? (Ou qu'il l'avait aimée, ne serait-ce qu'une minute ou deux vendredi soir. Au moins assez pour le lui dire.)

Est-ce qu'il aurait l'air différent ?

Est-ce qu'il éviterait son regard ?

Il avait l'air différent, en effet. Plus mignon que jamais. Quand elle est montée dans le bus, Park était assis bien droit sur son siège, pour qu'elle le voie. (Ou peut-être pour qu'il la voie.) Et quand il l'a laissée s'asseoir à sa place, il s'est rassis en se collant contre elle. Ils se sont tous les deux avachis.

— Ç'a été le week-end le plus long de ma vie, a dit Park.

Elle a ri et elle s'est blottie contre lui.

— Tu en as déjà marre de moi ? demanda-t-il.

Elle aurait aimé pouvoir dire des choses comme ça. Pouvoir lui poser des questions comme ça, même sur le ton de la blague.

— Ouais, a répondu Eleanor. J'en ai marre, marre, marre !

— Ouais ?

— Ouais, non.

Elle a fouillé dans sa poche et glissé la cassette des Beatles dans la poche de son tee-shirt. Il lui a pris la main et l'a serrée contre son cœur.

— C'est quoi ?

Il a sorti la cassette avec l'autre main.

— Les plus belles chansons jamais écrites. De rien.

Il a passé la main d'Eleanor contre son torse. Très légèrement. Juste assez pour la faire rougir.

— Merci.

Elle a attendu qu'il arrive à son casier pour lui dire l'autre chose. Elle ne voulait pas que quelqu'un les entende. Il était à côté d'elle et il faisait exprès de cogner son sac à dos contre son épaule.

— J'ai dit à ma mère que j'irais peut-être chez une copine après les cours.

— Vraiment ?

— Ouais, mais c'est pas obligé que ce soit aujourd'hui. Je ne crois pas qu'elle changera d'avis.

— Non, aujourd'hui. Viens aujourd'hui.

— Tu ne dois pas demander à ta mère d'abord ?

Il a secoué la tête.

— Elle s'en fiche. Je peux amener des filles dans ma chambre tant que je laisse la porte ouverte.

— *Des* filles ? Tu en as vu défiler tellement qu'il y a même une règle pour les recevoir ?

— Oh, ouais, souffla-t-il. Tu me connais.

« Non, s'est dit Eleanor, pas vraiment. »

park

Pour la première fois depuis des semaines, Park n'avait pas la boule au ventre sur le trajet du retour, comme s'il devait s'imprégner d'Eleanor autant que possible pour tenir jusqu'au lendemain.

Mais il avait un pincement d'une nature différente. Maintenant qu'il était sur le point de présenter Eleanor à sa mère, il ne pouvait pas s'empêcher de la voir avec ses yeux à elle.

Sa mère était une esthéticienne représentante Avon. Elle ne quittait jamais la maison sans se remettre du mascara. Quand Patti Smith était passée au *Saturday Night Live*, elle s'était offusquée : « Pourquoi elle veut ressembler garçon ? C'est très triste. »

Aujourd'hui, Eleanor portait sa veste de costume en peau de requin et une vieille chemise de cow-boy à carreaux. Elle avait plus la dégaine de son grand-père que de sa mère.

Mais ce n'était pas que ses vêtements le problème. C'était elle.

Eleanor n'était pas... charmante.

Elle était gentille. Elle était respectable. Elle était honnête. Elle était du genre à donner le bras à une vieille dame pour l'aider à traverser. Mais personne – pas même la vieille dame – ne dirait d'elle : « Vous connaissez Eleanor Douglas ? Quelle charmante jeune fille. »

La mère de Park avait un faible pour les gens charmants, elle les adorait. Elle aimait les gens souriants et les regards francs, parler de la pluie et du beau temps... Rien que des trucs pour lesquels Eleanor était nulle.

En plus, sa mère était hermétique aux sarcasmes. Et il était quasiment sûr que ce n'était pas seulement dû à la barrière de la langue. Elle ne les comprenait pas. Elle surnommait David Letterman « le pas beau méchant qui passe après Johnny Carson ».

Park s'est rendu compte qu'il avait les mains moites, et il a lâché celles d'Eleanor. Il a posé la main droite sur son genou à la place, une sensation tellement agréable, tellement nouvelle, qu'il n'a plus pensé à sa mère pendant quelques minutes.

Quand ils sont arrivés à son arrêt, il est resté planté dans l'allée à l'attendre. Mais elle a secoué la tête :

— Je te retrouve là-bas.

Il s'est senti soulagé. Et puis coupable. Dès que le bus est reparti, il a couru chez lui. Son frère n'était pas encore rentré, ce qui tombait bien.

— Maman !

— Suis là ! s'écria-t-elle depuis la cuisine.

Elle se mettait du vernis à ongles rose nacré.

— Maman, a balbutié Park. Hé. Euh, Eleanor va venir dans cinq minutes. Ma, euh, ma Eleanor. Maintenant. Ça ne t'ennuie pas ?

— Maintenant ?

Elle a secoué la bouteille de vernis. Clic clic clic.

— Ouais. T'en fais pas tout un plat, hein ? Sois juste... cool.

— OK. Je suis cool.

Il a acquiescé, puis il a balayé du regard la cuisine et le salon pour s'assurer que rien de bizarre ne traînait. Il a vérifié sa chambre aussi. Sa mère avait fait son lit.

Il a ouvert la porte avant qu'Eleanor frappe.

— Salut, dit-elle.

Elle avait l'air nerveux. Enfin, elle avait l'air en colère, mais il était quasi certain que c'était parce qu'elle était nerveuse.

— Salut.

Ce matin, tout ce à quoi il pensait, c'était trouver un moyen d'avoir encore plus de rations d'Eleanor dans sa journée, mais maintenant qu'elle se tenait sur le pas de sa porte... il aurait bien aimé avoir eu les idées plus larges.

— Entre. Et souris, murmura-t-il une seconde avant la rencontre au sommet, OK ?

— Quoi ?

— *Souris.*

— Pourquoi ?

— Laisse tomber.

Sa mère était sur le seuil de la cuisine.

— Maman, je te présente Eleanor.

Sa mère lui a fait un grand sourire.

Eleanor a souri, elle aussi, mais son expression était vraiment étrange. C'était comme si elle plissait les yeux parce que la lumière était trop forte ou qu'elle était sur le point de leur annoncer une mauvaise nouvelle.

Il a cru voir les pupilles de sa mère se dilater, mais il se faisait sans doute des idées.

Eleanor s'est approchée de sa mère pour lui serrer la main, mais elle a agité les doigts d'un air de dire : « désolée, mes ongles ne sont pas secs », un geste qu'Eleanor ne semblait pas reconnaître.

— Enchantée, Eleanor.

Ellé-a-no.

— Enchantée, a ajouté Eleanor, avec la même grimace.

— Tu viens à pied de chez toi ?

Eleanor a acquiescé.

— Bien.

— Vous voulez soda ? Goûter ?

— Non, a coupé Park. Enfin...

Eleanor a secoué la tête.

— On va juste regarder la télé, d'accord ?

— Oui. Tu sais où me trouver.

Elle est retournée dans la cuisine, et Park s'est dirigé vers le canapé. Il aurait aimé avoir une maison avec un étage ou un sous-sol aménagé.

Chaque fois qu'il allait chez Cal, dans l'ouest d'Omaha, sa mère les envoyait au sous-sol et les laissait tranquilles.

Park s'est assis sur le canapé. Eleanor s'est installée à l'autre bout. Elle regardait par terre et elle se rongeait la peau autour des ongles.

Il a mis MTV et pris une grande inspiration.

Au bout de quelques minutes, il s'est glissé au milieu du canapé.

— Hé, a fait Park.

Eleanor fixait la table du salon. Il y avait une grosse grappe de raisin rouge en verre posée dessus. Sa mère adorait le raisin.

— Hé, répéta-t-il.

Il s'est rapproché encore un peu plus.

— Pourquoi tu m'as dit de sourire ? a murmuré Eleanor.

— Je ne sais pas, parce que j'étais nerveux.

— Pourquoi t'es nerveux ? T'es chez toi.

— Je sais, mais j'ai jamais amené quelqu'un comme toi ici avant.

Elle a jeté un œil à la télévision. Il y avait un clip de Wang Chung.

Eleanor s'est levée d'un coup.

— On se voit demain.

— Non, a soufflé Park en se levant aussi. Quoi ? Pourquoi ?

— On se voit demain, c'est tout.

— Non, insista-t-il en la rattrapant par le coude. Tu viens juste d'arriver. Qu'est-ce qu'il y a ?

Elle l'a regardé d'un air peiné :

— Quelqu'un comme moi ?

— Ce n'est pas ce que je voulais dire. Je voulais dire quelqu'un à qui je tiens.

Elle a inspiré et secoué la tête. Des larmes roulaient sur ses joues.

— Ça ne fait rien. Je ne devrais pas être ici, je vais t'embarrasser. Je rentre.

— Non.

Il l'a attirée plus près.

— Calme-toi, OK ?

— Et si ta mère me voit pleurer ?

— Ce serait pas... terrible, mais je ne veux pas que tu partes.

Si elle partait maintenant, il avait peur qu'elle ne revienne plus jamais.

— Allez, assieds-toi à côté de moi.

Park s'est rassis et il a attiré Eleanor à côté de lui, pour faire écran entre elle et la cuisine.

— Je déteste rencontrer des gens, murmura-t-elle.

— Pourquoi ?

— Parce qu'ils ne m'apprécient jamais.

— Moi je t'ai appréciée.

— Non, c'est pas vrai. Je t'ai eu à l'usure.

— Je t'apprécie maintenant.

Il a passé son bras autour d'elle.

— Arrête. Si ta mère entrait ?

— Elle s'en fiche.

— Moi je ne m'en fiche pas, s'est récriée Eleanor en le repoussant. C'est trop. Tu me rends nerveuse.

— OK, a acquiescé Park en reculant légèrement. Mais ne pars pas.

Elle a hoché la tête et fixé la télévision.

Au bout d'un moment, peut-être vingt minutes, elle s'est levée à nouveau.

— Reste encore un peu. Tu ne veux pas rencontrer mon père ?

— Je ne veux carrément pas rencontrer ton père.

— Est-ce que tu reviendras demain ?

— Je ne sais pas.

— J'aimerais bien pouvoir te raccompagner chez toi.

— Tu peux me raccompagner à la porte.

Ce qu'il a fait.

— Tu diras au revoir à ta mère de ma part ? Je veux pas qu'elle pense que je suis mal élevée.

Eleanor est sortie sous le porche.

— Hé, a soufflé Park d'une voix dure et pleine de frustration. Je t'ai dit de sourire parce que tu es jolie quand tu souris.

Elle a descendu les marches du perron, et elle s'est tournée vers lui.

— Ce serait mieux si tu pensais que je suis jolie quand je ne souris pas.

— Ce n'est pas ce que je voulais dire, lui a lancé Park, mais elle s'éloignait déjà.

Quand il est rentré dans la maison, sa mère est sortie de la cuisine avec un sourire.

— Ton Eleanor avoir air charmante.

Il a acquiescé et regagné sa chambre. « Non, s'est-il dit en s'écroulant sur son lit. Non, elle ne l'est pas. »

eleanor

Il casserait certainement avec elle le lendemain. Peu importe. Au moins elle n'aurait pas à rencontrer son père. Punaise, à quoi il pouvait bien ressembler, son père ? C'était le portrait craché de Tom Selleck ; Eleanor avait avisé une photo de famille posée sur le meuble télé. Park en primaire ? soit dit en passant. Extrêmement mignon. Genre, aussi mignon que la définition qu'en donnait le Webster. Toute la famille était mignonne. Même son frère.

Sa mère ressemblait à s'y méprendre à une poupée. Dans *Le Magicien d'Oz* – le livre, pas le film – Dorothée arrive dans cet endroit qu'on appelle le Pays de Porcelaine, où tous les gens sont minuscules et parfaits. Quand Eleanor était petite et que sa mère lui lisait cette histoire, elle pensait que ses habitants étaient des Chinois, à cause de la porcelaine de Chine. Mais ils étaient en céramique, ou ils se transformaient en céramique quand on essayait d'en rapatrier un en douce au Kansas.

Eleanor imaginait le père de Park, Tom Selleck, cachant sa petite poupée dans son gilet pare-balles pour la faire sortir de Corée en catimini.

Eleanor avait l'impression d'être un géant à côté de la mère de Park. Elle n'était pas beaucoup plus grande qu'elle pourtant, peut-être de huit ou dix centimètres. Mais elle était *bien plus* large. Un alien envoyé sur Terre pour étudier les différentes formes de vie penserait sans doute que ces deux spécimens n'appartenaient pas à la même espèce.

Quand Eleanor était en présence de filles comme ça – la mère de Park, Tina et la plupart des filles du quartier – elle se demandait où elles mettaient leurs organes. Genre, comment pouvait-on avoir un estomac, des intestins et des reins, et porter quand même des jeans serrés ? Eleanor savait qu'elle était grosse, mais elle ne se sentait pas *si* grosse que ça. Elle sentait ses os et ses muscles affleurer juste sous sa peau rebondie, et ils étaient gros eux aussi. La mère de Park pourrait porter sa cage thoracique comme une veste un peu large.

Park allait probablement casser avec elle, et pas seulement parce qu'elle était énorme. Il allait rompre avec elle parce qu'elle était un énorme gâchis. Parce qu'elle ne pouvait jamais être en présence de gens normaux sans se mettre à flipper.

Tout ça c'était trop. Rencontrer sa maman, jolie et parfaite. Voir sa maison, normale et parfaite. Eleanor ne savait pas qu'il y avait des maisons comme ça dans ce quartier merdique, des maisons aux sols entièrement moquettés avec des petits paniers de pots pourris partout. Elle ne savait pas qu'il y avait des *familles* comme ça. Le seul avantage de ce fichu quartier c'était qu'il n'y avait que des fichus tarés. Les autres ados détestaient peut-être Eleanor parce qu'elle était grosse et bizarroïde, mais pas à cause de sa famille recomposée et de sa maison délabrée. C'était un peu la règle dans le coin.

La famille de Park détonnait. C'était un peu la maison du bonheur. Et en plus, il lui avait dit que ses grands-parents vivaient dans la maison d'à côté, qui avait des jardinières, pour l'amour de Dieu. Sa famille, c'était pratiquement la Famille des collines.

La famille d'Eleanor avait été chamboulée bien avant que Richie pointe son nez et envoie tout en enfer.

Elle ne serait jamais à sa place dans le salon de Park. Elle ne se sentait jamais à sa place nulle part, sauf quand elle était étendue sur son lit et qu'elle s'imaginait ailleurs.

22

eleanor

Quand elle est arrivée dans le bus le lendemain matin, Park ne s'est pas levé. Il s'est simplement glissé côté fenêtre. Il n'avait manifestement pas envie de croiser son regard ; il lui a tendu des comics, puis il a tourné la tête.

Steve parlait très fort. Peut-être qu'il parlait toujours aussi fort. Quand Park lui tenait la main, Eleanor ne s'entendait même pas *penser*.

Tout le monde à l'arrière du bus chantait l'hymne de football américain du Nebraska. Il y avait un gros match à venir ce week-end, contre l'Oklahoma, l'Oregon ou une autre grosse équipe dans le genre.

M. Stessman leur donnait des points supplémentaires toute cette semaine s'ils s'habillaient en rouge. C'était étrange que Stessman cède à toutes ces conneries de Husker, mais apparemment, personne n'était immunisé.

Sauf Park.

Park portait un tee-shirt U2 aujourd'hui, avec la photo d'un petit garçon dessus. Eleanor avait passé la nuit à se dire qu'il en avait probablement fini avec elle, et maintenant elle voulait en finir plus vite.

Elle a tiré sur le bout de sa manche.

— Ouais ? a soufflé Park.

— Est-ce que tu en as marre de moi ?

Ce n'était pas sorti sur le ton de la blague. Parce que ça n'en était pas une.

Il a secoué la tête, mais il a continué à regarder dehors.

— Est-ce que tu me fais la tête ?

Ses mains étaient entrecroisées sur ses genoux, comme s'il priait.

— En quelque sorte.

— Je suis désolée.

— Tu ne sais même pas pourquoi je suis fâché.

— Je suis quand même désolée.

Il l'a regardée à ce moment-là et puis il a esquissé un sourire.

— Tu veux savoir ? lui demanda-t-il.

— Non.

— Pourquoi pas ?

— Parce que c'est probablement pour un truc qui me dépasse.

— Genre quoi ?

— Genre je suis bizarre. Ou... parce que j'ai hyperventilé dans ton salon.

— Je crois que c'était un peu ma faute.

— Je suis désolée.

— Eleanor, arrête, *écoute*, je suis fâché parce que j'ai l'impression que tu as décidé de te barrer de chez moi dès que tu es arrivée, peut-être même avant.

— J'avais l'impression que je n'avais rien à faire là.

Elle l'a dit suffisamment fort pour qu'il puisse l'entendre malgré les tarés du fond. Sérieux. Leurs chants étaient pires que leur cris.

— J'avais l'impression que tu ne voulais pas que je sois là, a-t-elle ajouté, un peu plus fort cette fois.

À la façon dont il l'a regardée alors, en se mordant la lèvre inférieure, elle savait qu'elle n'avait pas tout à fait tort.

Elle aurait voulu avoir complètement tort.

Elle aurait voulu l'entendre dire qu'il voulait vraiment qu'elle vienne chez lui, qu'il voulait qu'elle revienne pour une nouvelle tentative.

Park a dit quelque chose, mais elle ne l'entendait pas, parce que les autres scandaient des slogans dans le fond. Steve était debout au dernier rang, il agitait son bras de gorille comme un chef d'orchestre.

— Allez, Rouquemoutte !

— Allez, Rouquemoutte !

— Allez, Rouquemoutte !

Elle a regardé autour d'elle. Ils beuglaient tous en chœur.

— Allez, Rouquemoutte !

— Allez, Rouquemoutte !

Eleanor a perdu toute sensation au bout de ses doigts. Elle a regardé autour d'elle à nouveau, et elle a compris qu'ils la fixaient tous.

— Allez, Rouquemoutte !

Elle a compris qu'ils s'adressaient à elle.

— Allez, Rouquemoutte !

Elle a regardé Park. Il savait aussi. Il fixait un point droit devant lui, les poings serrés le long des cuisses. Elle ne le reconnaissait plus.

— Ça va, chuchota-t-elle.

Il a fermé les yeux et secoué la tête.

Le bus se garait sur le parking du lycée, et Eleanor avait hâte de descendre. Elle s'est intimé l'ordre de rester assise jusqu'à ce qu'il s'immobilise, puis d'avancer calmement dans l'allée. Les slogans se sont terminés dans un éclat de rire général. Park était juste derrière elle mais il s'est arrêté une fois dehors. Il a jeté son sac à dos par terre et enlevé son manteau.

Eleanor s'est arrêtée aussi :

— Hé, attends, non. Qu'est-ce que tu fais ?

— J'arrête ces conneries.

— Non. Allez. Ça n'en vaut pas la peine.

— Bien sûr que si, dit-il sèchement en la regardant. *Tu* en vaux la peine.

— C'est pas pour moi, a protesté Eleanor.

Elle voulait le retenir, mais elle avait le sentiment qu'il ne lui appartenait pas de retenir ce Park-là.

— Je ne veux pas de ça.

— J'en ai marre qu'ils te foutent la honte.

Steve descendait du bus, Park a encore serré les poings.

— Qu'ils me foutent la honte ? Ou qu'ils *te* foutent la honte ?

Il a tourné la tête vers elle, bouche bée. Et elle a su encore une fois qu'elle avait raison. « Merde. » Pourquoi la laissait-il avoir toujours raison pour tous les trucs pourris ?

Elle lui a dit aussi sèchement que possible :

— Si c'est pour moi, alors écoute-moi. Je ne *veux* pas de ça.

Il l'a regardée droit dans les yeux. Ses iris étaient d'un vert tellement lumineux qu'ils tiraient sur le jaune. Il respirait par à-coups et ses joues étaient rouges sous le voile doré de sa peau.

— Est-ce que c'est pour moi ? a répété Eleanor.

Park a acquiescé. Il a plongé son regard dans le sien. Elle a eu l'impression qu'il l'implorait.

— Ça va. S'il te plaît, allons en cours.

Il a fermé les yeux et, finalement, il a hoché la tête.

Elle s'est penchée pour ramasser son manteau, et elle a entendu Steve dire :

— C'est ça, grosse Rouquemoutte. Montre-le nous bien, surtout.

Et là Park a détalé.

Le temps qu'elle se retourne, il était déjà en train de repousser Steve vers le bus. On aurait dit David contre Goliath, si tant est que David se soit jamais suffisamment approché de Goliath pour se faire botter le cul.

Certains se sont mis à crier « Baston ! » et à rameuter des élèves de tous les côtés.

Eleanor aussi a couru.

Elle a entendu Park dire :

— J'en ai marre de ta grande gueule.

Puis Steve a répondu :

— T'es sérieux, là ?

Steve a poussé Park violemment, mais Park a seulement reculé de quelques pas. Il a lancé son bras et son épaule en avant, puis il a tourné en l'air sur lui-même pour écraser son pied sur la tête de Steve. L'assistance a eu le souffle coupé.

Tina s'est mise à hurler.

Steve a bondi sur Park pile au moment où il retombait sur ses pieds, et il a abattu ses poings de géant pour dérouiller Park en pleine tête.

Eleanor avait l'impression d'assister à sa mise à mort.

Elle a couru pour s'interposer entre eux, mais Tina était déjà là. Et puis un des chauffeurs de bus est arrivé, suivi du principal adjoint. Tous tentaient de les séparer.

Park, le souffle court, se tenait la tête entre les mains.

Steve se tenait la bouche. Du sang lui dégoulinait sur le menton.

— Putain de merde, Park, c'est quoi ces conneries ? Je crois que tu m'as pété une dent.

Park a levé la tête. Son visage était maculé de sang. Il a titubé en avant pour se jeter à nouveau sur Steve mais le principal adjoint l'a rattrapé.

— Laisse... ma copine... tranquille.

— Je ne savais pas que c'était vraiment ta copine ! a braillé l'autre en crachant du sang partout.

— Punaise, Steve. Ça n'a pas d'importance.

— Bien sûr que si. T'es mon pote. Je savais pas que c'était ta copine.

Park a calé ses mains sur ses cuisses et secoué la tête, repeignant le trottoir au passage.

— Eh ben tu sais, maintenant.

— Très bien. Putain…

Il y avait suffisamment d'adultes présents pour les escorter à l'intérieur. Eleanor a porté le manteau et le sac à dos de Park jusqu'à son casier. Elle ne savait pas quoi en faire.

Elle ne savait pas non plus quoi faire d'elle-même. Elle ne savait pas ce qu'elle était censée ressentir.

Est-ce qu'elle devait se réjouir que Park l'ait appelée sa copine ? Ce n'était pas comme s'il lui avait demandé son avis sur le sujet, et pas comme s'il l'avait annoncé d'un ton jovial non plus. Il avait dit ça tête baissée, le visage ruisselant de sang.

Est-ce qu'elle devait s'inquiéter pour lui ? Est-ce qu'il pouvait avoir un traumatisme crânien même s'il avait parlé après les coups ? Est-ce qu'il pouvait faire une crise, ou tomber dans le coma ? Dès qu'on se bagarrait chez elle, sa mère se mettait à crier « Pas dans la tête, pas dans la tête ! »

Et puis, est-ce que c'était déplacé de s'en faire pour son joli minois ?

Steve avait le genre de tête qui pouvait supporter une dent de plus ou de moins. Quelques trous dans son sourire ne feraient que renforcer l'image de brute épaisse et flippante qu'il se donnait.

Mais le visage de Park tenait de l'œuvre d'art. Et pas du genre étrange ou moche. Park avait un de ces visages dont on fait le portrait pour que l'histoire s'en souvienne.

Est-ce qu'elle devait continuer à lui en vouloir ? Est-ce qu'elle devait s'indigner ? Est-ce qu'elle devait lui hurler dessus quand elle le verrait en littérature : « Est-ce que tu l'as fait pour moi ? Ou pour toi ? »

Elle a pendu son trench dans son casier puis elle s'est penchée pour prendre une grande inspiration. Ça sentait le savon Irish Spring, un peu le pot-pourri, et quelque chose d'autre aussi… une odeur de garçon.

Park n'a pas assisté au cours de littérature, ni à celui d'histoire, et il n'était pas dans le bus après les cours. Steve non plus. Tina est passée devant sa banquette le menton haut ; Eleanor a regardé ailleurs. Tout le monde dans le bus parlait de la baston.

— Putain de kung-fu, putain de David Carradine.

— Et j'emmerde David Carradine, et aussi Chuck Norris.

Eleanor est descendue à l'arrêt de Park.

park

Il était suspendu pour deux jours.

Steve avait écopé de deux semaines parce que c'était sa troisième bagarre de l'année. Park se sentait un peu coupable de ça, parce que c'était lui qui avait commencé, mais alors il a repensé à toutes les conneries que Steve faisait tous les jours et pour lesquelles il n'avait jamais payé.

Sa mère était tellement folle de rage qu'elle a refusé de venir le chercher. Elle a appelé son père au travail. Quand il s'est pointé, le principal l'a pris pour le paternel de Steve.

— En fait, a observé son père, c'est celui-là, le mien.

L'infirmière du lycée a dit que Park n'avait pas besoin d'aller à l'hôpital, même s'il était salement amoché. Il avait un œil au beurre noir et probablement le nez cassé.

Steve avait dû y aller, lui. Il avait une dent branlante, et l'infirmière était quasi certaine qu'il avait une fracture au doigt.

Park attendait dans le bureau, appliquant de la glace contre son visage, pendant que son père s'entretenait avec le principal. La secrétaire lui a ramené un Sprite de la salle des profs.

Son père ne lui a pas décroché un mot jusqu'à ce qu'ils se mettent en route.

— Le taekwondo est l'art de l'autodéfense, a-t-il dit d'un ton sévère.

Park n'a pas répondu. Sa tête le lançait ; l'infirmière n'était pas habilitée à leur administrer du Tylenol.

— Tu l'as vraiment frappé au visage ?

Park a acquiescé.

— Ça devait être un coup de pied sauté alors.

— Un coup de pied arrière retourné, a gémi Park.

— Pas possible.

Park a essayé de lancer un regard noir à son père, mais noir ou pas, ça lui a donné l'impression qu'on lui explosait le crâne à coups de caillasse.

— Encore heureux pour lui que tu portes ces petites tennis même en hiver... Sans rire, un coup de pied arrière retourné ?

Park a hoché la tête.

— Bon. Eh bien, ta mère va monter dans les tours quand elle va voir ta tête. Elle était en pleurs chez ta grand-mère quand elle m'a appelé.

Son père avait raison. Quand Park est rentré, sa mère frôlait l'hystérie. Elle l'a saisi par les épaules et a examiné son visage en secouant la tête.

— Tu t'es battu, dit-elle en pointant un index rageur sur sa poitrine. Tu t'es battu comme racaille blanche.

Il avait déjà vu sa mère s'énerver comme ça contre son frère – une fois, il l'avait vue jeter un panier de fleurs en soie à la tête de Josh –, mais jamais contre lui.

— Gâchis, a soufflé sa mère, gros gâchis ! Bagarre ! Impossible faire confiance à toi.

Son père a essayé de poser une main sur son épaule, mais elle lui a lancé un regard noir.

— Fais un steak à ce garçon, Harold, a dit sa grand-mère en asseyant Park à la table de la cuisine pour inspecter son visage.

— Je vais pas gâcher un steak pour ça, a répondu son grand-père.

Son père s'est dirigé vers le placard pour lui trouver du Tylenol et un verre d'eau.

— Tu arrives à respirer ? lui a demandé sa grand-mère.

— Par la bouche.

— Ton père s'est cassé le nez tellement de fois qu'il respire par une seule narine. C'est pour ça qu'il ronfle comme un sonneur.

— Fini taekwondo, a lancé sa mère. Fini bagarre.

— Mindy..., a soufflé son père. C'était une bagarre. Il a pris la défense d'une fille qui se faisait embêter dans le bus.

— C'est pas une fille, a grogné Park.

Sa voix faisait douloureusement trembler les os de son crâne.

— C'est ma copine.

Il l'espérait en tout cas.

— Est-ce que c'est la rousse ? a demandé sa grand-mère.

— Eleanor. Elle s'appelle Eleanor.

— Pas de copine, non, a pesté sa mère en croisant les bras. Privé sortie.

eleanor

Quand Eleanor a sonné à la porte, Magnum lui a ouvert.

— Bonjour, a-t-elle dit en se forçant à sourire. Je suis au lycée avec Park. J'ai ses livres et ses affaires.

Le père de Park l'a détaillée de la tête aux pieds, mais pas comme s'il la reluquait, Dieu merci. Plutôt comme s'il la jaugeait. Ce qui était tout aussi embarrassant.

— Hélène ?

— Eleanor.

— Eleanor, c'est ça... Une seconde.

Avant qu'elle ait le temps de lui dire qu'elle voulait simplement déposer les affaires de Park, il s'est éclipsé. Il a laissé la porte entrouverte, et Eleanor l'a entendu parlementer avec quelqu'un, probablement dans la cuisine, sûrement avec la mère de Park.

— Allez, Mindy... Seulement cinq minutes....

Et puis, juste avant qu'il revienne à la porte.

— Avec un surnom comme Grosse Rouquemoutte, je m'attendais à ce qu'elle soit bien plus grosse.

— Je voulais juste déposer ça, a dit Eleanor quand il a ouvert la moustiquaire.

— Merci. Entre.

Elle lui a tendu le sac à dos de Park.

— Sérieusement, ma fille. Entre et va le lui donner toi-même. Je suis sûr qu'il a envie de te voir.

« Je n'en mettrais pas ma main au feu », songea-t-elle.

Mais elle l'a suivi à travers le salon, puis dans le petit couloir qui menait à la chambre de Park.

Son père a doucement frappé à la porte avant de l'entrouvrir.

— Hé, Sugar Ray. Y a quelqu'un qui veut te voir. Tu veux te repoudrer le nez d'abord ?

Il a ouvert la porte à Eleanor et il s'est éclipsé.

La chambre de Park était petite mais remplie d'objets. Des piles de livres, de cassettes et de comics. Des maquettes d'avions. Des maquettes de voitures. Des jeux de société. Un mobile du système solaire dodelinait au-dessus de son lit à la manière de ces trucs qu'on installe au-dessus d'un berceau.

Park était sur son lit, il luttait pour se relever sur ses coudes lorsqu'elle est entrée.

Elle a eu le souffle coupé à la vue de son visage. Il avait l'air bien plus amoché que tout à l'heure.

Il avait un œil tellement gonflé qu'il était fermé, et son nez était énorme et violet. Elle a eu envie de pleurer. Et de l'embrasser. (Parce que visiblement tout lui donnait envie de l'embrasser. Park aurait pu lui dire qu'il avait des poux, la lèpre et des vers parasites dans la bouche qu'elle se remettrait quand même du baume à lèvres avant de le voir. « Punaise. »)

— Ça va ?

Park a acquiescé et s'est appuyé contre la tête du lit. Elle a posé son sac et son manteau, et elle s'est approchée. Il lui a fait de la place, alors elle s'est assise.

— Oh ! là, a soufflé Eleanor en tombant à la renverse et en faisant chavirer Park sur le côté.

Il a gémi et attrapé son bras.

— Désolée. Oh ! mon Dieu, excuse-moi, ça va ? Je ne m'attendais pas à un *lit à eau*.

Elle a rigolé rien qu'en prononçant le mot.

Park a ri un peu, lui aussi. On aurait dit qu'il ronflait.

— C'est ma mère qui me l'a acheté. Elle pense que c'est bon pour le dos.

Il gardait les yeux pratiquement fermés, même le bon, et il parlait sans ouvrir la bouche.

— Est-ce que ça te fait mal quand tu parles ?

Il a hoché la tête. Il ne lui avait toujours pas lâché le bras, même si elle avait retrouvé l'équilibre. En fait, il le serrait encore plus fort.

Elle a tendu l'autre main et lui a touché les cheveux avec douceur. Elle les a chassés de son visage. Ils étaient lisses et raides à la fois, comme si elle sentait distinctement chaque mèche sous ses doigts.

— Je suis désolé, souffla-t-il.

Elle ne lui a pas demandé pourquoi.

Des larmes se formaient sous sa paupière gauche et d'autres coulaient sur sa joue droite. Elle s'est mise à les essuyer, mais elle ne voulait pas le toucher.

— Ça va..., a murmuré Eleanor.

Elle a posé la main sur ses genoux.

Elle se demandait s'il essayait encore de rompre avec elle. Si c'était le cas, elle ne lui en tiendrait pas rigueur.

— Est-ce que j'ai tout gâché ? a demandé Park.

— Tout quoi ? chuchota-t-elle, comme si parler trop fort pouvait aussi lui faire mal.

— Tout nous.

Elle a secoué la tête, même s'il ne pouvait probablement pas la voir.

— Non. Impossible.

Il a caressé son bras et serré sa main. Elle voyait les muscles de son avant-bras se contracter et aussi ses biceps juste sous la manche de son tee-shirt.

— J'ai peur que tu ne te sois complètement ruiné le visage.

Il a grogné.

— Ce n'est pas grave, a ajouté Eleanor, parce que tu étais bien trop mignon pour moi de toute façon.

— Tu me trouves mignon ? dit-il d'un ton pâteux, en tirant sur sa main.

Elle était bien contente qu'il ne puisse pas voir son propre visage.

— Je te trouve...

Splendide. À couper le souffle. Comme un homme pour qui une déesse serait prête à redevenir une simple mortelle.

D'une certaine manière, les bleus et les ecchymoses rendaient Park encore plus beau. On aurait dit que son visage allait sortir de sa chrysalide.

— Ils se moqueront quand même de moi, a fait Eleanor. Cette bagarre ne changera rien. Tu ne peux pas te mettre à taper sur quelqu'un dès qu'il me trouve bizarre ou moche... Promets-moi que tu n'essaieras pas. Promets-moi que tu essaieras de t'en foutre.

Il a tiré sur sa main encore une fois, puis a secoué la tête, doucement.

— Parce que ça n'a aucune importance pour moi, Park. Si tu m'aimes bien, je jure devant Dieu que rien d'autre n'a d'importance.

Il s'est rappuyé contre la tête de lit et il a attiré la main d'Eleanor pour la poser contre sa poitrine.

— Eleanor, combien de fois il va falloir que je te le répète, je ne t'aime pas bien...

Park était privé de sortie, et il ne retournerait pas au lycée avant vendredi.

Mais personne n'a ennuyé Eleanor le lendemain dans le bus. Rien ne l'a ennuyée de la journée à vrai dire.

Après le cours de gym, elle a trouvé un nouveau graffiti pervers sur son livre de chimie : *t'as perdu ta cerise ?* Au lieu de gribouiller par-dessus, elle a déchiré la couverture et s'en est débarrassée. Elle était peut-être fauchée et pathétique, mais elle arriverait bien à dégoter un sac en papier kraft pour le recouvrir.

Quand elle est rentrée chez elle, sa mère l'a suivie dans la chambre. Il y avait deux nouveaux jeans du magasin de charité pliés sur le lit du haut.

— J'ai trouvé de l'argent en faisant la lessive, expliqua sa mère.

Ce qui signifiait que Richie avait oublié du fric dans les poches de son pantalon. S'il rentrait bourré, il ne poserait pas de question : il partirait du principe qu'il avait tout liquidé au bar.

Chaque fois que sa mère trouvait de l'argent, elle s'évertuait à le dépenser dans des choses que Richie ne remarquerait pas : des habits pour Eleanor, des sous-vêtements neufs pour Ben, des boîtes de thon et des paquets de farine. Des choses qu'on pouvait dissimuler dans les tiroirs et les placards.

Sa mère était devenue une sorte d'agent double redoutablement ingénieux depuis qu'elle s'était entichée de Richie. C'était comme si elle les maintenait en vie dans son dos.

Eleanor a essayé les jeans avant que les petits arrivent. Ils étaient un peu grands, mais bien meilleurs que tout ce qu'elle avait d'autre. Tous ses pantalons avaient un truc qui clochait : une fermeture Éclair cassée ou l'entrejambe déchiré, des défauts qu'elle devait dissimuler en tirant constamment sur sa chemise. Ce serait chouette d'avoir enfin des jeans dont le pire problème était de flotter un peu.

Le cadeau de Maisie était un sac de Barbies à demi vêtues. Quand elle est rentrée de l'école, elle les a alignées sur le lit du bas, pour tenter de leur confectionner au moins une ou deux tenues complètes.

Eleanor s'est assise sur son lit, avant de l'aider à peigner et tresser leurs cheveux secs comme de la paille.

— Si seulement il y avait un Ken aussi, a soufflé Maisie.

Le vendredi matin, quand Eleanor est arrivée à son arrêt de bus, Park l'y attendait déjà.

23

park

Son œil est passé du violet au bleu puis au vert et enfin au jaune.

— Je suis privé de sortie combien de temps ? a demandé Park à sa mère.

— Assez longtemps pour regretter la bagarre.

— Mais je regrette.

Pas tant que ça en fait. La bagarre avait changé quelque chose dans le bus. Park se sentait moins tendu maintenant, plus tranquille. Peut-être parce qu'il avait tenu tête à Steve. Ou alors parce qu'il n'avait plus rien à cacher...

Et puis personne n'avait jamais vu en vrai quelqu'un se battre comme il l'avait fait.

— C'était carrément incroyable, lui a dit Eleanor sur la route du lycée, quelques jours après son retour. Où est-ce que tu as appris ça ?

— Mon père m'emmène au cours de taekwondo depuis que je suis tout petit... C'était un coup stupide à vrai dire, un peu m'as-tu-vu. Si Steve avait réfléchi une seconde, il aurait pu m'attraper la jambe ou me pousser.

— Si Steve avait *réfléchi...*, répéta-t-elle.

— Je pensais que tu trouverais ça complètement nul, a soufflé Park.

— Pas faux.
— Nul et incroyable ?
— C'est un peu tes deux traits de caractère, non ?
— Je voudrais recommencer.
— Recommencer quoi ? Ton truc à la *Karate Kid* ? Je crois que ça perdrait en incroyable. Il faut savoir quand quitter le combat.
— Non, je voudrais que tu reviennes chez moi. Tu veux bien ?
— Aucune importance. Tu es puni.
— Ouais...

eleanor

Tout le lycée savait qu'Eleanor était la raison pour laquelle Park Sheridan avait frappé Steve Murphy en pleine bouche.

De nouvelles rumeurs traversaient les couloirs sur son passage.

Quelqu'un en géographie lui a demandé si c'était vrai qu'ils se battaient pour elle.

— Non ! s'est récriée Eleanor. Punaise !

Plus tard, elle aurait aimé avoir répondu « Oui ! » parce que si c'était revenu aux oreilles de Tina, oh ! mon Dieu, ça l'aurait mise dans tous ses états.

Le jour de la bagarre, DeNice et Beebi voulaient qu'Eleanor leur raconte tout en détail. DeNice avait même offert un cône glacé à Eleanor pour fêter ça.

— Celui qui botte le cul de ce pauvre Steve Murphy mérite une médaille, ajouta-t-elle.

— Je ne me suis jamais approchée de son cul, s'est défendue Eleanor.

— Mais t'étais la raison du bottage de cul. J'ai entendu dire que ton mec l'a frappé tellement fort que Steve pleurait du sang.

— C'est pas vrai.

— Ma sœur, tu devrais vraiment apprendre à savourer un bon coup de projecteur. Si mon Jonesy bottait le cul de Steve, je me baladerais dans tout le lycée en fredonnant le générique de *Rocky*. Tin-tin, tiiiiiiin, tin-tin, tiiiiiiin...

Ça a fait marrer Beebi. Tout ce que DeNice disait la faisait marrer à vrai dire. Elles étaient meilleures copines depuis le primaire et plus Eleanor apprenait à les connaître, plus elle se sentait honorée de faire partie de leur club.

D'accord, c'était un club étrange.

DeNice avait mis sa salopette aujourd'hui, avec un tee-shirt rose, des rubans roses et jaunes dans les cheveux, et un bandana rose autour de la cuisse. En faisant la queue pour les glaces, un type est passé à côté d'elle en lui disant qu'elle ressemblait à Punky Brewster en noire.

DeNice n'a pas cillé.

— Je me contrefiche de cette racaille, dit-elle à Eleanor. J'ai un homme.

Jonesy et DeNice étaient fiancés. Il avait déjà terminé le lycée et il était manager adjoint à Shopko. Ils voulaient se marier dès que DeNice serait majeure.

— Et ton homme est pas mal du tout, a gloussé Beebi.

Quand Beebi gloussait, Eleanor s'y mettait aussi. Le rire de Beebi était à ce point contagieux. Elle avait toujours cette étincelle hystérique et étonnée dans les yeux, ce regard qu'ont les gens lorsqu'ils sont incapables de garder leur sérieux.

— Eleanor s'en fout de ça, s'est amusée DeNice. Elle s'intéresse qu'aux tueurs de sang-froid.

park

— Je suis privé de sortie pour combien de temps? a demandé Park à son père.

— Ce n'est pas moi qui décide, c'est ta mère.

Son père était dans le canapé, il lisait un numéro de *Soldier of Fortune*, un magazine spécialisé dans les guerres à travers le monde.

— Elle dit pour toujours, a soufflé Park.

— Alors j'imagine que c'est le cas.

C'était bientôt les vacances de Noël. Si Park était puni pendant les vacances, il devrait affronter trois longues semaines sans voir Eleanor.

— Papa...

— J'ai une idée, l'a coupé son père en posant sa revue. On lèvera ta punition quand tu sauras conduire une boîte de vitesses. Comme ça tu pourras te promener avec ta copine...

— Quelle copine ? a lancé sa mère.

Elle entrait en portant des sacs de courses. Park s'est levé pour l'aider. Son père s'est levé pour lui donner un baiser de bienvenue avec la langue.

— J'ai dit à Park qu'il ne serait plus puni s'il apprenait à conduire.

— Je sais conduire ! s'est récrié Park depuis la cuisine.

— Apprendre à conduire une automatique c'est comme apprendre à faire des pompes de filles sur les genoux.

— Pas de fille, a insisté sa mère. Puni.

Park est revenu à la charge dans le salon :

— Mais pour combien de temps ? Vous ne pouvez pas me priver de sortie pour toujours.

— Bien sûr que si, a fait son père.

— Pourquoi ?

Sa mère avait l'air fâché.

— Tu es puni jusqu'à tu arrêtes penser fille à problèmes.

Park et son père ont changé de registre et l'ont dévisagée.

— Quelle fille à problèmes ? l'a interrogée Park.

— La Grosse Rouquemoutte ? a repris son père.

— Je l'aime pas, a dit sa mère, catégorique. Elle vient dans ma maison et elle pleure, fille vraiment bizarre, et la seconde après, tu te bagarres avec un ami et j'ai coup de téléphone de l'école, et ton visage tout cassé... Et tout le monde, tout le monde, me dit famille à problèmes. Que des problèmes. Je veux pas de ça.

Park a pris une grande inspiration et retenu son souffle. Il se sentait bouillir au-dedans et il ne pouvait rien laisser s'échapper.

— Mindy..., a soufflé son père en levant vers Park une main signifiant « Attends un peu ».

— Non, a-t-elle insisté. Non. Pas de Blanche bizarre dans ma maison.

— Je ne sais pas si tu as remarqué mais les Blanches bizarres sont ma seule option, a dit Park aussi fort qu'il a pu.

Même fâché comme il l'était, il ne pouvait pas hurler sur sa mère.

— Il y a autres filles. Filles gentilles.

— C'est une fille gentille. Tu ne la connais même pas.

Son père était debout, il l'a poussé en direction du couloir.

— Va-t'en. Va jouer au basket ou à autre chose.

— Filles gentilles pas s'habiller comme les garçons.

— Allez, a dit son père.

Park n'avait pas envie de jouer au basket, et il faisait trop froid dehors sans manteau. Il est resté devant chez lui quelques minutes, puis est allé chez ses grands-parents. Il a frappé avant d'ouvrir la porte ; ils ne la verrouillaient jamais.

Ils étaient tous les deux dans la cuisine, à regarder *Une famille en or*. Sa grand-mère préparait des saucisses polonaises et des pommes de terre sautées.

— Park ! s'est-elle exclamée. J'ai dû sentir que tu viendrais. J'ai fait bien trop de Tater Tots.

— Je croyais que tu étais privé de sortie, a fait son grand-père.

— Chut, Harold, on peut pas priver qui que ce soit de voir ses propres grands-parents… Tu vas bien, mon chéri ? Tu as l'air un peu rouge.

— J'ai froid, c'est tout.

— Tu restes dîner ?

— Ouais.

Après manger, ils ont regardé *Matlock*, une série judiciaire. Sa grand-mère faisait du crochet. Elle confectionnait une couverture pour une naissance à venir. Park fixait l'écran mais il ne captait rien.

Sa grand-mère avait recouvert le mur derrière la télé de cadres photos. Il y avait des portraits de son père et de son frère aîné qui était mort au Vietnam, et toutes les photos de classe de Park et de Josh. Il y avait un cliché plus petit de ses parents, le jour de leur mariage. Son père était en uniforme de cérémonie et sa mère en minijupe rose. Quelqu'un avait écrit « Séoul, 1970 » dans l'angle. Son père avait vingt-trois ans. Sa mère, dix-huit – seulement deux ans de plus que Park.

Tout le monde pensait qu'elle était enceinte, lui avait confié son père. Mais non. « Presque enceinte, avait-il ajouté, ça fait quand même une petite différence… On était juste amoureux. »

Park ne s'attendait pas à ce que sa mère apprécie Eleanor, enfin pas tout de suite, mais il ne pensait pas non plus qu'elle la rejetterait. Sa mère était si charmante d'habitude. « Ta mère est un ange », disait toujours sa grand-mère. C'est ce que tout le monde disait.

Ses grands-parents l'ont renvoyé chez lui après *Capitaine Furillo*.

Sa mère était partie se coucher mais son père l'attendait dans le canapé. Park a tenté de l'éviter.

— Assieds-toi.

Park a obtempéré.

— Ta punition est levée.

— Et pourquoi ?

— Ça n'a aucune importance, pourquoi. Tu n'es plus privé de sortie, et ta mère est désolée, tu sais, pour tout ce qu'elle a dit.

— Je ne te crois pas.

Son père a soufflé.

— Eh bien, ça n'a pas d'importance non plus. Ta mère veut ce qu'il y a de mieux pour toi, pas vrai ? Est-ce qu'elle n'a pas toujours voulu ce qu'il y a de mieux pour toi ?

— J'imagine...

— Elle se fait simplement du souci pour toi. Elle pense qu'elle peut t'aider à trouver une copine de la même manière qu'elle t'aide à choisir tes cours ou tes vêtements.

— Elle ne choisit pas mes vêtements.

— Bon sang, Park, tu peux pas la fermer et m'écouter ?

Park est resté sans rien dire dans le fauteuil bleu.

— C'est nouveau pour nous, tu comprends ? Ta mère est désolée. Elle est désolée de t'avoir blessé, et elle aimerait que tu invites ta copine à dîner.

— Pour qu'elle se sente mal à l'aise et bizarre ?

— Ben, elle est quand même un peu bizarre, non ?

Park n'avait pas l'énergie de se mettre en colère. Il a poussé un soupir et a renversé la tête contre le dossier du fauteuil.

Son père a continué à parler.

— C'est pas pour ça que tu l'aimes bien justement ?

Park savait qu'il aurait dû être encore en colère.

Il savait que pas mal de trucs dans cette situation ne collaient pas.

Mais il n'était plus privé de sortie, et il allait passer plus de temps avec Eleanor... Peut-être même qu'ils trouveraient un moyen de se retrouver seuls. Park avait hâte de lui annoncer la nouvelle. Il avait hâte d'être au lendemain.

24

eleanor

C'était horrible à admettre. Mais parfois, Eleanor arrivait à dormir malgré les cris.

Surtout après deux mois passés à la maison. Si elle avait dû se réveiller chaque fois que Richie s'énervait... Si elle avait dû flipper chaque fois qu'elle l'entendait hurler dans la chambre du fond...

Parfois, Maisie la réveillait en grimpant sur son lit. Elle ne voulait pas qu'Eleanor la voie pleurer en plein jour, mais la nuit, elle tremblait et suçait son pouce comme un bébé. Ils avaient appris tous les cinq à pleurer en silence.

— Tout va bien, lui murmurait Eleanor en la serrant dans ses bras. Tout va bien.

Cette nuit-là, quand Eleanor s'est réveillée, elle savait que quelque chose était différent.

Elle a entendu la porte de derrière s'ouvrir brusquement. Et elle a compris, avant même d'être tout a fait consciente, qu'elle avait entendu des voix d'hommes dehors. Des hommes qui s'insultaient.

La porte a claqué dans la cuisine, et puis il y a eu des tirs. Eleanor savait que c'étaient des coups de feu, même si elle n'en avait jamais entendus.

« C'est les membres d'un gang, se dit-elle. Des dealers de drogue. Des violeurs. Des membres d'un gang de violeurs et de dealers de drogue. » Elle pouvait s'imaginer sans peine des milliers de gens atroces ayant une bonne raison d'en découdre avec Richie ; même ses potes étaient effrayants.

Elle avait dû commencer à sortir de son lit dès qu'elle avait entendu les coups de feu, parce qu'elle était déjà sur le lit du bas.

— Ne bouge pas, chuchota-t-elle en passant par-dessus Maisie, ne sachant pas si sa sœur était réveillée ou non.

Eleanor a ouvert la fenêtre juste assez pour se faufiler dehors. Il n'y avait pas de moustiquaire. Elle a sauté et couru d'une foulée aussi légère que possible sous le porche. Elle s'est arrêtée devant la maison voisine. Un vieux gars nommé Gil habitait là. Il portait des bretelles sur ses tee-shirts et il leur décochait des regards méchants quand il balayait son allée.

Gil a mis un temps fou à ouvrir la porte, et quand il a fini par se pointer, Eleanor a senti qu'elle avait grillé toute son adrénaline rien que pour frapper à la porte.

— Bonsoir, a-t-elle dit d'un filet de voix.

Il avait l'air mauvais et complètement taré. Gil aurait pu reluquer Tina jusqu'à ce qu'elle se planque sous la table, où il l'aurait probablement tabassée après.

— Je peux utiliser votre téléphone ? J'ai besoin d'appeler la police.

— Quoi ? a aboyé Gil.

Il avait les cheveux gominés en arrière, et il portait même des bretelles par-dessus son pyjama.

— Il faut que j'appelle le 911, a insisté Eleanor.

Elle a dit ça comme si elle voulait lui emprunter un peu de sucre.

— Ou peut-être que vous pourriez appeler le 911 pour moi ? Il y a des hommes chez moi avec des... armes. S'il vous plaît.

Gil ne semblait pas impressionné, mais il l'a laissée entrer. Sa maison était très jolie. Elle s'est demandée s'il avait été marié, ou s'il avait un penchant pour les volants. Le téléphone était dans la cuisine.

— Je crois qu'il y a des hommes armés chez moi, a dit Eleanor au standardiste. J'ai entendu des coups de feu.

Gill ne lui a pas demandé de s'en aller, alors elle a attendu la police dans sa cuisine. Il y avait un plat entier de brownies sur la table, mais il ne lui en a pas proposé. Son réfrigérateur était couvert d'aimants en forme d'États, et il avait un minuteur qui ressemblait à un poulet. Il s'est assis à la table avant d'allumer une cigarette. Il ne lui en a pas proposé non plus.

Quand la police est arrivée, Eleanor est sortie de la maison, elle s'est tout à coup sentie stupide d'être pieds nus. Gil a refermé la porte derrière elle.

Les flics ne sont pas descendus de voiture.

— Vous avez appelé le 911 ? lui a demandé l'un d'eux.

— Je crois qu'il y a quelqu'un chez moi, a soufflé Eleanor, tremblante. J'ai entendu des cris et des coups de feu.

— Très bien. Attends-là une minute, on va entrer avec toi.

« Avec moi », s'est dit Eleanor. Hors de question qu'elle remette les pieds à l'intérieur. Qu'est-ce qu'elle dirait au Hells Angels qui squattait son salon ?

Les officiers de police, deux costauds en bottes noires, se sont garés avant de la suivre sous le porche.

— Vas-y, a fait un des types, ouvre la porte.

— Je ne peux pas. C'est fermé.

— Comment t'es sortie ?

— Par la fenêtre.

— Alors rentre par la fenêtre.

La prochaine fois qu'elle appellerait le 911, elle demanderait expressément deux flics qui ne la renverraient pas seule dans un lieu assiégé. Est-ce que les pompiers faisaient ça aussi ? « Hé, gamine, vas-y en premier et ouvre la porte. »

Elle a escaladé la fenêtre, enjambé Maisie (toujours endormie), couru dans le salon, ouvert la porte d'entrée, puis elle est retournée se réfugier dans sa chambre et s'est assise sur le lit du bas.

— Police ! a entendu Eleanor.

Puis Richie a gueulé :

— Qu'est-ce que c'est que ce bordel ?

Sa mère :

— Qu'est-ce qui se passe ?

— C'est la police.

Ses frères et sa sœur se sont réveillés, ils rampaient frénétiquement pour se pelotonner les uns contre les autres. Quelqu'un a marché sur le bébé et il s'est mis à pleurer.

Eleanor a entendu les costauds en bottes marcher lourdement dans la maison. Puis Richie crier. La porte de la chambre s'est ouverte brusquement, et leur mère a débarqué telle la femme aliénée de M. Rochester dans *Jane Eyre*, vêtue de sa longue chemise de nuit blanche froissée.

— C'est toi qui les as appelés ?

Eleanor a hoché la tête.

— J'ai entendu des coups de feu.

— Chhhut, a fait sa mère en se précipitant sur le lit et en plaquant sa main trop fort sur la bouche d'Eleanor. Ne dis rien de plus, siffla-t-elle. S'ils te demandent, dis que c'était une erreur. C'était juste une erreur.

La porte s'est ouverte, sa mère a retiré sa main. Deux lampes torches sont apparues dans la pièce. Ses frères et sa sœur étaient tous réveillés et en pleurs. Leurs yeux brillaient comme ceux des chats dans le noir.

— Ils ont eu peur, c'est tout, a expliqué leur mère. Ils ne savent pas ce qu'il se passe.

— Y a personne ici, a fait le flic à Eleanor en braquant sa lampe sur elle. On a vérifié le jardin et le sous-sol.

Il a dit ça d'un ton plus accusateur que rassurant.

— Je suis désolée, murmura Eleanor. Je pensais avoir entendu quelque chose...

Les lumières se sont éclipsées, et Eleanor a entendu les trois hommes parler dans le salon. Elle a entendu les officiers de police marteler le porche avec leurs lourdes bottes et leur voiture s'éloigner. La fenêtre était encore ouverte.

Richie a déboulé dans la chambre direct, alors qu'il n'y mettait jamais les pieds. Eleanor a senti une nouvelle montée d'adrénaline.

— Qu'est-ce qui t'a pris ? a dit Richie tout bas.

Elle n'a pas répondu. Sa mère lui tenait la main, et Eleanor ne desserrait pas les dents.

— Richie, elle ne savait pas. Elle a juste entendu le coup de feu.

— Bordel ! dit-il en filant un coup de poing dans la porte.

Le placage a volé en éclats.

— Elle pensait nous protéger. C'était une erreur.

— Est-ce que t'essaies de te débarrasser de moi ? Tu pensais que tu pouvais te débarrasser de moi ?

Eleanor a enfoui sa tête contre l'épaule de sa mère. Ce qui n'était pas d'un grand secours. Ça revenait à se cacher derrière ce qu'il était le plus à même de frapper.

— C'était une erreur, a répété sa mère d'une voix douce. Elle essayait d'aider.

— Ne les appelle plus jamais ici, a dit Richie d'un filet de voix, le regard fou. Plus jamais.

Et puis, il a hurlé :

— Je peux me débarrasser de vous tous !

Il a claqué la porte derrière lui.

— Au lit, a soufflé leur mère. Tout le monde...

— Mais, maman..., a chuchoté Eleanor.

— Au lit, a-t-elle répété en l'aidant à grimper l'échelle.

Alors sa mère s'est penchée sur elle, sa bouche collée à l'oreille d'Eleanor.

— C'était Richie, murmura-t-elle. Des gosses jouaient au basket dans le parc, ils faisaient du bruit… Il voulait juste leur faire peur. Mais il n'a pas de permis, et il y a d'autres choses dans la maison ; il aurait pu se faire arrêter. Fini pour cette nuit. Pas un mot.

Elle s'est agenouillée auprès des garçons une minute, les a caressés et rassurés, avant de sortir de la chambre.

Eleanor aurait juré qu'elle pouvait entendre cinq cœurs qui battaient la chamade. Ils étouffaient tous un sanglot. Ils pleuraient à l'intérieur. Elle est sortie de son lit pour se réfugier dans celui de Maisie.

— Tout va bien, a chuchoté Eleanor à la chambrée. Tout va bien maintenant.

25

park

Eleanor avait l'air ailleurs ce matin-là. Elle n'a rien dit en attendant le bus. Quand ils sont montés, elle s'est laissée tomber sur la banquette avant de s'appuyer contre la vitre.

Park a tiré sur sa manche, et elle n'a même pas esquissé un sourire.

— Ça va?

Elle a levé les yeux vers lui.

— Maintenant, oui.

Il ne la croyait pas. Il a tiré sur sa manche encore une fois.

Elle s'est avachie sur lui et elle a enfoui la tête contre son épaule.

Park a posé la joue sur ses cheveux et fermé les yeux.

— Ça va?

— Presque.

Elle s'est redressée quand le bus s'est immobilisé. Elle ne le laissait jamais lui tenir la main une fois descendus du bus. Elle n'osait pas le toucher dans les couloirs. « Les gens vont nous regarder », répétait-elle toujours.

Il avait du mal à croire que ça lui importait encore. Les filles qui ne veulent pas qu'on les regarde ne se nouent pas des pampilles dans les cheveux. Elles ne portent pas de chaussures de golf pour hommes avec les crampons encore attachés.

Alors aujourd'hui, il est resté planté à côté de son casier et il ne pensait qu'à la toucher. Il voulait lui annoncer la nouvelle, mais elle semblait tellement loin, il n'était pas sûr qu'elle l'entende.

eleanor

Où est-ce qu'elle irait cette fois ?

Chez les Hickman encore ?

« Hé, vous vous souvenez de la fois où ma mère vous a demandé si je pouvais rester chez vous quelques jours, et qu'elle est revenue au bout d'un an ? J'ai vraiment apprécié le fait que vous ne m'ayez pas signalée aux services de protection de l'enfance. Une belle preuve de charité chrétienne. Vous avez toujours ce canapé-lit ? »

Putain.

Avant que Richie emménage, Eleanor n'avait vu ce mot que dans des livres ou sur les murs de toilettes. « Putain de bonne femme. Putain de gamins. Va te faire foutre, espèce de petite putain – qui est le putain de connard qui a touché à ma chaîne hi-fi ? »

Eleanor ne l'avait pas vu venir la dernière fois. Quand Richie l'avait mise à la porte.

Elle n'aurait pas pu, parce qu'elle n'aurait jamais pensé que ça puisse arriver. Elle n'aurait jamais pensé qu'il essaierait ; et elle n'aurait jamais, au grand jamais, pensé que sa mère le laisserait faire. (Richie avait dû deviner avant Eleanor que sa mère avait changé de camp.)

Elle avait honte quand elle repensait au jour où c'était arrivé – honte, en plus de tout le reste – parce c'était vraiment sa faute, elle l'avait cherché.

Elle était dans sa chambre, à taper les paroles d'une chanson sur une vieille machine à écrire que sa mère avait rapportée de Goodwill. Elle avait besoin d'un nouveau ruban (Eleanor avait une boîte pleine de cartouches qui ne collaient pas), mais elle fonctionnait quand même. Elle aimait tout dans cette machine à écrire : le contact de chaque lettre et le bruit des touches, qui collaient et qui craquaient. Elle aimait même l'odeur de métal et de cirage.

Elle s'ennuyait ce jour-là, le jour où c'est arrivé.

Il faisait trop chaud pour faire quoi que ce soit excepté traîner au lit, bouquiner ou regarder la télé. Richie était dans le salon. Il n'était pas sorti de son lit avant 2 ou 3 heures de l'après-midi, et tout le monde sentait qu'il était de mauvaise humeur. Sa mère, nerveuse, tournait en rond dans la maison, offrant à Richie de la limonade, des sandwichs et de l'aspirine. Eleanor ne supportait pas quand sa mère se comportait comme ça. Son inexorable soumission. C'était humiliant d'être dans la même pièce qu'elle.

Alors Eleanor était à l'étage, à taper sur sa machine les paroles de *Scarborough Fair.*

Elle a entendu Richie se plaindre.

— Qu'est-ce que c'est que ce putain de bruit ? Putain, Sabrina, tu peux pas la faire taire ?

Sa mère a monté l'escalier sur la pointe des pieds et passé une tête dans sa chambre.

— Richie ne se sent pas bien. Tu ne veux pas ranger ça ?

Elle avait l'air livide et anxieux. Eleanor détestait cet air-là.

Elle a attendu que sa mère retourne en bas. Puis, sans vraiment savoir pourquoi, elle a appuyé délibérément sur une touche.

A

Crac tac.

Ses doigts tremblaient au-dessus du clavier.

RE

Crac crac tac retour.

Il ne s'est rien passé. Personne n'a bougé. L'atmosphère était étouffante et lourde ; la maison, aussi silencieuse qu'une bibliothèque en enfer. Eleanor a fermé les yeux et relevé le menton.

YOU GOING TO SCRABOROUGH FAIR PARSLEY
SAAGE ROSEMAYRY AND THYME

Richie a escaladé les marches tellement vite qu'Eleanor l'a imaginé en train de voler avant de faire sauter la porte avec une boule de feu.

Il s'est retrouvé sur elle avant qu'elle ait le temps de comprendre, lui a arraché la machine à écrire des mains et l'a balancée si fort contre le mur que le plâtre a sauté et qu'elle est restée coincée dans les lattes de bois quelques secondes avant de s'écraser par terre.

Eleanor était trop choquée pour comprendre ce qu'il lui criait à la figure.

GROSSE VACHE et PUTAIN et SALOPE.

Il ne s'était jamais approché d'elle comme ça avant. La peur tétanisait tous les muscles d'Eleanor. Elle refusait qu'il la voie ainsi, alors elle a enfoui la tête dans ses mains contre son oreiller.

GROSSE VACHE et PUTAIN et SALOPE. Et JE T'AVAIS PRÉVENUE SABRINA.

— Je te déteste, a murmuré Eleanor dans son oreiller.

Elle entendait des trucs claquer. Elle entendait sa mère dans le couloir, qui parlait doucement, comme si elle essayait de rendormir un bébé.

GROSSE VACHE et PUTAIN et SALOPE et ELLE DEMANDE QUE ÇA PUTAIN, ELLE DEMANDE QUE ÇA.

— Je te déteste, a répété Eleanor plus fort. Je te déteste, je te déteste, je te déteste.

PUTAIN DE MERDE.

— Je te déteste.

ALLEZ TOUS VOUS FAIRE FOUTRE.

— Va te faire foutre.

PUTAIN DE CONNASSES.

— Va te faire foutre, va te faire foutre, va te faire foutre.

QU'EST-CE QU'ELLE VIENT DE DIRE ?

Dans la tête d'Eleanor, la maison a tremblé.

Sa mère lui tirait le bras à ce moment-là, pour la tirer du lit. Eleanor a essayé de se laisser faire, mais elle était trop sidérée pour se relever. Elle voulait faire corps avec le sol et s'enfuir en rampant, comme si sa chambre était pleine de fumée.

Richie enrageait. Sa mère l'a traînée sur le palier, puis elle l'a poussée dans les marches. Il était juste derrière elles.

Eleanor s'est cogné contre la rampe et elle a pratiquement rejoint la porte d'entrée à quatre pattes. Elle s'est précipitée dehors et elle a continué à courir jusqu'au trottoir. Ben était assis sous le porche, il jouait avec ses Hot Wheels. Il s'est arrêté pour regarder Eleanor qui détalait.

Elle se demandait si elle devait continuer à courir, mais pour aller où ? Même toute petite, elle n'avait jamais rêvé de prendre la poudre d'escampette. Elle ne s'était jamais imaginée franchir la clôture du jardin. Pour aller où ? Qui l'accepterait ?

Quand la porte d'entrée s'est ouverte à nouveau, Eleanor a fait quelques pas de plus dans la rue.

C'était juste sa mère. Elle l'a prise par le bras et elle a pressé le pas vers la maison des voisins.

Si Eleanor avait su ce qu'il était sur le point de se passer, elle aurait fait marche arrière pour dire au revoir à Ben.

Elle aurait cherché Maisie et Mouse et elle les aurait embrassés très fort sur les joues. Peut-être même qu'elle aurait demandé la permission de retourner à l'intérieur pour voir le bébé.

Et si Richie l'avait attendue à l'intérieur, peut-être qu'elle serait tombée à genoux pour le supplier de rester. Peut-être qu'elle aurait dit tout ce qu'il aurait voulu entendre.

Si c'était ce qu'il voulait, là, tout de suite – s'il voulait qu'elle implore son pardon, sa miséricorde – elle le ferait.

Elle espérait qu'il ne pouvait rien deviner de tout ça.

Elle espérait que personne ne pouvait voir qu'elle était dévastée.

park

Elle n'a pas fait attention à M. Stessman en littérature.

En histoire, elle a passé l'heure à regarder par la fenêtre.

Sur le trajet retour, elle n'était même pas de mauvais poil ; elle n'était rien du tout.

— Ça va ?

Elle a hoché la tête contre son épaule.

Quand elle est descendue à son arrêt, Park ne lui avait toujours rien dit. Alors il a sauté du bus et il l'a suivie, même s'il savait qu'elle ne serait pas d'accord.

— Park...

Elle a jeté un regard nerveux en direction de sa rue.

— Je sais... mais je voulais te dire que je ne suis plus privé de sortie.

— Ah bon ?

— Hmm-hmm, a-t-il répondu en secouant la tête.

— C'est super.

— Ouais...

Elle a regardé vers chez elle encore une fois.

— Ça veut dire que tu peux revenir chez moi.

— Ah.

— Enfin, si tu veux.

Ça ne se passait pas comme il l'avait imaginé. Même quand Eleanor le regardait, elle ne le regardait pas.

— Ah, a répété Eleanor.

— Eleanor ? Tout va bien ?

Elle a acquiescé.

— Est-ce que tu...

Il a calé ses mains dans les bretelles de son sac à dos en travers de sa poitrine.

— Je veux dire, est-ce que tu en as encore envie ? Est-ce que je te manque toujours ?

Elle a acquiescé à nouveau. Il avait l'impression qu'elle allait se mettre à pleurer. Il espérait qu'elle ne pleurerait pas chez lui... Si elle revenait un jour. Il avait l'impression qu'elle lui échappait.

— C'est juste que je suis vraiment crevée, dit-elle.

26

eleanor

Est-ce qu'il lui manquait ?

Elle voulait se perdre en lui, et qu'il enroule ses bras tout autour d'elle.

Si elle lui montrait à quel point elle avait besoin de lui, il prendrait ses jambes à son cou.

27

eleanor

Eleanor se sentait mieux le lendemain. Elle était toujours de meilleure humeur le matin.

Ce jour-là, elle s'est réveillée avec ce stupide chat roulé en boule contre elle comme s'il était incapable de comprendre qu'elle ne l'avait jamais aimé, ni lui, ni les chats en général.

Et puis sa mère lui a donné un sandwich aux œufs frits dont Richie n'avait pas voulu, et épinglé une vieille fleur en verre ébréchée sur sa veste.

— Je l'ai dégotée à la boutique de charité. Maisie la voulait mais je l'ai gardée pour toi.

Elle a mis un peu de vanille derrière les oreilles d'Eleanor.

— J'irai peut-être chez Tina après les cours.

— OK. Amuse-toi bien.

Eleanor espérait que Park l'attendrait à son arrêt de bus, mais elle ne lui en voudrait pas dans le cas contraire.

Il était là. Debout dans la lumière ténue, en trench-coat gris et baskets montantes noires, il la cherchait du regard.

Elle a parcouru les derniers mètres qui les séparaient en courant.

— Bonjour, a dit Eleanor en poussant des deux mains sur son torse.

Il a reculé d'un pas en riant.

— T'es qui, toi ?

— Je suis ta copine. Tu peux demander à qui tu veux.

— Non, ma copine est triste et silencieuse et elle m'empêche de fermer l'œil la nuit parce que je me fais du souci pour elle.

— Les boules. J'ai l'impression qu'il faut que tu changes de copine.

Il a souri et secoué la tête.

Il faisait froid et sombre, et Eleanor voyait le souffle de Park. Elle se retenait de ne pas essayer de l'avaler.

— J'ai dit à ma mère que j'irais chez une copine après les cours...

— Ah ouais ?

Park était la seule personne qu'elle connaisse qui portait son sac à dos sur les épaules, et pas juste sur une épaule, et il coinçait toujours ses pouces dans les bretelles, comme s'il venait de sauter d'un avion ou d'un hélico. C'était extrêmement mignon. Surtout quand il faisait son timide et qu'il penchait la tête en avant.

Elle a saisi une mèche qui lui retombait sur le front.

— Ouais.

— Cool, dit-il avec un sourire.

Ses pommettes étaient brillantes, et ses lèvres charnues.

« Ne lui mords pas le visage, se répétait Eleanor. Ça fait dérangée et en manque et ça n'arrive jamais dans les sitcoms et les films où les gens finissent par s'embrasser. »

— Je suis désolée pour hier, a dit Eleanor.

Il s'est accroché aux sangles de son sac et il a haussé les épaules.

— Ça arrive, des jours comme hier.

« Punaise », il semblait vouloir qu'elle lui dévore le visage tout cru.

park

Il lui avait raconté presque tout ce que sa mère avait dit sur elle.

Comme si c'était mal de cacher des choses à Eleanor.

Mais ça lui semblait encore pire de partager ce genre de secrets. Ça la rendrait encore plus nerveuse. Peut-être même qu'elle refuserait de venir chez lui...

Et elle était tellement heureuse aujourd'hui. Une personne différente. Elle n'arrêtait pas de lui serrer la main. Elle lui a même mordu l'épaule en descendant du bus.

En plus, s'il lui racontait tout, dans le meilleur des cas, elle voudrait rentrer chez elle pour se changer. Aujourd'hui, elle portait un immense pull jacquard orange avec sa cravate en soie verte et un jean baggy de peintre.

Park ne savait pas si Eleanor avait des vêtements de fille, et il s'en foutait. Ça lui plaisait qu'elle n'en ait pas. Peut-être que c'était encore un truc légèrement fiotte chez lui, mais il en doutait, parce qu'Eleanor ne ressemblerait pas à un mec même avec les cheveux courts et une moustache. Tous ses vêtements d'homme faisaient encore plus ressortir son côté féminin.

Il ne lui dirait rien au sujet de sa mère. Et il ne lui dirait pas de sourire. Mais si elle le mordait encore, il allait perdre les pédales.

— T'es qui, toi ? lui demanda Park comme elle souriait toujours en cours de littérature.

— Tu peux demander à qui tu veux.

eleanor

En cours d'espagnol aujourd'hui, ils étaient censés écrire une lettre à un ami. Señora Bouzon leur a passé un épisode de la série *¿ Qué Pasa, USA?* pendant l'exercice.

Eleanor a commencé une lettre pour Park. Elle n'est pas allée bien loin.

Estimado Señor Sheridan,
Me gusta comer su cara.
Besos,
Leonor

Tout au long de la journée, chaque fois qu'Eleanor se sentait nerveuse ou qu'elle avait peur, elle s'obligeait à être heureuse à la place. (Elle ne se sentait pas mieux pour autant, mais ça l'empêchait de se sentir encore plus mal...)

Elle s'est dit que les parents de Park devaient être des gens bien parce qu'ils avaient élevé un être comme Park. Et tant pis si ce principe n'était pas vérifiable dans sa propre famille. Ce n'était pas comme si elle allait affronter la famille de Park toute seule. Il serait là. C'était justement l'idée. Y avait-il un endroit horrible où elle n'irait pas pour être avec Park ?

Elle l'a croisé après leur septième heure de cours dans un couloir où elle ne l'avait jamais vu avant. Au troisième étage, il portait un microscope. C'était doublement plus chouette de le croiser là où elle ne s'y attendait pas.

28

park

Il a appelé sa mère à la pause déjeuner pour lui dire qu'Eleanor viendrait. Sa conseillère l'a laissé se servir de son téléphone. (Mme Dunne adorait jouer les Mère Teresa en cas de crise, alors Park n'a eu qu'à insinuer que c'était une urgence.)

— Je voulais juste te dire qu'Eleanor va venir après les cours. Papa a dit que c'était bon.

— Très bien, a soufflé sa mère sans même prétendre qu'elle était d'accord. Elle reste dîner ?

— Je ne sais pas. Probablement pas.

Elle a soupiré.

— Faudra que tu sois gentille avec elle, hein ?

— Moi gentille avec tout monde. Tu sais très bien.

Il sentait qu'Eleanor était nerveuse dans le bus. Elle ne disait rien, et elle n'arrêtait pas de se mordre la lèvre inférieure, jusqu'à ce qu'elle devienne toute blanche, si bien qu'on voyait que sa bouche était constellée de taches de rousseur, elle aussi.

Park a essayé de la lancer sur les *Watchmen* ; ils venaient de terminer le tome quatre.

— Qu'est-ce que tu penses de cette histoire de pirates ?

— Quelle histoire de pirates ?

— Tu sais, il y a ce personnage qui est toujours en train de lire une BD sur des pirates, l'histoire dans l'histoire, l'histoire de pirates.

— Je saute toujours ce passage.

— Tu le sautes ?

— C'est chiant. Bla-bla-bla – des pirates ! – bla-bla-bla.

— Rien de ce qu'Alan Moore écrit ne peut-être bla-bla-blaté, s'est récrié Park d'un ton solennel.

Eleanor a haussé les épaules et s'est mordu la lèvre.

— Je vais finir par croire que je n'aurais pas dû t'initier aux comics avec une série qui déconstruit complètement les cinquante dernières années du genre.

— Tout ce que j'entends c'est bla-bla-bla, genre.

Le bus s'est arrêté près de chez Eleanor. Elle l'a regardé.

— On ferait aussi bien de descendre à mon arrêt, non ?

Nouveau haussement d'épaules.

Ils sont descendus à son arrêt, avec Steve et Tina et la bande du fond du bus. Ils zonaient dans le garage de Steve quand il ne travaillait pas, même en hiver.

Park et Eleanor traînassaient derrière eux.

— Désolée d'avoir l'air aussi débile aujourd'hui.

— Ben, t'as ta tête de tous les jours.

Elle laissait son sac pendouiller au bout de son bras, il a essayé de le lui chiper mais elle l'a esquivé.

— J'ai toujours une tête de débile ?

— Ce n'est pas ce que je voulais dire...

— C'est ce que tu as dit, marmonna-t-elle.

Il voulait lui demander de ne pas se fâcher maintenant. Si elle voulait, elle pourrait lui faire la tête sans raison demain, n'importe quand sauf maintenant.

— Tu sais vraiment parler aux filles, a observé Eleanor.

— Je n'ai jamais prétendu m'y connaître sur le sujet.

— Ce n'est pas ce que j'ai entendu dire. Je croyais que tu avais le droit d'inviter *des* filles dans ta chambre...

— Elles s'y trouvaient, mais je n'ai rien appris.

Ils se sont arrêtés sous son porche. Il lui a pris son sac des mains en faisant tout son possible pour ne pas avoir l'air nerveux. Eleanor avait les yeux rivés sur l'allée, comme si elle était prête à détaler.

— Je voulais dire que tu n'as pas l'air différent de d'habitude, a chuchoté Park, juste au cas où sa mère était de l'autre côté de la porte. Et tu es toujours jolie.

— Je ne suis jamais jolie, a énoncé Eleanor comme s'il était demeuré.

— J'aime bien ta dégaine, a dit Park, plus sur le ton de la discorde que du compliment.

— Ça ne veut pas dire que c'est joli.

Elle chuchotait, elle aussi.

— Très bien, tu as l'air d'un clodo.

— Un clodo ?

Une étincelle s'est allumée dans son regard.

— Ouais, un clodo bohème. On dirait que tu viens juste d'entrer au casting de *Godspell*.

— Je ne sais même pas ce que c'est.

— Une émission horrible.

Elle s'est approchée de lui :

— J'ai une dégaine de clodo ?

— Pire. D'un clown clodo.

— Et ça te plaît ?

— J'adore.

Il a à peine dit ça qu'un grand sourire a illuminé son visage. Et quand Eleanor souriait, quelque chose se brisait à l'intérieur de lui.

À chaque fois.

eleanor

C'était probablement une bonne chose que la mère de Park ouvre la porte à ce moment-là parce qu'elle songeait sérieusement à l'embrasser, et ce n'était vraiment pas une bonne idée ; Eleanor était ignorante en la matière.

Bien sûr, elle avait vu faire ça des millions de fois à la télé (merci, Fonzie), mais la télé ne montrait jamais la mécanique du baiser. Si elle essayait d'embrasser Park, ce serait un peu comme si une petite fille faisait s'embrasser Ken et Barbie en vrai. Écrasant simplement leur visage l'un contre l'autre.

En plus, si la mère de Park avait ouvert la porte en plein milieu d'un long baiser maladroit, elle détesterait encore plus Eleanor.

La mère de Park la détestait ; ça se voyait. Ou peut-être qu'elle détestait juste l'idée d'Eleanor : une fille séduisant l'aîné de ses fils sous son propre toit.

Eleanor a suivi Park dans le salon et s'est assise. Elle voulait se montrer extrêmement polie.

Lorsque sa mère leur a offert à grignoter, Eleanor a dit :

— Ce serait super, merci.

Sa mère la regardait comme une tache que quelqu'un aurait laissée sur le petit canapé bleu. Elle leur a apporté des cookies, puis elle les a laissés seuls.

Park rayonnait. Eleanor faisait son possible pour apprécier le fait d'être avec lui – mais toute son attention était accaparée par le fait d'essayer de ne pas s'écrouler.

C'était les petites choses chez Park qui la faisaient vraiment flipper. Comme toutes les grappes de raisin en verre qui pendaient de partout, les rideaux assortis au sofa, lui-même assorti aux petits napperons sous les lampes.

On aurait pu croire que personne d'intéressant ne pouvait grandir dans une maison aussi jolie et ennuyeuse que celle-ci, pourtant Park était le garçon le plus intelligent et le plus drôle qu'elle ait jamais rencontré. Et voilà sa planète d'origine.

Eleanor voulait se persuader qu'elle valait mieux que la mère de Park et sa maison de représentante Avon. Mais au lieu de ça, elle ne pouvait s'empêcher de penser que ça devait être chouette de vivre dans une maison comme celle-ci. Avec sa propre chambre. Et ses propres parents. Et six sortes de cookies dans le placard à provisions.

park

Eleanor avait raison : elle n'était jamais jolie. Elle ressemblait à une œuvre d'art. L'art n'avait rien à voir avec le beau, il existait pour faire ressentir des choses.

À voir Eleanor assise à côté de lui sur le canapé, il avait l'impression qu'on avait ouvert une fenêtre au milieu de la pièce. Comme si quelqu'un avait remplacé tout l'air de la pièce avec une atmosphère neuve, enrichie (avec deux fois plus de fraîcheur, comme disaient les pubs).

Eleanor lui donnait la sensation que quelque chose se passait. Alors qu'ils étaient simplement assis.

Elle ne voulait pas qu'il lui tienne la main, pas chez lui, et elle ne voulait pas rester dîner. Mais elle a dit qu'elle reviendrait demain, si elle avait la permission, et elle l'a eue.

Sa mère était jusque-là tout à fait correcte avec elle. Elle ne faisait pas son numéro de charme, comme avec ses clients ou les voisins, mais elle n'était pas malpolie non plus. Et si elle voulait se terrer dans la cuisine chaque fois qu'Eleanor venait, se dit Park, c'était son problème.

Eleanor est revenue chez lui jeudi et vendredi après-midi. Et samedi, alors qu'ils jouaient à la Nintendo avec Josh, son père lui a proposé de rester dîner.

Park n'en croyait pas ses oreilles quand elle a accepté. Son père a mis une rallonge à la table de la salle à manger, et Eleanor s'est assise à côté de Park. Elle était nerveuse, il le sentait. Elle a à peine touché à son hamburger, et au bout d'un moment, son sourire s'est déformé en rictus.

Après le dîner, ils ont tous regardé *Retour vers le futur* sur HBO, et sa mère a fait du pop-corn. Eleanor était par terre avec Park, le dos calé contre le canapé, et quand il a pris subrepticement sa main dans la sienne, elle ne l'a pas retirée. Il caressait l'intérieur de sa paume parce qu'il savait qu'elle aimait bien ça: elle baissait ses paupières, un peu comme si elle allait s'endormir.

À la fin du film, le père de Park a insisté pour que son fils raccompagne Eleanor chez elle.

— Merci pour l'invitation, monsieur Sheridan. Et merci pour le dîner, madame Sheridan. Il était délicieux, j'ai passé une très bonne soirée.

Il n'y avait pas l'once d'un sarcasme dans sa voix.

Dans l'entrée, elle a lancé:

— Bonne nuit!

Park a refermé la porte derrière eux. Il a cru voir toute sa gentillesse nerveuse s'évaporer. Il voulait la serrer dans ses bras pour l'aider à s'en essorer.

— Tu ne peux pas me raccompagner, dit-elle avec son mordant habituel. Tu le sais, pas vrai?

— Oui. Mais je peux te raccompagner à mi-chemin.

— J'en sais rien…

— Allez, il fait noir. Personne ne nous verra.

— D'accord, a soufflé Eleanor, mais elle a enfoncé ses mains dans ses poches.

Ils se sont mis en route lentement.

— Ta famille est vraiment chouette, a-t-elle dit au bout d'une minute. Sincèrement.

Il l'a attrapée par le bras.

— Hé, j'ai un truc à te montrer.

Il l'a attirée dans l'allée du garage des voisins entre un pin et un camping-car.

— Park, on est sur une propriété privée.

— Absolument pas. On est chez mes grands-parents.

— Qu'est ce que tu veux me montrer ?

— Rien, en fait. Je veux juste être seul avec toi une minute.

Il l'a attirée dans le fond de l'allée, où ils se sont retrouvés presque entièrement à l'abri des regards derrière une rangée d'arbres et le camping-car et le garage.

— Sérieux ? C'est vraiment une excuse pourrie.

— Je sais, a admis Park en se tournant vers elle. La prochaine fois, je me contenterai de : « Eleanor, suis-moi dans cette allée sombre, j'ai envie de t'embrasser. »

Elle n'a pas levé les yeux au ciel. Elle a pris une inspiration, puis fermé la bouche. Il apprenait à la surprendre.

Elle a enfoncé ses mains encore plus profondément dans ses poches, alors il l'a attrapée par les coudes.

— La prochaine fois, je me contenterai de : « Eleanor, viens te planquer sous les buissons avec moi, je vais devenir fou si je ne t'embrasse pas. »

Elle ne bougeait pas, alors il s'est dit qu'elle accepterait certainement qu'il touche son visage. Sa peau était aussi douce qu'elle en avait l'air, blanche et lisse comme de la porcelaine constellée de taches de rousseur.

— Je me contenterai de : « Eleanor, viens avec moi à la poursuite du lapin blanc... »

Il a posé un pouce sur ses lèvres pour voir si elle ferait un pas en arrière. Mais non. Il s'est approché. Il voulait fermer les yeux, mais il n'était pas certain qu'elle ne le planterait pas sur place.

Quand ses lèvres ont effleuré sa bouche, elle a secoué la tête. Il a senti le bout de son nez chatouiller le sien.

— J'ai jamais fait ça avant.

— T'inquiète.

— Si, ça va être horrible.

Il a secoué la tête.

— Mais non.

Elle a secoué la tête légèrement. Très légèrement.

— Tu vas le regretter, a-t-elle dit.

Ça l'a fait rire, alors il a dû attendre une seconde avant de l'embrasser.

Ce n'était pas horrible. Les lèvres d'Eleanor était douces et chaudes, et il sentait son cœur battre dans ses joues. C'était bien qu'elle soit nerveuse, parce que ça l'obligeait à ne pas l'être. Ça l'ancrait encore plus dans le sol, de la sentir trembler.

Il s'est arrêté plus vite qu'il ne l'aurait voulu. Il n'avait pas assez d'expérience pour reprendre sa respiration.

Quand il a fait un pas en arrière, les yeux d'Eleanor étaient quasiment fermés. Ses grands-parents avaient laissé la lumière allumée sous le porche et le visage d'Eleanor capturait toute son intensité. Elle rayonnait comme une deuxième lune.

Elle a baissé la tête après une seconde, et il a laissé sa main retomber sur l'épaule d'Eleanor.

— Ça va ? a murmuré Park.

Elle a acquiescé. Il l'a attirée près de lui et il l'a embrassée sur le haut du crâne. Il essayait de trouver son oreille sous tous ses cheveux.

— Viens par là, a-t-il dit. Je veux te montrer quelque chose.

Elle a ri. Il a relevé son menton.

La deuxième tentative était encore moins horrible.

eleanor

Ils ont rebroussé chemin jusqu'au trottoir ; puis Park a attendu là dans la pénombre, et suivi du regard Eleanor qui rentrait chez elle toute seule.

Elle s'est forcée à ne pas se retourner.

Richie était à la maison, et tout le monde, excepté sa mère, regardait la télévision. Il n'était pas très tard ; Eleanor a fait comme si rentrer à la tombée de la nuit n'avait rien d'étrange.

— T'étais où ? a lancé Richie.

— Chez une copine.

— Quelle copine ?

— Je t'ai dit, chéri, a dit sa mère en surgissant dans le salon avec une poêle à la main. Eleanor a une amie dans le quartier. Lisa.

— Tina, a rectifié Eleanor.

— Une copine, hein ? Tu laisses déjà tomber les mecs ?

Il se trouvait drôle.

Eleanor est allée dans sa chambre et elle a fermé la porte. Elle n'a pas allumé la lumière. Elle est montée sur son lit tout habillée, a ouvert les rideaux et essuyé la condensation sur la fenêtre. Elle ne voyait pas l'allée rien ne bougeait au-dehors.

La fenêtre s'est embuée à nouveau. Eleanor a fermé les yeux et collé son front contre la vitre.

29

eleanor

Quand elle a aperçu Park à l'arrêt de bus le lundi matin, elle s'est mise à rigoler. Sérieux, elle gloussait comme les personnages de dessin animé : quand leurs joues virent à l'écarlate et que des petits cœurs leur sortent par les oreilles...

C'était ridicule.

park

Quand il a aperçu Eleanor marcher dans sa direction le lundi matin, Park a eu envie de courir à sa rencontre, de la prendre dans ses bras et de la soulever dans les airs. Comme ces types dans les séries à l'eau de rose que sa mère regardait. Il s'est accroché aux bretelles de son sac pour se retenir...

C'était merveilleux.

eleanor

Park faisait la même taille qu'elle, mais il avait l'air plus grand.

park

Les cils d'Eleanor était de la même couleur que ses taches de rousseur.

eleanor

Ils ont parlé du *White Album* sur le trajet du lycée, mais c'était juste une excuse pour se scruter la bouche. C'était comme s'ils lisaient sur les lèvres.

Peut-être que c'était pour ça que Park n'arrêtait pas de rire, même quand ils ont parlé de « Helter Skelter », qui n'était pas la chanson la plus drôle des Beatles, même avant que ce taré de Charles Manson se la réapproprie.

30

park

— Salut, a marmonné Cal en mordant dans son sandwich à la côtelette grillée. Tu devrais venir au match de basket avec nous jeudi. Et essaie même pas de me dire que t'aimes pas le basket, Spud.

— Je sais pas...

— Y aura Kim.

Park a grogné :

— Cal...

— Elle va s'asseoir à côté de moi. Parce qu'on sort complètement ensemble.

— Non, sérieux ?

Park a mis la main devant la bouche pour éviter d'envoyer valser un bout de sandwich

— On parle bien de la même Kim ?

— C'est si dur à croire que ça ?

Cal a ouvert sa brique de lait sur le dessus et a bu une gorgée en la tenant comme un verre.

— Elle n'était pas à fond sur toi en fait, tu sais. Elle s'ennuyait, c'est tout, et elle te trouvait mystérieux, silencieux... genre, il faut se méfier de l'eau qui dort. Mais je lui ai dit que parfois l'eau stagne.

— Merci.

— Mais elle est à fond sur moi maintenant, alors tu peux venir avec nous si tu veux. Les matchs de basket sont hyper bien. Ils vendent des nachos et tout et tout.

— Je vais y réfléchir.

Il n'allait pas y réfléchir du tout. Il n'irait nulle part sans Eleanor. Et elle n'avait pas l'air d'être une grande amatrice de basket.

eleanor

— Salut, frangine, lui a fait DeNice alors qu'elles se changeaient dans le vestiaire après le cours de gym.

— Bon, j'ai réfléchi, tu dois absolument venir à la soirée *Sprite Nite* avec nous cette semaine. Jonesy a fait réparer sa voiture et il a pris son jeudi. Ça va être la folie folie folie, jusqu'au bout de la nuit nuit nuit.

— Tu sais que je n'ai pas le droit de sortir.

— Je sais que t'as pas le droit d'aller chez ton copain non plus, a rétorqué DeNice.

— J'ai ouï dire, a ajouté Beebi.

Eleanor n'aurait jamais dû leur raconter qu'elle était allée chez Park, mais elle mourait d'envie de le dire à quelqu'un. (C'était comme ça que certains se retrouvaient en taule après avoir commis le crime parfait.)

— Pas si fort, leur a soufflé Eleanor.

— Tu devrais venir, a insisté Beebi.

Son visage était parfaitement rond, avec des fossettes tellement prononcées qu'elle ressemblait à un coussin garni de capiton quand elle souriait.

— On s'amuse tellement là-bas. Je parie que t'es jamais allée danser de ta vie, en plus.

— Je ne sais pas...

— C'est à cause de ton homme ? a lancé DeNice. Parce qu'il peut venir aussi. Il ne prend pas beaucoup de place.

Beebi s'est mise à glousser, alors Eleanor a gloussé aussi. Elle avait du mal à imaginer Park danser. Il serait certainement doué, si tous les titres du Top 40 ne lui crevaient pas les tympans. Il était doué pour tout.

Quand même… Elle ne les voyait pas très bien sortir tous les deux avec DeNice ou Beebi. Ou qui que ce soit d'autre. Sortir avec Park, en public, revenait à peu de chose près à enlever son casque dans l'espace.

park

Sa mère lui a dit que s'ils se voyaient tous les soirs après les cours, ce qui était clairement leur intention, il faudrait qu'ils fassent leurs devoirs.

— Elle a probablement raison, lui a fait remarquer Eleanor dans le bus. J'ai fait semblant de suivre en littérature toute la semaine.

— Tu faisais semblant aujourd'hui ? Vraiment ? Ça ne s'est pas du tout entendu.

— On a fait Shakespeare l'an dernier dans mon ancien lycée… Mais je ne peux pas faire semblant en maths. Je ne peux même pas… C'est quoi le contraire de faire semblant ?

— Je peux t'aider en maths, si tu veux. J'ai déjà vu tout mon algèbre.

— Han, professeur Sheridan, je ne pouvais pas rêver mieux.

— Si, a soufflé Park. Je pourrais aussi *ne pas* t'aider en maths.

Même son sourire vache et suffisant le rendait fou.

Ils ont essayé de travailler dans le salon, mais Josh voulait regarder la télé, alors ils ont déménagé leurs affaires dans la cuisine.

Sa mère leur a dit qu'ils pouvaient s'installer là ; puis elle a dit qu'elle avait à faire dans le garage. Bref, passons.

Eleanor remuait les lèvres quand elle lisait.

Park lui a donné un léger coup de pied sous la table, et il s'est mis à lui lancer des boulettes de papier froissé dans les cheveux. Ils ne se retrouvaient pratiquement jamais seuls, et maintenant qu'ils l'étaient presque, il cherchait désespérément à attirer son attention.

Il a refermé son livre d'algèbre du bout de son crayon.

— Sérieux ?

Elle a essayé de le rouvrir.

— Non, a protesté Park en le tirant vers lui.

— Je croyais qu'on devait bosser.

— Je sais. C'est juste... qu'on est tout seuls.

— Presque...

— Alors on devrait faire les trucs qu'on fait quand on est seuls.

— Tu me fais flipper là...

— Je voulais dire, parler.

Il n'était pas sûr de ce qu'il voulait dire. Il a baissé les yeux sur la table. Le livre d'algèbre d'Eleanor était couvert de son écriture, les paroles d'une chanson s'enroulaient et se torsadaient autour du titre d'une autre. Il a vu son nom en minuscules – on repère toujours mieux son prénom – dissimulé dans le refrain d'un morceau des Smiths.

Il n'a pas pu s'empêcher de sourire.

— Quoi ? lui a demandé Eleanor.

— Rien.

— Quoi ?

Il a reposé les yeux sur son livre. Il repenserait à ça plus tard, une fois qu'elle serait rentrée chez elle. Il penserait à Eleanor assise en classe, pensant à lui, dissimulant avec précaution son prénom là où elle seule pensait le voir.

Et alors il a remarqué autre chose. Écrit en tout petit,

et avec le même soin, tout en minuscules: *je sais que tes une salope tu sent le foutre.*

— Quoi? a répété Eleanor en essayant de lui prendre le livre des mains.

Park s'est retenu. Il a senti le sang lui monter à la tête façon Bruce Banner.

— Pourquoi tu ne m'as pas dit que ça continuait?

— Que quoi continuait?

Il ne voulait pas le dire, il ne voulait pas le lui montrer. Il ne voulait pas que leurs yeux se posent ensemble sur ces mots.

— Ça, a-t-il soufflé en agitant la main au-dessus de la phrase.

Elle a regardé, et elle a immédiatement commencé à recouvrir la vilaine écriture au stylo. Son visage était couleur de lait écrémé, et son cou s'est couvert de marbrures écarlates.

— Pourquoi tu ne m'as rien dit?

— Je ne l'avais pas vu.

— Je croyais que c'était fini.

— Et qu'est-ce qui te faisait croire ça?

Qu'est-ce qui lui *faisait* croire ça? Parce qu'elle sortait avec lui maintenant?

— Je voulais juste... Pourquoi tu ne m'en as pas parlé?

— Pourquoi est-ce que je t'en parlerais? C'est dégueulasse et gênant.

Elle continuait à gribouiller.

Il a posé la main sur son poignet.

— Peut-être que je peux faire quelque chose?

— Faire quoi? Tu veux lui péter la gueule? a-t-elle lancé en repoussant le livre vers lui.

Il a serré les mâchoires. Elle a repris le livre pour le ranger dans son sac.

— Tu sais qui fait ça?

— Tu vas *leur* péter la gueule?

— Peut-être...

— Ben... J'ai limité le truc à quelques personnes qui ne m'aiment pas...

— Ça pourrait être n'importe qui. Mais c'est quelqu'un qui a accès à tes livres sans que tu le saches.

Dix secondes plus tôt, Eleanor avait semblé aussi féroce qu'un tigre. Maintenant, elle avait l'air résignée, avachie au-dessus de la table, se massant les tempes du bout des doigts.

— Je ne sais pas..., a-t-elle répondu en secouant la tête. J'ai l'impression que ça se passe toujours les jours où j'ai sport.

— Tu laisses tes livres au vestiaire ?

Elle s'est frotté les yeux avec les deux mains.

— J'ai l'impression que tu fais exprès de me poser des questions idiotes. T'es le pire détective au monde.

— Qui est-ce qui ne t'aime pas en gym ?

— Haha, répondit-elle le visage toujours dissimulé derrière ses mains. Qui est-ce qui ne m'aime pas en cours de gym ?

— Faut que tu prennes ça au sérieux.

— Non, a-t-elle dit d'un ton résolu en fermant les poings, c'est exactement le genre de trucs que je ne *devrais pas* prendre au sérieux. C'est exactement ce que Tina et ses suppôts de Satan veulent que je fasse. Si elles croient que ça me touche, elles ne me laisseront jamais tranquille.

— Qu'est-ce que Tina a à voir avec ça ?

— Tina est celle qui ne m'aime pas *du tout* en cours de gym, c'est la pire.

— Tina ne ferait jamais un truc pareil.

Eleanor lui a lancé un regard noir.

— Tu rigoles ? Tina est un monstre. Tina est ce qui arriverait si le diable et la méchante sorcière décidaient de s'unir, et qu'ils baignaient leur progéniture dans un grand bol de vice haché menu.

Park repensa à Tina qui avait vendu la mèche dans le garage et qui se moquait des autres dans le bus... Mais alors il pensa à toutes les fois où Steve s'en était pris à lui, et où Tina l'avait calmé.

— Je connais Tina depuis qu'on est tout petits. Et elle n'est pas si méchante. On était amis avant.

— Vous ne vous comportez pas comme des amis.

— Ben, elle sort avec Steve maintenant.

— Et alors ?

Park ne savait pas comment répondre.

— Qu'est-ce que ça change ? a répété Eleanor, les yeux comme deux petites fentes obscures.

S'il lui mentait là-dessus, elle ne le lui pardonnerait jamais.

— Ça n'a plus d'importance maintenant, a soufflé Park. C'est débile… Tina et moi on est sortis ensemble quand on avait onze ou douze ans. Enfin on n'est jamais vraiment sortis quelque part, et on n'a jamais fait quoi que ce soit ensemble.

— Tina ? T'es sorti avec *Tina* ?

— C'était au collège. C'était rien.

— Mais c'était ta copine et t'étais son copain. Vous vous teniez la main ?

— Je ne sais plus.

— Tu l'as embrassée ?

— Ça n'a aucune importance.

Sauf que si. Parce que Eleanor le regardait comme un parfait inconnu. Et ça lui donnait le sentiment d'être un inconnu. Il savait que Tina avait un mauvais fond, mais il savait aussi qu'elle ne ferait jamais un truc pareil.

Qu'est-ce qu'il savait d'Eleanor ? Pas grand-chose. C'était comme si elle ne voulait pas qu'il la connaisse mieux. Il éprouvait tous les sentiments du monde pour elle, mais qu'est-ce qu'il *savait* vraiment d'elle ?

— Tu écris toujours en minuscules…

Dire ça tout haut lui semblait une bonne idée, jusqu'à ce que ces mots se retrouvent sur le bout de sa langue, mais il a continué à parler.

— C'est toi qui as écrit ça ?

Eleanor était pâle, elle est devenue livide. Comme si tout son sang lui était monté au cœur direct. Ses lèvres tachetées se sont entrouvertes.

Puis elle est sortie de sa stupeur. Elle a commencé à empiler ses livres.

— Si je m'écrivais un petit mot à moi-même, en me traitant de salope, a-t-elle dit d'un ton détaché, tu as raison, je pense que je me passerais de majuscules. Mais je n'aurais probablement pas fait de fautes d'orthographe, et j'aurais mis un point. Parce que je suis très à cheval sur la ponctuation.

— Qu'est-ce que tu fais ?

Elle secoua la tête et se leva. Punaise, il ne savait pas quoi faire pour l'arrêter.

— Je ne sais pas qui écrit sur mes livres, a dit Eleanor avec froideur. Mais je crois qu'on vient juste de résoudre le mystère de Tina et de sa dent contre moi.

— Eleanor...

— Non, se récria-t-elle d'une voix entrecoupée. Je n'ai plus envie de parler.

Elle sortit de la cuisine juste au moment où la mère de Park revenait du garage. Cette dernière dévisagea son fils avec une expression qu'il commençait à connaître : « Qu'est-ce que tu lui trouves, à cette Blanche bizarre ? »

park

Cette nuit-là, étendu sur son lit, Park a repensé à Eleanor en train de penser à lui et d'écrire son nom sur la couverture de son livre.

Ça aussi, elle avait déjà dû l'effacer.

Il a essayé de comprendre pourquoi il avait pris la défense de Tina.

Qu'est-ce que ça pouvait bien lui faire que Tina soit gentille ou méchante ? Eleanor avait raison : lui et Tina n'étaient pas amis. Ils ne l'avaient jamais été, même au collège.

Tina avait demandé à Park s'il voulait bien sortir avec elle, et Park avait dit oui, parce que tout le monde savait que Tina était la fille la plus populaire de sa classe. Sortir avec Tina était une monnaie sociale forte, et Park profitait encore des intérêts.

Avoir été le premier petit ami de Tina le maintenait hors de la caste la plus basse du quartier. Même s'ils pensaient tous que Park était bizarre en plus d'être un Jaune, même s'il ne s'était jamais vraiment intégré… Ils ne pouvaient pas le traiter de débile, de chinetoque ni de tapette, parce que : *primo*, son père était une armoire à glace, un vétéran, et il était du quartier ; et *secundo*, Tina serait passée pour quoi ?

Puis Tina ne s'en était jamais prise à Park, elle n'avait jamais prétendu qu'il ne s'était rien passé avec lui. En fait… Bon. Parfois il se disait qu'elle aimerait bien qu'il se passe encore quelque chose entre eux.

Par exemple, à plusieurs reprises, elle s'était trompée de jour pour son rendez-vous au salon, et elle avait fini dans la chambre de Park, à essayer de trouver un sujet de conversation.

Le jour du bal d'automne, quand elle était venue se faire coiffer, elle avait fait un détour par sa chambre pour savoir ce qu'il pensait de sa robe bustier bleue. Elle lui avait demandé de démêler son collier de ses cheveux dans sa nuque.

Park laissait toujours passer ce genre d'occasions comme s'il ne les voyait pas.

Steve le tuerait s'il sortait avec Tina.

En plus, Park ne voulait pas sortir avec Tina. Ils n'avaient rien en commun, mais alors rien du tout, et ce n'était pas le genre de rien qui peut être exotique ou excitant. C'était juste ennuyeux à mourir.

Il ne pensait même pas que Tina l'aimait tant que ça, au fond. C'était plus comme si elle ne voulait pas qu'il passe à autre chose. Et au fond, enfin pas tant que ça, Park ne voulait pas non plus que Tina l'oublie.

C'était plutôt chouette que la fille la plus populaire du quartier s'offre à lui de temps en temps.

Park s'est mis sur le ventre et a enfoui sa tête dans l'oreiller. Il pensait qu'il avait arrêté de se soucier de ce que les gens pensaient de lui. Il pensait qu'aimer Eleanor le prouvait.

Mais il trouvait toujours de nouvelles poches de superficialité à l'intérieur de lui. Il trouvait toujours de nouvelles façons de la trahir.

31

eleanor

Plus qu'un jour d'école avant les vacances de Noël. Eleanor n'y est pas allée. Elle a dit à sa mère qu'elle était malade.

park

En arrivant à l'arrêt de bus vendredi matin, Park était décidé à s'excuser. Mais Eleanor n'est pas venue. Ça lui a quelque peu fait passer l'envie de s'excuser...

— Qu'est-ce qu'il y a encore ? lança-t-il en direction de chez elle.

Est-ce qu'ils allaient casser à cause de ça ? Est-ce qu'elle allait passer trois semaines sans lui adresser la parole ?

Il savait que ce n'était pas sa faute si elle n'avait pas le téléphone, et que sa maison était la Forteresse de la Solitude, mais... Punaise. C'était si facile pour elle de se couper du reste du monde dès que ça lui chantait.

— Je suis désolé, a soufflé Park tout haut, trop fort.

Un chien s'est mis à aboyer dans le jardin derrière lui.

— Je suis désolé, a-t-il marmonné à la bête.

Le bus a tourné à l'angle de la rue et il s'est arrêté dans

un soubresaut. Park voyait Tina par la fenêtre du fond, qui le regardait.

«Je suis désolé», s'est-il répété, sans se retourner cette fois.

eleanor

Comme Richie était au travail toute la journée, elle n'était pas obligée de rester cloîtrée dans sa chambre, mais c'est quand même ce qu'elle a fait. Comme un chien qui refuse de quitter sa niche.

Elle était à court de piles et de livres.

Elle est restée si longtemps allongée dans son lit que la tête lui tournait quand elle s'est levée le dimanche en fin d'après-midi pour dîner. (Sa mère lui a fait comprendre qu'elle devait sortir de sa crypte si elle avait faim.) Elle s'est installée par terre dans le salon à côté de Mouse.

— Pourquoi tu pleures? lui a-t-il demandé, alors que le burrito aux haricots rouges qu'il tenait à la main dégoulinait sur son tee-shirt et sur le sol.

— Je ne pleure pas.

Mouse a levé son burrito au-dessus de sa tête pour faire couler la sauce directement dans sa bouche.

— Si hu heures.

Maisie a lancé un regard furtif à Eleanor, avant de reposer les yeux sur la télé.

— C'est parce que tu détestes papa, a continué Mouse.

— Oui.

— *Eleanor,* a sifflé sa mère en sortant de la cuisine.

— Non, a dit Eleanor à Mouse en secouant la tête. Je t'ai dit, je ne pleure pas.

Elle est retournée se réfugier dans son lit, et s'est frotté le visage contre son oreiller.

Personne ne l'a suivie pour savoir ce qui n'allait pas.

Peut-être que sa mère avait compris qu'elle n'avait plus le droit de lui poser la moindre question depuis qu'elle l'avait abandonnée à des inconnus pendant toute une année.

Ou peut-être que ça lui passait simplement au-dessus de la tête.

Eleanor s'est mise sur le dos et a pris son Walkman sans piles. Elle a sorti la cassette et l'a tenue à la lumière, tournant les rouages du bout du doigt et fixant l'écriture de Park sur l'étiquette :

« Never mind – Pistols... Chansons qu'Eleanor aimera peut-être. »

Park pensait qu'elle avait écrit ces trucs atroces sur ses livres.

Et il avait pris la défense de Tina plutôt que la sienne. La défense de Tina !

Elle a refermé les yeux et elle s'est souvenue de la première fois où il l'avait embrassée... La façon dont elle avait renversé la tête en arrière, dont elle avait entrouvert la bouche. Comment elle l'avait cru quand il lui avait dit qu'elle était spéciale.

park

Au bout d'une semaine de vacances, son père lui a demandé s'il avait rompu avec Eleanor.

— En quelque sorte, admit Park.

— C'est dommage.

— Vraiment ?

— Ça en a l'air, en tout cas. T'as la tête d'un gosse de quatre ans perdu dans les rayons du Kmart...

Park a soupiré.

— Tu ne peux pas la reconquérir ?

— Je n'arrive même pas à la faire parler.

— C'est dommage que tu ne puisses pas en toucher deux mots à ta mère. Parce que la seule technique que je connaisse pour charmer une fille c'est de me montrer impeccable dans un bel uniforme.

eleanor

Au bout d'une semaine de vacances, sa mère l'a réveillée avant le lever du soleil.

— Ça te dit d'aller au supermarché à pied avec moi ?

— Non.

— S'il te plaît, j'ai besoin d'aide.

Sa mère marchait vite, avec ses grandes jambes. Eleanor devait presser le pas pour la suivre.

— Il fait froid, maugréa-t-elle.

— Je t'avais dit de mettre un bonnet.

Et de mettre des chaussettes aussi, mais c'était ridicule avec ses Vans.

Quarante minutes plus tard, elles sont arrivées au supermarché. Sa mère a acheté deux cornets d'amour fourrés à la crème pâtissière et deux cafés à vingt-cinq cents. Eleanor a chargé le sien avec du Coffee-mate et du Sweet'N Low, avant de suivre sa mère au coin des bonnes affaires. Elle avait vraiment le don pour être la première à inspecter les boîtes de céréales écrasées et les conserves déformées…

Ensuite, elles sont allées à la boutique de charité Goodwill. Eleanor a trouvé une pile de vieux numéros d'*Analog* et elle s'est installée dans le canapé le moins répugnant de la section ameublement.

Au moment de partir, sa mère est arrivée derrière elle avec un bonnet de laine incroyablement laid qu'elle lui a enfoncé sur la tête.

— Super, a soufflé Eleanor, maintenant j'ai des poux.

Elle se sentait mieux sur le chemin du retour. (Ce qui était probablement le but de l'excursion.) Il faisait toujours aussi froid, mais le soleil brillait, et sa mère chantonnait cette chanson de Joni Mitchell qui parle de clowns et de cirques.

Eleanor a failli tout lui raconter.

Park, Tina, le bus et la bagarre, et cet endroit entre la maison de ses grands-parents et le camping-car.

Elle sentait tout ça se bousculer dans sa gorge, comme une bombe, ou un tigre, tapi au bout de sa langue. Garder tout ça à l'intérieur lui donnait les larmes aux yeux.

Les sacs en plastique lui sciaient les mains. Elle a secoué la tête et tout ravalé.

park

Park passait à vélo devant chez elle un jour, encore et encore, jusqu'à ce que la fourgonnette de son beau-père disparaisse et qu'un des petits sorte jouer dans la neige.

C'était le plus âgé ; Park ne se souvenait pas de son prénom. Il a remonté les marches en panique quand Park s'est arrêté devant la maison.

— Hé, attends, s'il te plaît, hé... est-ce que ta sœur est là ?

— Maisie ?

— Non, Eleanor.

— Je ne te dirai pas ! a fait le garçon avant de courir se réfugier à l'intérieur.

Park a lancé son vélo en avant et il s'est éloigné d'un coup de pédale rageur.

32

eleanor

La boîte d'ananas est arrivée le matin du réveillon. C'était comme si le père Noël en personne était venu avec une hotte pleine de jouets pour chacun d'entre eux.

Maisie et Ben se disputaient déjà la boîte. Maisie la voulait pour ses poupées Barbie. Ben n'avait rien à mettre dedans, mais Eleanor espérait quand même qu'il l'emporterait.

Ben venait d'avoir douze ans, et Richie avait décrété qu'il était trop vieux pour partager sa chambre avec des filles et un bébé. Richie avait installé un matelas au sous-sol, et maintenant Ben devait dormir en bas avec le chien et les haltères de Richie.

Dans leur ancienne maison, Ben n'osait même pas descendre tout seul au sous-sol pour mettre ses vêtements dans la machine à laver, alors que celui-là n'était pas humide et relativement aménagé. Ben avait peur des souris, des chauves-souris, des araignées et de tout ce qui bougeait une fois la lumière éteinte. Richie lui avait déjà crié dessus deux fois, parce qu'il avait tenté de passer la nuit en haut de l'escalier.

L'ananas était accompagné d'une lettre de leur oncle et de sa femme. La mère d'Eleanor la lut en premier, elle en avait les larmes aux yeux.

— Oh ! Eleanor, a dit sa mère tout excitée, Geoff aimerait que tu viennes chez eux. Il dit qu'il y a un programme d'été dans son université, un camp pour les lycéens doués…

Avant qu'Eleanor ait véritablement le temps de comprendre ce que ça signifiait – Saint Paul, un camp où personne ne la connaissait, où personne n'était Park – Richie a tout foutu par terre.

— Tu peux pas l'envoyer dans le Minnesota toute seule.

— Elle sera chez mon frère.

— Qu'est-ce qu'il y connaît, aux adolescentes ?

— Tu sais, je vivais avec lui quand j'étais au lycée.

— Ouais, et tu t'es retrouvée en cloque…

Ben était allongé de tout son poids sur la boîte d'ananas, et Maisie lui filait des coups de pied dans le dos. Ils criaient tous les deux.

Richie leur a hurlé :

— C'est juste une putain de boîte ! Si j'avais su que vous vouliez des boîtes pour Noël, j'aurais pas dépensé tout ce fric !

Ça a calmé tout le monde. Personne ne s'attendait à ce que Richie achète des cadeaux.

— J'devrais vous faire patienter jusqu'à demain matin, mais j'en ai ras le bol de vous voir là.

Il a mis sa clope entre ses dents et enfilé ses bottes. Ils l'ont entendu ouvrir la porte de son fourgon, et puis il est revenu avec un gros sac ShopKo. Il a commencé à balancer des paquets par terre.

— Mouse, a fait Richie.

Un camion téléguidé.

— Ben.

Un circuit de voitures.

— Maisie… parce que t'aimes chanter.

Richie a sorti un clavier, un vrai clavier électronique. C'était probablement une sous-marque, mais quand même. Il ne l'a pas jeté par terre. Il l'a tendu à Maisie.

— Et pour le petit Richie… il est où le petit Richie ?
— Il fait la sieste, a dit leur mère.
Richie a haussé les épaules et balancé un ours en peluche sur le sol. Le sac était vide, et Eleanor a eu un frisson de soulagement.
Mais alors Richie a pris son portefeuille et sorti un billet.
— Tiens, Eleanor, viens le chercher. T'iras t'acheter des vêtements dignes de ce nom.
Elle a lancé un coup d'œil à sa mère, qui ne bronchait pas, sur le seuil de la cuisine, puis elle est allée prendre l'argent. Un billet de cinquante dollars.
— Merci, a dit Eleanor aussi platement que possible.
Elle est allée s'asseoir sur le canapé. Les petits ouvraient leurs cadeaux.
Mouse n'arrêtait pas de répéter :
— Merci, papa. La vache, merci, papa !
— Ouais, a soufflé Richie, de rien. De rien. Ça, c'est un vrai Noël.
Richie est resté à la maison toute la journée à les regarder jouer. Peut-être que le *Broken Rail* était fermé le 24 décembre.
Eleanor est allée dans sa chambre pour lui échapper. (Et pour échapper au nouveau clavier de Maisie.)
Elle en avait marre que Park lui manque. Elle voulait le voir. Même s'il pensait *effectivement* qu'elle était une psychopathe perverse qui s'adressait elle-même des menaces à la ponctuation douteuse. Même s'il avait *effectivement* passé son enfance à embrasser Tina avec la langue. Rien de tout ça n'était suffisamment ignoble pour qu'Eleanor n'ait plus envie de le vouloir, lui. « Quelle crasse devra-t-il me faire pour en arriver là ? » se demanda-t-elle.)
Peut-être qu'elle devait simplement se pointer chez lui maintenant et faire comme si de rien n'était. Peut-être qu'elle irait, mais c'était la veille de Noël. Pourquoi le petit Jésus ne lui accordait-il *jamais* une faveur ?

Plus tard, sa mère est venue lui dire qu'ils allaient au supermarché pour acheter de quoi préparer le dîner.

— J'arrive, je vais surveiller les petits.

— Richie veut qu'on y aille tous ensemble, a dit sa mère avec un sourire, en famille.

— Mais, maman...

— Pas de ça, Eleanor, a-t-elle soufflé à voix basse, on passe une bonne journée.

— Maman, allez, il a pas arrêté de picoler.

Sa mère a secoué la tête.

— Richie va bien, il n'a jamais eu de problème pour conduire.

— Je ne crois pas que le fait qu'il ait l'habitude de conduire bourré soit un très bon argument.

— Tu ne peux pas supporter ça, hein ? a dit sa mère tout bas, en colère.

Elle est entrée dans la chambre et a refermé la porte derrière elle.

— Écoute, je sais que tu traverses...

Elle a regardé Eleanor, puis elle a de nouveau secoué la tête.

— ... quelque chose. Mais tous les autres individus que compte cette maison passent une très bonne journée. Et ils ont le droit de passer une bonne journée. Nous formons une famille, Eleanor. Nous tous. Richie aussi. Je suis désolée que ça te rende malheureuse. Je suis désolée que tout ne soit pas toujours parfait pour toi ici... Mais c'est notre vie, maintenant. Tu ne peux pas continuer à faire des caprices, tu ne peux pas continuer à casser cette famille – je ne te *laisserai* pas faire.

Eleanor serrait les mâchoires.

— Je dois penser à tout le monde, a continué sa mère. Tu comprends ? Je dois penser à moi. Dans quelques années, tu feras ta vie, mais Richie est mon mari.

Ses paroles étaient presque raisonnables, s'est dit Eleanor. Il y avait de la logique dans sa folie.

— Lève-toi, et va t'habiller.

Eleanor a enfilé son manteau et son nouveau bonnet avant de suivre ses frères et sa sœur à l'arrière de l'Isuzu.

À Food 4 Less, Richie est resté dans le fourgon pendant que le reste des troupes se dirigeait vers l'entrée. Passé la porte, Eleanor a mis le billet de cinquante dollars froissé dans la main de sa mère.

Celle-ci ne l'a pas remerciée.

park

Ils faisaient les courses pour le repas de Noël, et ça prenait une éternité parce que ça rendait toujours nerveuse la mère de Park de cuisiner pour sa grand-mère.

— Elle aime quoi comme farce ?

— La Pepperidge Farm, a répondu Park, qui faisait une marche arrière grimpé sur le chariot.

— Pepperidge Farm original ? Ou Pepperidge Farm maïs ?

— Je sais pas, original.

— Si tu sais pas, dis pas… Regarde, souffla-t-elle en lançant un coup d'œil derrière son épaule. C'est ton Eleanor.

« Elle-a-no ». Park a tourné la tête comme une girouette et aperçu Eleanor au rayon viande avec ses trois frères et sa sœur tout roux. (Sauf qu'aucun d'eux ne semblait vraiment roux comparé à elle. Personne.)

Une femme s'est approchée du chariot pour y déposer une dinde.

Sûrement sa mère, a songé Park, elles se ressemblaient comme deux gouttes d'eau. Mais plus effilée et avec plus d'ombres. Comme Eleanor, mais plus grande. Comme

Eleanor, mais fatiguée. Comme Eleanor, à la fin de l'automne.

La mère de Park les observait, elle aussi.

— Viens, maman, a chuchoté Park.

— Tu dis pas bonjour ?

Park a secoué la tête, sans se retourner pour autant. Il ne pensait pas qu'Eleanor apprécierait, et même si c'était le cas, il ne voulait pas lui attirer d'ennuis. Est-ce que son beau-père était là aussi ?

Elle avait l'air différent, plus morne que d'habitude. Il n'y avait rien d'accroché dans ses cheveux et aucun leurre à ses poignets...

Elle était belle quand même. Elle avait manqué à ses yeux, autant qu'au reste de son corps. Il voulait courir vers elle et lui dire... lui dire à quel point il était désolé et à quel point il avait besoin d'elle.

Elle ne l'a pas vu.

Il a répété tout bas :

— Maman, viens.

Park pensait que sa mère lui ferait une remarque dans la voiture, mais elle est restée muette. Arrivés chez eux, elle a dit qu'elle était fatiguée. Elle a demandé à Park de ranger les courses ; et elle a passé le reste de l'après-midi enfermée dans sa chambre.

Son père est allé la voir au moment du dîner et, une heure plus tard, quand ils sont ressortis tous les deux, son père leur a annoncé qu'ils allaient chez Pizza Hut.

— Un 24 décembre ? a maugréé Josh.

Ils avaient l'habitude de faire des gaufres et de regarder des films la veille de Noël. Ils avaient déjà loué *Billy Jack*.

— En voiture, a coupé leur père.

Sa mère avait les yeux rougis, et elle ne s'était même pas repoudré le nez avant de sortir.

Quand ils sont rentrés, Park est allé directement dans sa chambre. Il avait envie d'être seul pour trouver un moyen de voir Eleanor, mais sa mère a débarqué quelques minutes plus tard. Elle s'est délicatement assise sur le lit.

Elle lui a tendu un cadeau de Noël :

— C'est... pour ton Eleanor. De moi.

Park a posé les yeux sur le cadeau. Il l'a pris, mais il a secoué la tête.

— Je ne sais pas si j'aurai l'occasion de le lui donner un jour.

— Ton Eleanor, elle a grande famille.

Park a agité la boîte doucement.

— Je viens grande famille. Trois petites sœurs. Trois petits frères.

Elle a levé la main, comme pour tapoter six petites têtes.

Elle avait pris un panaché, ça se voyait. Elle ne parlait presque jamais de la Corée.

— Ils s'appelaient comment ?

Sa mère a reposé les mains sur ses genoux.

— Dans grande famille, toujours tout... tout partager, jamais rien.

Elle a levé les mains et les a écartées : elle faisait mine d'étirer quelque chose jusqu'à la déchirer.

— Jamais rien, tu comprends ?

Peut-être deux panachés, en fait.

— Je suis pas sûr.

— Personne jamais assez. Personne ce qu'il a besoin. Quand tout le temps faim, tout le temps faim dans ta tête, a-t-elle continué en se tapotant le front. Tu comprends ?

Park ne savait pas quoi dire.

— Tu comprends pas, dit-elle avec sa tête allant de gauche à droite, je veux pas que tu comprends... je suis désolée.

— Ne sois pas désolée.

— Je suis désolée avoir accueilli ton Eleanor comme ça.

— Maman, ça va, c'est pas ta faute.

— Je crois que je le dis pas bien...

— Ça va, Mindy, a dit le père de Park d'une voix douce sur le pas de la porte. Viens te coucher, chérie.

Il s'est approché du lit pour aider sa mère à se relever, puis il a passé un bras aimant autour de ses épaules.

— Ta mère veut simplement que tu sois heureux. Alors ne te débine pas à cause de nous.

Sa mère a sourcillé, comme si elle ne savait pas si ça comptait pour un gros mot ou pas.

Park a attendu que ses parents éteignent la télé dans leur chambre. Il a attendu encore une demi-heure. Puis il a attrapé son manteau et il s'est glissé dehors par la porte de derrière, à l'opposé de sa chambre.

Il a couru jusqu'au bout de la rue.

Eleanor était proche.

Le fourgon de son beau-père était devant le garage. C'était peut-être aussi bien : Park ne voulait pas qu'il le surprenne sous le porche en arrivant. Toutes les lumières étaient éteintes, et il n'y avait pas le moindre signe du chien...

Il a escaladé les marches aussi vite que possible.

Il savait où se trouvait la chambre d'Eleanor. Elle lui avait dit une fois qu'elle dormait à côté de la fenêtre, et il savait qu'elle dormait en haut d'un lit superposé. Il s'est posté à côté de la fenêtre, pour ne projeter aucune ombre. Il allait frapper doucement, et si quelqu'un d'autre qu'Eleanor regardait dehors, il prendrait ses jambes à son cou.

Park a frappé au carreau. Rien. Le rideau ou le drap ou le tissu qui obstruait la vitre n'a pas bougé.

Elle dormait sans doute. Il a frappé un peu plus fort, prêt à détaler. La côté du drap s'est ouvert légèrement, mais il ne voyait pas à l'intérieur.

Est-ce qu'il devait s'enfuir ? Se cacher ?

Il s'est posté face à la fenêtre. Le drap s'est ouvert plus largement. Il a vu le visage d'Eleanor : elle avait l'air terrifié.

« Va-t'en », gesticula-t-elle.

Il a fait non de la tête.

« Va-t'en », a répété Eleanor. Puis elle a pointé un doigt vers l'extérieur. « L'école. » Enfin c'est ce qu'il a compris. Park s'est éloigné en courant.

eleanor

Une seule pensée tournait en boucle dans sa tête : si quelqu'un essayait de fracturer cette fenêtre, comment ferait-elle pour s'extirper de là et appeler le 911 ?

Enfin, ce n'était pas comme si la police se déplacerait vu ce qu'il s'était passé la dernière fois. Mais au moins elle pourrait réveiller ce bâtard de Gil et bouffer ses brownies.

Park était la dernière personne qu'elle s'attendait à voir là.

Son cœur a bondi vers lui avant qu'elle puisse s'en empêcher. Il allait les faire tuer tous les deux. On avait tiré des coups de feu pour moins que ça.

Dès qu'il a disparu de la fenêtre, elle a sauté de son lit comme ce stupide chat et mis son soutien-gorge et ses chaussures dans le noir. Elle portait un immense tee-shirt et un bas de pyjama en flanelle qui avait appartenu à son père. Comme son manteau était dans le salon, elle a enfilé un sweat.

Maisie s'était endormie devant la télé, alors c'était plutôt facile d'enjamber son lit et de sortir par la fenêtre.

« Il va vraiment me foutre à la porte pour de bon cette fois, s'est dit Eleanor, en longeant le porche sur la pointe des pieds. Le meilleur Noël de sa vie. »

Park l'attendait sur les marches de l'école. Où ils avaient commencé à lire les *Watchmen*. Dès qu'il l'a vue, il s'est levé pour courir à sa rencontre. Il a vraiment *couru*.

Il a couru vers elle, et il a pris son visage dans ses mains. Et il était déjà en train de l'embrasser avant qu'elle ait le temps de dire non. Et elle l'embrassait aussi avant qu'elle se souvienne qu'elle s'était juré de ne jamais plus embrasser personne, surtout pas lui, parce que ça l'avait démolie.

Elle pleurait, et Park aussi. Les joues de Park sous ses mains étaient humides.

Et chaudes. Tellement chaudes.

Elle a approché son visage du sien et l'a embrassé comme jamais avant. Comme si elle n'avait pas peur de ne pas savoir s'y prendre.

Il a fait un pas en arrière pour lui dire qu'il était désolé, et elle a secoué la tête, parce que même si elle voulait qu'il soit désolé, elle voulait bien plus l'embrasser.

— Je suis désolé, Eleanor, a-t-il dit en maintenant son visage contre le sien. Je me suis trompé. Sur *tout*.

— Je suis désolée aussi.

— Pourquoi ?

— De m'être fâchée comme ça avec toi.

— C'est rien, des fois j'aime bien.

— Mais pas toujours.

Il a secoué la tête.

— Je ne sais même pas pourquoi je fais ça.

— Ça n'a pas d'importance.

— Je ne suis pas désolée de m'être énervée à propos de Tina.

Il a appuyé son front contre le sien jusqu'à ce que ça fasse mal.

— Arrête de dire son nom. Elle ne signifie rien et tu es... tout. Tu es tout pour moi, Eleanor.

Il l'a embrassée à nouveau, et elle a ouvert la bouche.

Ils sont restés dehors jusqu'à ce que Park n'arrive plus à réchauffer les mains d'Eleanor. Jusqu'à ce que leurs lèvres perdent toute sensibilité à cause du froid et de leurs baisers.

Il voulait la raccompagner chez elle, mais elle lui a dit que c'était suicidaire.

— Viens me voir demain, a dit Park.

— Je ne peux pas, c'est Noël.

— Après-demain alors.

— Après-demain.

— Et le jour d'après.

Elle a ri.

— Je ne suis pas sûre que ta mère apprécie.

— Tu te trompes. Viens.

Eleanor escaladait les marches du perron lorsqu'elle l'a entendu murmurer son nom. Elle s'est retournée, mais elle ne le voyait pas dans l'obscurité.

— Joyeux Noël, lui a lancé Park.

Elle a souri, mais elle n'a rien répondu.

33

eleanor

Eleanor a dormi jusqu'à midi le jour de Noël. Jusqu'à ce que sa mère vienne la réveiller.

— Ça va ?

— Je dors.

— On dirait que tu as pris froid.

— Ça veut dire que je peux rester au lit ?

— J'imagine. Écoute, Eleanor...

Sa mère s'est éloignée de la porte et elle a baissé d'un ton.

— ... Je vais parler à Richie pour cet été. Je crois que je peux le faire changer d'avis pour ce camp de vacances.

Eleanor a ouvert les yeux.

— Non. Non, je ne veux pas y aller.

— Mais je pensais que tu sauterais sur l'occasion de partir d'ici.

— Non. Je n'ai pas envie de quitter tout le monde... encore une fois.

Une réflexion cent pour cent faux-cul, mais elle était prête à tout pour passer l'été avec Park. (Et elle refusait d'envisager qu'il en aurait probablement marre d'elle d'ici-là.)

— Je veux rester à la maison.

Sa mère a acquiescé.

— D'accord, alors on n'en parle plus. Mais si tu changes d'avis...

— Non.

Sa mère est sortie de la chambre, et Eleanor a fait semblant de se rendormir.

park

Il a dormi jusqu'à midi le jour de Noël, jusqu'à ce que Josh vienne l'asperger d'eau armé d'un des pulvérisateurs de leur mère.

— Papa dit que si tu ne sors pas du lit maintenant, il va me donner tous tes cadeaux.

Park a balancé un oreiller à Josh.

Tout le monde l'attendait, et la maison embaumait la dinde. Sa grand-mère voulait qu'il ouvre son cadeau en premier : un nouveau tee-shirt « Kiss me, I'm Irish ». Une taille au-dessus de celui de l'année passée, ce qui signifiait qu'il était toujours une taille trop grand.

Ses parents lui ont offert un bon d'achat de cinquante dollars chez Drastic Plastic, le disquaire punk-rock du centre. (Park était surpris qu'ils aient eu cette idée. Et surpris que DP propose des bons d'achat. Pas très punk.)

Il a eu deux sweats noirs en plus, qui étaient mettables, de l'eau de Cologne Avon dans un flacon en forme de guitare électrique, et un porte-clefs sans clef, que son père a fait en sorte que tout le monde remarque.

Il avait déjà fêté son seizième anniversaire depuis longtemps, mais il se moquait bien de passer son permis et d'aller au lycée en voiture plutôt qu'en bus. Il n'allait pas renoncer au seul moment qu'il était certain de passer avec Eleanor.

Elle lui avait déjà dit que même si la nuit dernière était vraiment super – et ils étaient bien d'accord sur ce point – elle ne pouvait pas se risquer à faire le mur encore une fois.

— Un de mes frères ou ma sœur auraient pu se réveiller, et s'ils le font, ils vendront la mèche. Ils ont un peu perdu leur sens de la loyauté.

— Mais si tu ne fais pas de bruit…

C'est à ce moment-là qu'elle lui a dit que, la plupart du temps, elle partageait sa chambre avec ses frères et sœurs. Tous sans exception. Dans une chambre aussi grande que la sienne, et « sans lit à eau » lui avait-elle précisé.

Ils étaient assis derrière l'école primaire, adossés contre la porte de service, dans une petite alcôve, à l'abri des regards et de la neige. Ils étaient l'un à côté de l'autre, tournés l'un vers l'autre, et ils se tenaient la main.

Rien ne s'interposait entre eux à ce moment-là. Rien de stupide ou d'égoïste qui prenne de la place.

— Alors tu as deux frères et deux sœurs ?

— Trois frères, une sœur.

— Ils s'appellent comment ?

— Pourquoi ?

— Je suis curieux, c'est tout. C'est confidentiel ?

Elle a soupiré.

— Ben, Maisie…

— Maisie ?

— Ouais. Et, Mouse – Jeremiah. Il a 5 ans. Et puis le bébé. Little Richie.

Park a ri.

— Vous l'appelez Little Richie ?

— Ben, son père c'est Big Richie, enfin pas qu'il soit très grand non plus…

— Je sais mais Little Richard ? « Tutti Frutti » ?

— Punaise, je n'avais jamais fait le rapprochement. Pourquoi j'y ai jamais pensé ?

Il a amené les mains d'Eleanor contre son torse. Il n'avait encore touché aucune partie de son corps entre le menton et le coude. Il ne pensait pas qu'elle l'en empêcherait s'il tentait quoi que ce soit, mais si elle l'arrêtait ? Ce serait horrible. Bref, ses mains et son visage étaient déjà merveilleux.

— Vous vous entendez bien ?

— Des fois... Ils sont un peu tarés des fois.

— C'est vrai que c'est bizarre d'être taré pour un gamin de cinq ans...

— Punaise, Mouse ? C'est le plus taré du lot. Il se balade toujours avec un marteau ou un tournevis ou ce genre de truc dans la poche arrière de son pantalon, et il refuse de mettre des tee-shirts.

Park s'est marré.

— Et Maisie, elle est tarée comment ?

— En fait, elle a un sale caractère. Ce n'est pas tout : elle se bat comme un loubard.

— Elle a quel âge ?

— Huit ans. Non, neuf.

— Et Ben ?

— Ben...

Elle a regardé au loin.

— Tu l'as déjà vu. Il a presque l'âge de Josh. Il a besoin d'une bonne coupe de cheveux.

— Est-ce que Richie les déteste aussi ?

Eleanor a repoussé sa main.

— Pourquoi tu veux savoir ça ?

Il a remis sa main où elle était.

— *Parce que.* C'est ta vie. Parce que ça m'intéresse. C'est comme si tu dressais tous ces murs autour de toi, comme si tu voulais seulement que j'aie accès à cette toute petite partie de toi...

— Oui, dit-elle en croisant les bras. Des murs. Des barrières. C'est plutôt une faveur que je te fais.

— Pas la peine, je peux l'entendre.

Il a posé un pouce sur son front pour tenter de lisser le pli entre ses sourcils.

— Cette dispute débile, c'était à cause des secrets.

— Des secrets sur ton ex-copine démoniaque. Je n'ai pas d'ex-truc démoniaque.

— Est-ce que Richie déteste tes frères et ta sœur aussi ?

— Arrête de répéter son nom, a-t-elle chuchoté.

— Désolé, a murmuré Park.

— Il déteste tout le monde, je crois.

— Pas ta mère.

— Surtout ma mère.

— Il est méchant avec elle ?

Eleanor a levé les yeux au ciel et elle s'est essuyé la joue avec la manche de son pyjama.

— Euh. Ouais.

Park a repris les mains d'Eleanor dans les siennes.

— Pourquoi est-ce qu'elle ne part pas ?

Elle a secoué la tête.

— Je ne crois pas qu'elle ait la force... Je ne crois pas qu'il reste encore assez d'elle pour ça.

— Elle a peur de lui ?

— Ouais...

— Tu as peur de lui ?

— Moi ?

— Je sais que tu as peur de te retrouver à la porte, mais est-ce que tu as peur de lui ?

— Non, a-t-elle assuré en relevant le menton. Non... je dois juste faire profil bas, tu comprends ? Tant que je ne suis pas dans ses pattes, je suis tranquille. Je dois juste me rendre invisible.

Park a souri.

— Quoi ? lui a-t-elle lancé.

— Toi. Invisible.

Elle a souri. Il a lâché ses mains pour prendre son visage. Ses joues étaient glacées, et ses yeux insondables dans l'obscurité.

Il ne voyait qu'elle.

Finalement il faisait trop froid pour rester dehors. Même l'intérieur de leurs bouches était glacé.

eleanor

Richie a dit qu'Eleanor devait sortir de sa chambre pour le dîner de Noël. Soit. Elle avait vraiment attrapé froid, alors au moins elle n'avait pas l'air de faire semblant.

Le dîner était incroyable. Sa mère était très bonne cuisinière, pour peu qu'elle ait de quoi cuisiner. (Autre chose que des légumes, quoi.)

Ils ont mangé de la dinde farcie avec de la purée de pommes de terre qui baignait dans le beurre et l'aneth. En dessert, il y avait du risalamande et des sablés aux épices, que leur mère ne faisait qu'à Noël.

Enfin, c'était la règle à l'époque où sa mère faisait des gâteaux toute l'année. Les petits ne savaient pas ce qu'ils loupaient maintenant. Quand Eleanor et Ben étaient petits, leur mère faisait tout le temps des gâteaux. Il y avait toujours des cookies à peine sortis du four dans la cuisine quand Eleanor rentrait de l'école. Un vrai petit déjeuner tous les matins, avec des œufs, du bacon, ou des pancakes et des saucisses, ou du porridge avec de la crème et du sucre roux.

Eleanor pensait que c'était pour ça qu'elle était si grosse. Pourtant, non : maintenant, elle crevait la dalle en permanence, mais elle était quand même énorme.

Ils ont pillé le dîner comme si c'était leur dernier repas, ce qui était pratiquement le cas, du moins pour un bon moment. Ben s'est envoyé les deux cuisses de dinde, et Mouse a mangé une pleine assiette de purée.

Richie avait picolé toute la journée pour changer, alors il était d'humeur festive à table : il riait trop et trop fort. Mais c'était difficile d'apprécier le fait qu'il soit de bonne humeur, parce qu'elle risquait de devenir mauvaise. Ils attendaient tous qu'il passe de l'autre côté...

Ce qui est arrivé, dès qu'il a réalisé qu'il n'y avait pas de tarte à la citrouille.

— Qu'est-ce que c'est que ce bordel? a fait Richie en balançant sa cuillère dans le risalamande.

— C'est du riz au lait, a répondu Ben platement, ivre de dinde.

— Je sais que c'est du riz au lait. Elle est où, la tarte à la citrouille, Sabrina? a-t-il hurlé en direction de la cuisine. Je t'ai donné du fric pour un vrai repas de Noël.

Sa mère était dans l'embrasure de la porte. Elle n'avait pas encore avalé quoi que ce soit.

— C'est...

« C'est un dessert de Noël traditionnel danois, a songé Eleanor. Ma grand-mère en faisait, et sa grand-mère en faisait, et c'est meilleur qu'une tarte à la citrouille. C'est un dessert spécial. »

— C'est... c'est juste que j'ai oublié d'acheter une citrouille, a balbutié sa mère.

— Comment tu peux oublier d'acheter une putain de citrouille le jour de Noël? a beuglé Richie en envoyant valser le bol de risalamande. Il a atterri sur le mur près de sa mère en projetant des pâtés dégoulinants.

Personne ne bougeait.

Sauf Richie, qui s'est levé de sa chaise en chancelant.

— J'vais aller acheter de la tarte à la citrouille... pour que cette famille fasse un putain de repas de Noël digne de ce nom.

Il est sorti par la porte de derrière.

Dès qu'ils ont entendu le pick-up se mettre en branle, la mère d'Eleanor a ramassé le saladier avec ce qu'il restait de riz au lait dedans, puis elle a raclé le dessus du riz tombé par terre.

— Qui veut du coulis de cerises?

Tout le monde en voulait.

Eleanor a nettoyé les restes de riz au lait, et Ben a allumé la télé. Ils ont regardé *Le Grinch* et *Frosty, le bonhomme de neige,* puis *Un chant de Noël.*

Même leur mère est venue s'asseoir avec eux.

Eleanor ne pouvait pas s'empêcher de penser que si le fantôme des Noël passés les voyait, il trouverait la situation insupportable. Mais elle avait le ventre plein et le sentiment d'être heureuse quand elle s'est endormie.

34

eleanor

La mère de Park n'a pas eu l'air surpris de voir Eleanor le lendemain. Il avait dû la prévenir.

— Eleanor, dit-elle d'une voix très douce. Joyeux Noël, entre.

Quand Eleanor est arrivée dans le salon, Park sortait de la douche, ce qui était gênant, étrangement. Ses cheveux étaient mouillés et son tee-shirt lui collait un peu à la peau. Il était vraiment content de la voir. C'était manifeste. (Et chouette.)

Elle ne savait pas quoi faire de son cadeau, alors quand il s'est avancé vers elle, elle le lui a fourré dans les mains.

Il a souri, étonné.

— C'est pour moi ?

— Non, c'est pour...

Et comme elle n'a finalement rien trouvé d'amusant à répondre :

— Ouais, c'est pour toi.

— Fallait pas m'acheter de cadeau.

— Je ne l'ai pas vraiment acheté.

— Je peux l'ouvrir ?

Elle ne trouvait toujours rien d'amusant à dire, alors elle a hoché de la tête. Au moins ses parents étaient dans la cuisine, alors personne ne les regardait.

Le cadeau était emballé dans du papier à lettres. Son préféré, avec des aquarelles de fées et de fleurs.

Park a défait le paquet avec soin et examiné le livre. C'était *L'Attrape-cœurs*. Une très vieille édition. Eleanor avait décidé de laisser la jaquette parce qu'elle était assez jolie, même s'il y avait encore le prix du magasin de charité griffonné dessus à la craie grasse.

— Je sais que c'est prétentieux. Je voulais t'offrir *Les Garennes de Watership Down*, mais ça parle de lapins, et tout le monde n'aime pas les livres qui parlent de lapins...

Il fixait le livre, tout sourire. L'espace d'une insoutenable seconde, elle a cru qu'il allait l'ouvrir. Et elle ne voulait surtout pas qu'il lise ce qu'elle avait écrit sur la page de garde. (Pas devant elle, en tout cas.)

— C'est ton livre ?

— Ouais, mais je l'ai déjà lu.

— Merci, a dit Park, béat.

Quand il était vraiment content, ses joues lui mangeaient les yeux.

— Merci.

— De rien, a-t-elle répondu en baissant la tête. Mais va pas tuer John Lennon ou un truc dans le genre, hein ?

— Viens par là, a soufflé Park en tirant sur le devant de sa veste.

Elle l'a suivi jusque dans sa chambre mais elle s'est arrêtée devant le seuil comme s'il y avait une barrière invisible. Park a posé le livre sur son lit, puis attrapé deux petites boîtes sur une étagère. Elles étaient toutes les deux emballées dans du papier cadeau avec des gros nœuds rouges dessus.

Il est revenu vers elle ; et il s'est adossé au montant de la porte.

— Celui-là, c'est de la part de ma mère, dit-il en lui tendant une boîte. C'est du parfum. S'il te plaît, ne le porte pas.

Il a regardé par terre l'espace d'une seconde, puis a levé les yeux vers elle.

— Celui-là, c'est de moi.
— T'étais pas obligé de me faire un cadeau.
— Dis pas de bêtises.
Comme elle ne le prenait pas, il l'a mis dans sa main.
— J'ai essayé de trouver quelque chose que personne ne remarquerait sauf toi, a-t-il dit en remettant une de ses mèches en place. Quelque chose que tu n'aurais pas besoin d'expliquer à ta mère… En fait, j'allais t'offrir un super beau stylo, et puis…
Il l'a regardée ouvrir son cadeau, ce qui la rendait nerveuse. Elle a déchiré le papier sans faire exprès. Il le lui a pris des mains, et elle a ouvert le petit écrin gris.
Il y avait un collier dedans. Une fine chaîne en argent avec un petit pendentif, une pensée.
— Je comprendrais que tu ne puisses pas l'accepter.
Elle n'aurait pas dû, mais elle en avait envie.

park

Quel imbécile. Il aurait dû prendre le stylo. Un bijou était bien trop visible… et intime, ce qui était la raison pour laquelle il l'avait acheté. Il ne pouvait pas offrir un stylo à Eleanor. Ou un marque-page. Il n'avait pas le genre de sentiments qu'on exprime avec un marque-page.
Park avait dépensé presque toute sa cagnotte « lecteur cassette » pour acheter le collier. Il l'avait trouvé chez le bijoutier du centre commercial, où les gens essaient leurs bagues de fiançailles.
— J'ai gardé le ticket.
— Non, a répondu Eleanor en levant les yeux.
Park n'arrivait pas à déterminer ce qu'il lisait dans son regard : de l'impatience ou de l'appréhension.
— Non, il est très beau, merci.
— Tu vas le porter ?

Elle a acquiescé.

Il a passé une main dans ses cheveux et l'a posée sur sa nuque, en essayant de se contenir.

— Maintenant ?

Eleanor l'a regardé furtivement, puis elle a de nouveau hoché la tête. Il a sorti le collier de l'écrin pour l'attacher autour de son cou avec précaution. Exactement comme il s'était imaginé le faire lorsqu'il l'avait acheté. C'était même peut-être *pour ça* qu'il l'avait acheté : pour vivre cet instant-là, avec les mains chaudes dans sa nuque, sous ses cheveux. Il a fait courir son index le long de la chaîne et mis le pendentif sur la gorge d'Eleanor.

Elle a frissonné.

Park voulait tirer sur la chaîne, l'attirer contre lui pour ancrer Eleanor dans sa poitrine.

Il a enlevé ses mains, pris d'un accès de timidité, et s'est rappuyé contre le montant de la porte.

eleanor

Ils s'étaient installés dans la cuisine, pour jouer aux cartes. Une partie de Flip. Elle avait appris les règles à Park, et elle arrivait toujours à le battre au début. Mais au fur et à mesure, elle se relâchait. (Maisie finissait toujours par gagner au bout de quelques parties aussi.)

Jouer aux cartes dans la cuisine de Park, même quand sa mère était là, c'était toujours mieux que de zoner dans le salon, à penser à toutes les choses qu'ils feraient pour peu qu'ils soient seuls.

Sa mère lui a demandé si elle avait passé de bonnes fêtes, et Eleanor lui a répondu que c'était bien.

— Vous manger quoi dîner de Noël ? De la dinde ou jambon ?

— De la dinde, avec de la purée de pommes de terre à l'aneth... Ma mère est d'origine danoise.

Park s'est arrêté de jouer et il l'a dévisagée. Elle a écarquillé les yeux.

« Quoi ? J'ai des origines danoises, pas la peine d'en faire un plat », lui aurait-elle balancé si sa mère n'avait pas été là.

— C'est pour ça tu as très beaux cheveux roux, a dit sa mère d'un air entendu.

Park a souri à Eleanor. Elle a levé les yeux au ciel.

Quand sa mère est partie déposer quelque chose chez ses grands-parents, Park lui a filé un coup de pied sous la table. Il n'avait pas de chaussures.

— Je ne savais pas que t'étais danoise.

— C'est le genre de conversations palpitantes qu'on va avoir maintenant qu'on n'a plus de petits secrets l'un pour l'autre ?

— Oui. Ta mère est danoise ?

— Oui.

— Et ton père alors ?

— Un trou du cul.

Il a froncé les sourcils.

— Quoi ? Tu voulais une conversation honnête et intime. C'est bien plus honnête que de te répondre « écossais ».

— Écossais, a répété Park en souriant.

Eleanor avait pensé à ce nouvel arrangement qu'il souhaitait : être totalement ouverts et honnêtes l'un envers l'autre. Elle avait le sentiment qu'elle ne pourrait pas lui révéler toute la vérité, l'horrible vérité, d'un coup.

Et si elle avait tort ? Et s'il pouvait l'entendre ?

Et si Park se rendait compte que toutes ces choses qu'il trouvait si mystérieuses et intrigantes à son sujet étaient simplement... tristes ?

Quand il lui a demandé comment s'était passé Noël, Eleanor lui a parlé des cookies de sa mère et des films qu'ils avaient regardés, et que Mouse était persuadé que *Le Grinch* parlait de tous les fous de Fouville.

Elle s'attendait presque à ce qu'il lui demande : « Ouais, mais maintenant raconte-moi tous les trucs horribles »... Mais au lieu de ça, il a rigolé.

— Tu crois que ta mère accepterait que tu sortes avec moi ? lui a-t-il demandé. Enfin, s'il n'y avait pas ton beau-père, je veux dire.

— Je n'en sais rien...

Elle s'est rendu compte qu'elle triturait la petite pensée en argent.

Eleanor a passé la fin des vacances chez Park. Ça n'avait pas l'air de déranger sa mère, et son père l'invitait toujours à rester dîner.

La mère d'Eleanor pensait qu'elle passait tout ce temps avec Tina.

Une fois elle a dit :

— J'espère que tu n'abuses pas de leur hospitalité, Eleanor.

Et une autre fois :

— Tina peut venir ici aussi, bien sûr, mais elles savaient toutes les deux que c'était une blague.

Personne n'invitait jamais personne à la maison. Ni les petits. Ni même Richie. Et sa mère n'avait plus d'amis.

Elle en avait avant.

Du temps où ses parents étaient encore ensemble, il y avait toujours des gens chez eux. Il y avait toujours des fêtes, avec des hommes aux cheveux longs, des femmes aux grandes tresses et des verres de vin rouge partout.

Et même après le départ de leur père, des femmes passaient encore. Des mères célibataires qui venaient avec leurs enfants, et aussi tous les ingrédients nécessaires à la concoction de daïquiris banane. Elles restaient tard le soir à discuter à voix basse de leurs ex-maris et à spéculer sur de nouveaux copains, pendant que les enfants jouaient à des jeux de société dans la pièce d'à côté.

Richie était une de ces histoires-là, au début. Voilà comment ça avait commencé :

Leur mère avait l'habitude d'aller à pied au supermarché tôt le matin pendant que les enfants dormaient. Elle n'avait pas de voiture non plus à cette époque-là. (Leur mère n'avait pas eu de voiture à elle depuis le lycée.) Donc, Richie la croisait tous les matins en allant au travail. Un jour il s'est arrêté pour lui demander son numéro de téléphone. Il lui a dit qu'elle était la plus jolie femme qu'il ait jamais vue.

La première fois qu'Eleanor avait entendu parler de Richie, elle était assise par terre, adossée au vieux canapé, et elle lisait un ancien numéro de *Life* en sirotant un daïquiri banane sans alcool. Elle n'épiait pas véritablement leur conversation, les amies de sa mère aimaient bien avoir Eleanor avec elles. Elles aimaient le fait qu'elle surveille leurs enfants sans jamais se plaindre ; elles disaient qu'elle était mûre pour son âge. Pour peu qu'Eleanor ne fasse aucun bruit, elles en oubliaient sa présence. Et si elles buvaient trop, elles s'en moquaient complètement.

— Ne fais jamais confiance à un homme, Eleanor, s'écriaient-elles en chœur à un moment ou à un autre.

— Surtout s'il déteste danser !

Mais la fois où leur mère leur a confié que Richie l'avait trouvée belle comme le jour, elles ont toutes soupiré en la suppliant de leur en dire plus.

« Évidemment qu'il lui avait sorti qu'elle était la plus belle femme qu'il ait jamais vue, s'était dit Eleanor. Parce que c'est la vérité. »

Eleanor avait douze ans, et elle était incapable de s'imaginer qu'un mec puisse entuber sa mère encore plus que son père ne l'avait déjà fait.

Elle ne savait pas qu'il existait des choses pires que l'égoïsme.

Bref. Elle essayait toujours de partir de chez Park avant le dîner – juste au cas où sa mère aurait raison à propos de l'hospitalité – et parce que, si elle partait tôt, elle avait plus de chances d'arriver chez elle avant Richie.

Traîner avec Park tous les jours avait sérieusement mis à mal son bain quotidien. (Une chose qu'elle ne lui dirait jamais, quel que soit leur degré d'intimité.)

Le plus sûr moment pour prendre son bain chez elle, c'était juste après l'école. Si Eleanor allait chez Park à la sortie des cours, elle n'avait plus qu'à espérer que Richie soit encore en train de se soûler au *Broken Rail* quand elle rentrait chez elle. Et encore, elle devait faire super vite parce que la porte de derrière était juste en face de la salle de bains, et elle pouvait s'ouvrir d'une seconde à l'autre.

Elle sentait que ce rituel de douche en cachette rendait sa mère nerveuse, mais en même temps, ce n'était pas entièrement sa faute. Elle avait déjà songé à se doucher dans les vestiaires du lycée, sauf que ça aurait pu être encore plus risqué, avec Tina et les autres.

L'autre jour au déjeuner, Tina avait mis un point d'honneur à passer devant la table d'Eleanor en articulant en silence le mot « c-o-n-n-e ». (Même Richie n'employait pas ce terme, ce qui impliquait un degré de vulgarité inimaginable).

— C'est quoi, son problème ? a fait DeNice, sans vraiment attendre de réponse.

— Elle se prend pour le centre du monde, a embrayé Beebi.

— Eh ben, c'est loupé. Elle a l'air d'un petit garçon en jupe.

— Non mais ça ne va pas du tout ses cheveux, a ajouté DeNice en suivant Tina du regard. Faut qu'elle passe un peu plus de temps devant la glace et qu'elle décide si elle veut ressembler à Farrah Fawcett dans *Drôles de dames* ou à Rick James dans le clip de « Super Freak ».

Beebi et Eleanor ont explosé de rire.

— Non mais je veux dire, décide-toi, ma fille, a continué DeNice, c'est l'un ou l'autre.

— Hé, frangine ! a coupé Beebi en filant une tape sur la cuisse d'Eleanor. Y a ton homme.

Elles ont tourné la tête vers la cloison vitrée de la cafétéria. Park passait avec d'autres types. Il portait un jean et un tee-shirt des Minor Threat. Il a jeté un œil dans leur direction et souri quand il a aperçu Eleanor.

Beebi a gloussé.

DeNice a dit, comme si elle le validait :

— Il est trop mignon.

— Je sais, a soufflé Eleanor. J'ai envie de lui dévorer le visage.

Elles se sont marrées jusqu'à ce que DeNice les rappelle à l'ordre.

park

— Alors..., a commencé Cal.

Park souriait encore, même s'ils avaient dépassé la cafétéria depuis un moment.

— Toi et Eleanor, hein ?

— Euh... ouais.

— Ouais, a répété Cal en hochant la tête. Tout le monde est au courant. Je veux dire, je sais depuis le début. Vu comme tu la regardais en littérature... J'attendais juste que tu me le dises.

— Oh ! a fait Park en levant les yeux au ciel. Désolé, Cal. Je sors avec Eleanor.

— Pourquoi tu ne m'as rien dit ?

— Je me disais que tu savais.

— Je le savais. Mais, on est potes, non ? On est censés parler de ce genre de trucs.

— Je pensais que tu t'en tapais.

— Je m'en tape un peu en fait. Sans rancune. Parce que Eleanor me fait toujours autant flipper. Et si toi, tu te la tapes, je veux un rapport détaillé.

— Tu vois, c'est exactement pour ça que je ne t'ai rien dit.

35

eleanor

La mère de Park a demandé à ce dernier de mettre la table. C'était le signal de départ. Il faisait presque nuit. Elle a dévalé les marches du perron avant que Park puisse l'arrêter et elle a failli bousculer son père dans l'allée du garage.

— Au revoir, Eleanor, a-t-il dit, la prenant au dépourvu.

Il fouinait à l'arrière de son pick-up.

— Au revoir, a-t-elle soufflé en passant devant lui.

Il ressemblait atrocement à Magnum. Et c'était vraiment dur de s'y faire.

— Attends, viens par là.

Elle a senti quelque chose de bizarre se passer dans son ventre. Elle s'est arrêtée et s'est approchée de lui, mais juste un peu.

— Écoute, a soufflé le père de Park, je commence à en avoir marre de te demander de rester à dîner.

— D'accord...

— Ce que je veux dire c'est que je veux que tu saches que tu es toujours invitée. Tu es... la bienvenue, d'accord ?

Il semblait mal à l'aise, et ça la mettait mal à l'aise aussi, bien plus que d'habitude.

— D'accord...

— Écoute, Eleanor... Je connais ton beau-père.

Elle s'est dit que cette conversation pouvait prendre des milliards de directions différentes. Toutes aussi atroces les unes que les autres.

Le père de Park a continué à parler, une main sur son fourgon, l'autre sur la nuque, comme s'il avait mal.

— On a grandi ensemble. Je suis plus vieux que Richie, mais le quartier n'est pas immense, et j'ai usé mon coin de comptoir au *Broken Rail*...

Le soleil était trop bas pour distinguer son visage. Eleanor ne savait toujours pas où il voulait en venir.

— Je sais que ton beau-père n'est pas un type facile à vivre, finit-il par admettre en s'avançant vers elle. Et je dis ça, parce que, tu sais, si c'est plus simple pour toi d'être ici, alors n'hésite pas à venir. Ça nous rassurerait, Mindy et moi, d'accord ?

— D'accord.

— Alors c'est la dernière fois que je t'invite à dîner.

Eleanor a souri, et il lui a souri aussi ; l'espace d'une seconde, il ressemblait bien plus à Park qu'à Tom Selleck.

park

Eleanor était dans le canapé et lui tenait la main. Elle était attablée face à lui dans la cuisine, à faire ses devoirs...

Elle aidait sa mère à porter les courses pour sa grand-mère. Elle mangeait poliment tout ce que sa mère faisait à dîner, même quand c'était un truc complètement dégoûtant comme du foie et des oignons...

Ils passaient leur temps ensemble, mais ce n'était pas encore suffisant.

Il n'avait toujours pas trouvé le moyen de l'envelopper dans ses bras. Et il n'avait jamais assez d'occasions de l'embrasser. Elle ne voulait pas aller dans sa chambre avec lui...

— On peut écouter de la musique, disait-il.

— Ta mère...
— S'en fiche. On laissera la porte ouverte.
— On va s'asseoir où ?
— Sur mon lit.
— Punaise. Non.
— Par terre.
— Je ne veux pas qu'elle pense que je suis une traînée.

Il n'était même pas sûr que sa mère considère Eleanor comme une fille.

Elle l'aimait bien en tout cas. Plus qu'avant. D'ailleurs l'autre jour, elle lui avait dit qu'Eleanor avait de très bonnes manières.

— Elle très discrète, avait-elle ajouté, comme si c'était une qualité.
— Elle est juste nerveuse.
— Pourquoi elle nerveuse ?
— Je ne sais pas. Elle est comme ça.

Il savait que sa mère ne supportait toujours pas sa façon de s'habiller. Elle la détaillait constamment et secouait la tête quand elle pensait qu'Eleanor ne la regardait pas.

Eleanor était d'une politesse infaillible avec sa mère. Elle essayait même de faire la conversation. Un samedi soir, après dîner, sa mère faisait l'inventaire d'une livraison de produits Avon sur la table de la salle à manger pendant qu'ils jouaient aux cartes.

— Ça fait longtemps que vous êtes esthéticienne ? lui a demandé Eleanor en balayant les flacons du regard.

Sa mère adorait ce mot.

— Depuis Josh à l'école. J'ai passé mon diplôme candidat libre, j'ai fait école esthétique, passé permis, passé diplôme...
— Waouh, a fait Eleanor.
— Toujours coiffé les cheveux, même avant.

Elle a ouvert un flacon de lotion rose pour la sentir.

— Quand moi petite fille, couper les cheveux poupée, faire le maquillage.
— On dirait ma sœur. Je ne pourrais jamais faire ça.

— Pas très compliqué.

Elle a levé les yeux, son regard s'est illuminé :

— Hé, j'ai bonne idée. Je vais coiffer tes cheveux. On fait soirée relooking.

Eleanor était bouche bée. Elle se voyait déjà avec les cheveux crêpés et des faux cils.

— Oh, non ! Je ne...

— Si, a insisté sa mère, on va s'amuser !

— Maman, non. Eleanor ne veut pas de relooking... Elle n'a pas besoin d'un relooking, a-t-il ajouté.

— Pas grand-chose.

Elle approchait déjà ses mains des cheveux d'Eleanor.

— Pas couper. Tout on pourra enlever.

Park a lancé un regard suppliant à Eleanor. Avec un peu de chance, elle comprendrait qu'il l'implorait parce que ça ferait plaisir à sa mère, pas parce qu'il y avait quoi que ce soit qui clochait chez elle.

— Pas de ciseaux ? a demandé Eleanor.

Sa mère enroulait une boucle autour de son doigt.

— Lumière meilleure dans garage, a-t-elle dit, viens.

eleanor

La mère de Park a fait asseoir Eleanor au bac à shampooing et a claqué des doigts vers son fils. Pour ajouter au supplice, qui empirait à chaque seconde, celui-ci s'est approché pour remplir le lavabo. Il a pris une serviette rose sur le dessus d'une grande pile et attaché le Velcro d'une main experte autour de son cou, en relevant ses cheveux avec précaution.

— Je suis désolé, a murmuré Park. Tu veux que je m'en aille ?

« Non », gesticula-t-elle en l'attrapant par le devant de sa chemise. « Oui », pensait-elle. Elle se désintégrait déjà de honte. Elle ne sentait plus le bout de ses doigts.

Mais si Park s'en allait, il n'y aurait personne pour arrêter sa mère si elle décidait de lui faire une frange géante dégradée ou une permanente spirale. Ou les deux.

Eleanor n'essaierait pas de l'arrêter, quoi qu'il arrive ; elle était l'invitée dans son garage. Elle avait mangé la nourriture de cette femme et malmené son fils : elle n'était pas en position de discuter.

Mindy a poussé Park sur le côté et posé la tête d'Eleanor fermement contre le lavabo.

— Quel shampooing tu te sers ?

— Je ne sais pas.

— Comment tu sais pas ? s'est récriée Mindy en lui touchant les cheveux. Trop secs. Cheveux ondulés toujours secs, tu sais ?

Eleanor a acquiescé.

— Mmmh..., a-t-elle maugréé.

Elle a de nouveau renversé sa tête sous l'eau et a demandé à Park d'aller mettre une dose d'huile chaude dans le micro-ondes.

C'était vraiment bizarre de se faire shampouiner par la mère de Park. Cette dernière était pratiquement sur les genoux d'Eleanor, et son pendentif en forme d'ange dodelinait juste au-dessus de sa bouche. Et puis, le produit la démangeait horriblement. Eleanor ne savait pas si Park les regardait. Elle espérait que non.

Quelques minutes plus tard, ses cheveux étaient enduits d'huile chaude et enveloppés dans une serviette tellement serrée que ça lui faisait mal au front. Park était assis en face d'elle, se forçant à garder le sourire, mais il avait l'air aussi mal à l'aise qu'elle.

Sa mère fouinait boîte après boîte dans ses échantillons Avon.

— Je sais c'est quelque part ici. Cannelle, cannelle, cannelle... tadam !

Elle a fait rouler son tabouret vers Eleanor.

— OK. Fermer tes yeux.

Eleanor l'a fixée. Elle avait un petit crayon marron à la main.

— Fermer tes yeux, répéta-t-elle.

— Pourquoi ?

— T'inquiète pas. On peut enlever.

— Mais je ne mets jamais de maquillage.

— Pourquoi pas ?

Peut-être qu'Eleanor aurait dû lui dire qu'elle n'avait pas le droit. Ce serait toujours mieux que : « parce que se maquiller, c'est mentir ».

— J'en sais rien. Ça ne me ressemble pas.

— Si, ça ressemble toi, a dit sa mère en examinant le crayon. Très bonne couleur pour toi. Cannelle.

— C'est du rouge à lèvres ?

— Non, crayon.

Eleanor ne portait surtout pas de crayon.

— Ça sert à quoi ?

— C'est du maquillage, répondit-elle, exaspérée. Ça fait toi jolie.

Eleanor avait l'impression d'avoir un truc dans l'œil. Genre des flammes.

— Maman..., a soufflé Park.

— Voilà. Je vais te montrer.

Elle s'est tournée vers Park, et avant même qu'ils comprennent ce qu'elle mijotait, sa mère avait son pouce au coin de son œil.

— Cannelle trop clair pour toi, a-t-elle dit avant de saisir un autre crayon. Onyx.

— Maman..., a gémi Park, sans bouger pour autant.

Sa mère s'est assise pour qu'Eleanor puisse voir, puis elle a tracé une ligne le long des cils de Park d'une main experte.

— Ouvre.

Il s'est exécuté.

— Bien. Ferme.

Elle a répété le même geste. Puis elle a dessiné une autre ligne sous son œil et humecté son pouce pour effacer une bavure.

— Voilà. Bien. Tu vois, a dit sa mère en se calant dans sa chaise pour qu'Eleanor puisse admirer le résultat.

— Facile. Mignon.

Park n'avait pas l'air mignon. Il avait l'air dangereux. Comme l'empereur Ming dans *Flash Gordon.* Ou alors un membre de Duran Duran.

— On dirait Robert Smith, a fait Eleanor.

« Mais... ouais, songea-t-elle, en plus mignon. »

Park regardait ses pieds. Eleanor n'arrivait pas à détacher son regard de lui.

Sa mère s'est intercalée entre eux deux.

— OK, fermer les yeux maintenant. Ouvre. Bien... Fermer encore...

Elle a eu exactement la sensation que quelqu'un dessinait une ligne au crayon sur sa paupière. Et puis, en quelques secondes, c'était fini, et la mère de Park appliquait un truc froid ses joues.

— Rituel facile. Fond de teint, poudre, eye-liner, ombre à paupières, mascara, crayon à lèvres, rouge à lèvres, blush. Huit étapes, ça prend toi quinze minutes maximum.

La mère de Park était très professionnelle, on aurait dit une présentatrice d'émission de cuisine sur PBS. Juste après, elle a défait la serviette sur sa tête et s'est postée derrière elle.

Eleanor voulait regarder Park encore, maintenant que sa mère ne lui obstruait plus la vue, mais elle ne voulait pas qu'il la regarde en retour. Son visage semblait si lourd et collant, elle ressemblait sûrement à une des héroïnes de *Femmes d'affaires et dames de cœur.*

Park a fait glisser sa chaise près d'elle et il a commencé à taper du poing sur son genou. Eleanor a mis quelques secondes à comprendre qu'il voulait la défier à Pierre-feuille-ciseaux.

Elle a joué le jeu. Bon sang. Tous les prétextes étaient bons pour le toucher. Tous les prétextes étaient bons pour ne pas le regarder directement. Il s'était frotté les yeux, alors il n'avait plus l'air maquillé, mais il avait encore un air qu'Eleanor n'arrivait pas à décrire.

— C'est comme ça Park occupe les enfants pendant la coiffure, a dit sa mère. Tu as l'air avoir peur, Eleanor. Pas t'inquiéter. Je promets je vais pas couper.

Eleanor et Park ont fait ciseaux tous les deux.

Sa mère a fait pénétrer une demi-bouteille de mousse sur ses cheveux, puis elle les a séchés avec un diffuseur (chose dont Eleanor n'avait jamais entendu parler auparavant mais qui apparemment était très, très importante).

D'après la mère de Park, rien de ce qu'Eleanor faisait avec ses cheveux – les laver avec on ne sait pas quoi, les brosser, les attacher avec des perles et des fleurs en soie – n'allait.

Elle aurait dû se servir d'un diffuseur et froisser ses boucles et, si possible, dormir sur une taie d'oreiller en satin.

— Je crois ça irait très bien toi une frange. Prochaine fois, on essaie frange.

« Il n'y aura pas de prochaine fois », s'est promis Eleanor, à elle-même et au Bon Dieu.

— OK. Prête ?

La mère de Park était tout sourire.

— Toi très jolie. Prête à voir ?

Elle a tourné Eleanor face au miroir.

— Ta-daaaam !

Eleanor fixait ses cuisses.

— Tu dois regarder, Eleanor. Regarde, dans miroir, très jolie.

Eleanor n'y arrivait pas. Elle les sentait qui l'observaient tous les deux. Elle voulait disparaître, se volatiliser par une trappe. Tout ça, c'était une très mauvaise idée. Une terrible idée. Elle allait fondre en larmes ; elle allait faire une scène. Et la mère de Park se remettrait à la détester.

— Hé, Mindy.

Le père de Park a ouvert la porte et passé une tête.

— Téléphone pour toi. Oh, hé, regarde-toi, Eleanor, on dirait une danseuse de *Solid Gold*.

— Tu vois ? Comme j'ai dit : jolie. Regarde pas miroir avant je reviens. Regarder miroir c'est meilleur moment.

Elle s'est dépêchée de retourner à l'intérieur, et Eleanor a enfoui son visage dans ses mains, en essayant de ne rien toucher. Elle a senti les mains de Park autour de ses poignets.

— Je suis désolé. Je me doutais que tu détesterais, mais je ne pensais pas que tu détesterais autant que ça.

— Je suis trop mal à l'aise.

— Pourquoi ?

— Parce que... tu es là à me regarder.

— Je te regarde tout le temps.

— Je sais, je voudrais juste que tu arrêtes.

— Elle veut juste faire ta connaissance. C'est son truc.

— J'ai vraiment la tête d'une danseuse de cette stupide émission de télé ?

— Non...

— Oh ! mon Dieu, si.

— Non, tu ressembles à... regarde-toi à la fin.

— Je ne veux pas.

— Regarde maintenant, avant que ma mère revienne.

— Seulement si tu fermes les yeux.

— OK, ils sont fermés.

Eleanor a découvert son visage pour se regarder dans le miroir. Ce n'était pas aussi embarrassant que ce qu'elle pensait. Parce qu'elle avait la sensation de voir quelqu'un d'autre : une fille avec des pommettes et de grands yeux et des lèvres très pulpeuses. Ses cheveux étaient toujours bouclés, plus que jamais, mais plus apprivoisés d'une certaine manière, moins sauvages.

Eleanor a détesté, elle détestait absolument tout.

— Je peux ouvrir les yeux ?

— Non.

— Tu pleures ?

— Non.

Bien sûr que si, elle pleurait.

Elle allait ruiner son faux visage, et la mère de Park allait recommencer à la détester.

Park a ouvert les yeux et il s'est assis en face d'Eleanor sur la tablette du miroir.

— C'est si nul que ça ?

— Ce n'est pas moi.

— Bien sûr que c'est toi.

— C'est juste que… j'ai l'impression d'être déguisée. Comme si j'essayais d'être une fille que je ne suis pas.

Comme si elle essayait d'être jolie et populaire. C'était le fait d'« essayer » qui était vraiment atroce.

— Je trouve que tu es très bien coiffée.

— Ce ne sont pas mes cheveux.

— Mais si…

— Je ne veux pas que ta mère me voie comme ça. Je ne veux pas la vexer.

— Embrasse-moi.

— Quoi ?

Il l'a embrassée. Eleanor a senti ses épaules se relâcher, son estomac se dénouer, et puis se tordre à nouveau dans l'autre sens.

Elle s'est reculée.

— Est-ce que tu m'embrasses parce que j'ai l'air de quelqu'un d'autre ?

— Tu n'as pas l'air de quelqu'un d'autre. Et en plus, c'est débile.

— Tu me préfères comme ça ? Parce que je n'aurai plus jamais cette tête-là.

— Je t'aime pareil... Mais tes taches de rousseur me manquent un peu.

Il a essuyé sa joue du bout de sa manche.

— Voilà.

— Tu as l'air de quelqu'un d'autre, a dit Eleanor. Et tu ne portes que du crayon.

— Tu me préfères comme ça ?

Elle a levé les yeux au ciel, mais elle a senti une bouffée de chaleur lui remonter le long de la nuque.

— Tu as l'air différent. C'est perturbant.

— Et toi tu es toi, a dit Park. Avec le volume à bloc.

Elle a contemplé son reflet à nouveau.

— Le truc, c'est que je suis à peu près certain que ma mère s'est retenue. Elle pense que c'est un style naturel.

Eleanor a ri. La porte s'est ouverte.

— Haaaan, je vous ai dit attendre, a gémi sa mère. Tu as eu surprise ?

Eleanor a acquiescé.

— Tu as pleuré ? Oh, j'ai loupé tout !

— Désolée si j'ai fait couler mon maquillage.

— Pas couler, l'a rassurée sa mère, mascara waterproof et fond teint longue tenue.

— Merci, a soufflé Eleanor avec circonspection. J'ai du mal à me faire à la différence.

— Je ferai un kit pour toi. Les couleurs j'utilise jamais de toute façon. Viens, assieds-toi, Park. Je vais couper tes cheveux pendant on y est. Ils sont dans tous les sens.

Eleanor s'est installée en face de Park pour jouer à Pierre-feuille-ciseaux.

park

On aurait dit quelqu'un d'autre, et Park ne *savait* pas s'il la préférait comme ça. Ou pas du tout.

Il ne comprenait pas pourquoi ça l'avait rendue si triste. Parfois, c'était comme si elle essayait de dissimuler tout ce qui était joli chez elle. Comme si elle voulait s'enlaidir.

C'était le genre de remarque que sa mère aurait pu faire. C'était pour cette raison qu'il ne la lui avait pas faite. (Est-ce que ça comptait comme un petit secret ?)

Il comprenait pourquoi Eleanor se donnait autant de mal pour avoir l'air différente. En quelque sorte. Peut-être parce qu'elle *était* différente, et qu'elle n'avait pas peur de l'être. (Ou peut-être qu'elle avait encore *plus* peur d'être comme tout le monde.)

Il y avait quelque chose de très excitant là-dedans. Il aimait être proche de ça, ce genre de courage et de folie.

« Perturbant, comment ? » avait-il voulu lui demander.

Le lendemain matin, Park a pris le crayon Onyx dans la salle de bains et il s'en est mis. Il était plus maladroit que sa mère, mais il s'est dit que ça faisait peut-être mieux. Plus masculin.

Il s'est regardé dans le miroir. « Ça fait vraiment ressortir le regard », disait sa mère à ses clientes, et c'était vrai. L'eye-liner faisait vraiment ressortir ses yeux. Et puis il atténuait la pâleur de son teint.

Ensuite, Park s'est coiffé comme d'habitude : les cheveux ébouriffés sur le dessus, dressés en bataille, comme s'ils cherchaient à atteindre quelque chose. D'habitude, dès qu'il faisait ça, il se peignait en arrière puis en avant pour aplatir le tout.

Aujourd'hui, il les a laissés tels quels.

Son père a piqué une crise au petit déjeuner. *Piqué une crise.* Park a tenté de s'éclipser en l'évitant, mais sa mère était intraitable sur le petit déjeuner. Park avait le nez dans son bol de céréales.

— T'as un problème avec tes cheveux ? lui a fait son père.

— Non.

— Attends une seconde, regarde-moi... J'ai dit : *regarde-moi.*

Park a levé le menton, mais il a regardé ailleurs.

— Qu'est-ce que c'est que ce bordel, Park ?

— Jamie ! a sifflé sa mère.

— Regarde-le, Mindy, il est maquillé ! Tu te fous de ma gueule, Park ?

— Pas raison pour jurer, a coupé sa mère.

Elle a lancé un coup d'œil nerveux à Park, comme si c'était sa faute. Peut-être que ça l'était. Peut-être qu'elle n'aurait pas dû tester des échantillons de rouge à lèvres sur lui quand il était au jardin d'enfants. Enfin, ce n'était pas comme s'il voulait porter du rouge à lèvres non plus...

Quand même pas.

— Putain que si, c'est une bonne raison, a rugi son père. Va te débarbouiller, Park.

Park n'a pas bougé de sa chaise.

— Va te débarbouiller. Park.

Park a repris une cuillerée de céréales.

— Jamie..., a dit sa mère.

— Non, Mindy. *Non.* Je laisse ces garçons faire à peu près tout ce qu'ils veulent. Mais, non, Park ne mettra pas un pied dehors avec une tête de fille.

— Y a plein de garçons qui se maquillent, a objecté Park.

— Quoi ? Mais de quoi tu parles à la fin ?

— David Bowie. Marc Bolan.

— Je ne veux pas entendre ça. Va te débarbouiller.

— Pourquoi ? a demandé Park en plaquant ses poings contre la table.

— Parce que je te le demande. Parce que tu as l'air d'une fille.

— Ben, c'est pas nouveau.

Park a brusquement repoussé son bol de céréales.

— Qu'est-ce que tu as dit ?

— J'ai dit : *c'est pas nouveau.* C'est pas ce que tu penses ?

Park sentait les larmes rouler sur ses joues, mais pas question qu'il se frotte les yeux.

— C'est l'heure aller au lycée, Park, a dit sa mère tout bas. Tu rater ton bus.

— Mindy..., a soufflé son père, qui se contenait à peine, ils vont pas le rater.

— Tu me dis Park est grand maintenant, presque un homme, il peut prendre décisions. Alors laisse-le prendre les décisions à lui. Laisse-le partir.

Son père n'a rien dit ; il ne hausserait jamais la voix sur sa mère. Park a trouvé là une opportunité de filer.

Il est allé à son arrêt de bus, pas celui d'Eleanor. Il voulait avoir affaire à Steve avant de la voir. Si Steve lui pétait la gueule pour ça, Park préférait qu'Eleanor ne soit pas dans l'assistance.

Mais Steve a à peine relevé.

— Hé, Park, c'est quoi ce bordel, tu t'es maquillé ?

— Ouais, a-t-il soufflé, en agrippant les bretelles de son sac à dos.

Tout le monde autour de Steve a gloussé sottement, en attendant de voir ce qu'il allait se passer.

— Tu ressembles un peu à Ozzy Osbourne comme ça, mec. On dirait que tu vas bouffer la tête d'une putain de chauve-souris.

Tout le monde a éclaté de rire. Steve a montré les dents, Tina a grogné, et point barre.

Quand Eleanor est montée dans le bus, elle était de bonne humeur.

— T'es là ! Je pensais que tu étais malade quand je ne t'ai pas vu au coin de ma rue.

Il a levé la tête vers elle. Elle a eu l'air surpris, puis elle s'est assise en silence et elle a baissé les yeux sur ses mains.

— Est-ce que je ressemble à une danseuse de *Solid Gold* ? a fini par dire Park quand le silence est devenu insupportable.

— Non, a répondu Eleanor en lui lançant un regard de côté, tu as l'air...

— Intrigant ?

Elle a ri et hoché la tête.

— Intrigant comment ? lui a-t-il demandé.

Elle l'a embrassé avec la langue. *Dans le bus.*

36

park

Park a demandé à Eleanor de ne pas venir après les cours, il pensait être puni. Il s'est débarbouillé dès qu'il est rentré chez lui et il s'est consigné tout seul dans sa chambre.

Sa mère est venue voir comment il allait.

— Est-ce que je suis puni ?

— Je ne sais pas. Tu as passé bonne journée au lycée ?

Traduction : est-ce que quelqu'un a essayé de te mettre la tête dans les toilettes pour enlever ton maquillage ?

— Ça a été.

Quelques types l'ont insulté dans les couloirs, mais ça ne l'a pas atteint comme il pensait que ça l'atteindrait. Une majorité de gens lui ont dit qu'il avait l'air cool.

Sa mère s'est assise sur son lit. Elle avait eu une longue journée. Ça se voyait à son crayon à lèvres.

Elle a fixé une armada de figurines Star Wars entassées sur l'étagère au-dessus de son lit. Il n'y avait pas touché depuis des années.

— Park, est-ce que tu... *envie* être comme une fille ? Est-ce que c'est ça cette histoire ? Eleanor habille comme un garçon. Toi comme une fille ?

— Non... j'aime bien, c'est tout. J'aime bien la sensation que ça me procure.

— Comme une fille ?
— Non. Comme moi.
— Ton père...
— Je n'ai pas envie de parler de lui.

Sa mère est restée assise encore une minute, puis elle s'est éclipsée.

Park est resté dans sa chambre jusqu'à ce que Josh vienne le chercher à l'heure du dîner. Son père n'a pas levé les yeux quand Park s'est installé à table.

— Où est Eleanor ? a-t-il demandé.
— Je pensais que j'étais puni.
— Tu n'es pas puni, a répondu son père, concentré sur sa tranche de rôti.

Park a balayé la table du regard. Seul Josh voulait encore bien le regarder en face.

— Est-ce qu'on va reparler de ce matin ?

Son père a pris une nouvelle bouchée, l'a consciencieusement mâchée puis avalée.

— Non, Park, pour le moment, je ne crois pas que j'aie quoi que ce soit à te dire.

37

eleanor

Park avait raison. Ils n'étaient jamais seuls.

Elle a pensé faire le mur encore une fois, mais les risques étaient inconsidérés, et il faisait un sacré froid dehors, elle y laisserait probablement une oreille. Chose que sa mère ne manquerait pas de remarquer.

Elle avait déjà remarqué le mascara. (Même s'il était marron clair et que l'emballage disait « effet subtil et naturel ».)

— Tina me l'a donné, a expliqué Eleanor. Sa mère est représentante Avon.

Si elle substituait « Tina » à « Park » chaque fois qu'elle mentait, ça lui donnait l'impression d'un gros mensonge plutôt qu'un million de petits bobards.

C'était assez amusant de s'imaginer zoner chez Tina tous les jours, à se faire les ongles, à essayer du gloss...

Ce serait horrible si sa mère tombait un jour sur Tina, mais c'était peu probable : sa mère ne parlait jamais à personne dans le quartier. Quand on n'était pas né dans les Flats (si votre famille n'était pas implantée depuis dix générations, si vos parents n'avaient pas les mêmes arrière-grands-parents), vous étiez un étranger.

Park disait toujours que c'était pour ça qu'on le laissait tranquille, même s'il était bizarre en plus d'être asiatique.

Parce que sa famille était déjà propriétaire de leurs terrains à l'époque où le quartier n'était encore qu'un champ de maïs.

Park. Eleanor rougissait chaque fois qu'elle pensait à lui. Peut-être que ça avait toujours été comme ça, mais maintenant c'était pire. Parce qu'il était mignon et cool avant, mais ces derniers temps il l'était encore plus.

Même DeNice et Beebi étaient d'accord là-dessus.

— On dirait une *rock star*, a fait DeNice.

— On dirait El DeBarge, a acquiescé Beebi.

« On dirait lui, a pensé Eleanor, mais avec plus d'assurance. Park, mais avec le volume à bloc. »

park

Ils n'étaient jamais seuls.

Ils essayaient de faire durer le trajet de l'arrêt de bus jusqu'à chez lui aussi longtemps que possible, et parfois, ils traînaient sur son perron un moment... jusqu'à ce que sa mère ouvre la porte et leur dise de rentrer à l'abri du froid.

Peut-être que ce serait mieux cet été. Ils pourraient rester dehors. Peut-être qu'ils feraient des promenades. Peut-être qu'il aurait son permis après tout...

Non. Son père ne lui avait pas adressé la parole depuis leur dispute.

— Ça va avec ton père ? lui a demandé Eleanor.

Elle était assise une marche plus bas que lui.

— Il est fâché.

— Pourquoi ?

— Parce que je ne suis pas comme lui.

Eleanor a eu l'air dubitatif.

— Il te fait la tête depuis seize ans alors ?

— En gros.

— Mais j'ai toujours eu l'impression que vous vous entendiez bien...

— Non, jamais. Je veux dire, ça a été à peu près pendant un temps, parce que je me suis finalement décidé à me battre, et parce qu'il trouvait que ma mère était trop dure avec toi.

— Je savais qu'elle ne m'aimait pas !

Eleanor a enfoncé son index dans le bras de Park.

— Eh bien maintenant, elle t'aime bien, alors mon père a décidé de se remettre à ne plus m'aimer.

— Ton père t'aime, rétorqua Eleanor.

Ça avait l'air vraiment important pour elle.

Park a secoué la tête.

— Seulement parce qu'il est obligé. Je le déçois.

Elle a posé la main sur son torse, et sa mère a ouvert la porte.

— Entrez, entrez, dit-elle. Trop froid.

eleanor

— Tu es bien coiffée, Eleanor, l'a complimentée la mère de Park.

— Merci.

Eleanor n'utilisait pas de diffuseur, mais elle faisait bon usage du soin qu'elle lui avait donné. Et elle avait même trouvé une taie d'oreiller en satin dans la pile de linge entassé dans le placard, ce qui était pratiquement un signe que Dieu Lui-même voulait qu'Eleanor prenne plus grand soin de ses cheveux.

La mère de Park semblait vraiment l'apprécier maintenant. Eleanor n'avait pas consenti à un autre relooking total, mais la mère de Park essayait tout le temps des nouveaux fards à paupières sur elle ou s'amusait avec ses cheveux quand elle était assise à la table de la cuisine avec Park.

— J'aurais dû avoir fille, disait sa mère.

« J'aurais dû avoir une famille comme ça », pensait Eleanor. Et, rarement, ce genre de réflexion lui donnait le sentiment d'être une traîtresse.

38

eleanor

Le pire, c'était le mercredi soir.

Park avait taekwondo alors Eleanor rentrait directement chez elle, prenait un bain, puis elle essayait de se planquer dans sa chambre toute la soirée, à bouquiner.

Il faisait bien trop froid pour jouer dehors, et les petits grimpaient aux murs. Quand Richie rentrait, il n'y avait nulle part où se terrer.

Ben avait tellement peur que Richie ne l'envoie au sous-sol de bonne heure qu'il se cachait dans le placard de la chambre pour jouer aux petites voitures.

Lorsque Richie a allumé la télé pour regarder *Mike Hammer*, leur mère a poussé Maisie du bout du pied dans la chambre aussi, même s'il avait dit qu'elle pouvait rester.

Maisie faisait les cent pas, irritable et ivre d'ennui. Elle s'est approchée du lit superposé.

— Je peux monter ?

— Non.

— S'il te plaît...

Leurs lits étaient des modèles enfant, plus petits que des lits doubles, à peine assez grands pour Eleanor. Et Maisie était une de ces gamines filiformes de neuf ans, légère comme une plume...

— D'accord, a maugréé Eleanor.

Elle s'est glissée au bord avec précaution, comme si elle était sur de la glace, et elle a poussé la boîte à pamplemousses dans le coin.

Maisie a grimpé et elle s'est assise sur son oreiller.

— Tu lis quoi ?

— *Les Garennes de Watership Down.*

Maisie ne l'écoutait pas. Elle a croisé les bras et elle s'est penchée vers Eleanor.

— On sait que tu as un amoureux, murmura-t-elle.

Le cœur d'Eleanor s'est arrêté.

— Je n'ai pas d'amoureux, a-t-elle répondu platement, et un peu trop vite.

— On est déjà au courant.

Eleanor a jeté un coup d'œil à Ben, assis dans le placard. Il l'a regardé sans rien laisser paraître. Grâce à l'influence de Richie, ils étaient tous passés maîtres dans l'art du bluff... Ils devraient songer à s'inscrire à un tournoi de poker familial.

— Bobbie nous l'a dit, a continué Maisie. Sa grande sœur sort avec Josh Sheridan, et Josh a dit que tu étais l'amoureuse de son frère. Ben a dit que non, et Bobbie s'est moqué de lui.

Ben n'a pas cillé.

Elle lui a demandé :

— Est-ce que tu vas le dire à maman ?

Autant en venir au fait.

— On ne lui a pas encore dit.

— Mais vous allez le faire ?

Eleanor résistait à l'envie de virer Maisie de son lit. Sauf que ce serait la guerre nucléaire.

— Il m'obligera à partir, vous savez, a-t-elle continué d'un ton féroce. Si j'ai de la chance, c'est le truc le moins pire qui m'arrivera.

— On ne dira rien, a chuchoté Ben.

— Mais c'est pas juste, s'est récriée Maisie en se voûtant contre le mur.

— Quoi ?

— C'est pas juste que t'aies le droit de t'en aller tout le temps.

— Qu'est-ce que vous voulez que je fasse ?

Ils l'ont dévisagée, avec des mines désespérées et... une sorte de lueur d'espoir.

Tout ce qui se disait dans cette maison était toujours désespéré.

Le désespoir n'était rien pour Eleanor ; c'était l'espoir qui lui tiraillait le cœur avec ses sales petits doigts.

Elle était quasi persuadée qu'elle n'était pas normalement constituée, que ses récepteurs étaient mal branchés, parce qu'elle ne s'est pas attendrie devant leur complainte : à la place de la tendresse, elle a senti le froid et la colère s'emparer d'elle.

— Je ne peux pas vous emmener avec moi, si c'est à ça que vous pensez.

— Pourquoi pas ? lui a demandé Ben. On jouera avec ses frères et sœurs.

— Y en a pas. C'est pas comme ça.

— T'en as rien à faire de nous, a dit Maisie.

— Bien sûr que si. C'est juste que je ne peux pas... vous *aider*.

La porte s'est ouverte, et Mouse est entré tranquillement.

— Ben, Ben, Ben, elle est où ma voiture, Ben ? Elle est où ma voiture ? Ben ?

Il s'est jeté sur Ben sans raison. Parfois on comprenait seulement une fois sous lui si Mouse voulait vous faire un câlin ou la peau.

Ben a voulu repousser Mouse en faisant le moins de bruit possible. Eleanor lui a balancé un livre. (De poche, heureusement.)

Mouse est sorti de la chambre en courant, et Eleanor s'est penchée pour fermer la porte. Elle pouvait presque ouvrir sa commode sans sortir du lit.

— Je ne peux pas vous aider, répéta-t-elle.

Elle avait l'impression de leur lâcher la main en pleine mer.

— Je n'arrive même pas à m'aider moi-même.

Le visage de Maisie s'est durci.

— Par pitié, ne dites rien.

Maisie et Ben ont échangé un nouveau coup d'œil ; puis Maisie, toujours dure et grise, s'est tournée vers Eleanor :

— Est-ce qu'on a le droit de jouer avec tes trucs ?

— Quels trucs ?

— Tes BD, a fait Ben.

— Elles ne sont pas à moi.

— Ton maquillage, a embrayé Maisie.

Ils avaient probablement fait l'inventaire de son putain de lit. Sa boîte à pamplemousses débordait de produits de contrebande ces jours-ci, qui venaient tous de chez Park… Et ils étaient déjà complètement accros à tout ça, elle en était sûre.

— D'accord, mais vous les rangez quand vous avez fini. Et les comics ne sont pas à moi, Ben, on me les prête. Alors il faut y faire très attention. Et si vous vous faites prendre, a-t-elle ajouté en se tournant vers Maisie, maman confisquera tout. Surtout le maquillage. Et plus personne ne pourra en profiter.

Ils ont acquiescé.

— Je vous aurais laissés jouer un peu avec de toute façon, a-t-elle dit à Maisie. Il suffisait juste de demander.

— Menteuse, a rétorqué sa sœur.

Et elle avait raison.

park

Le pire, c'était le mercredi.

Pas d'Eleanor. Et son père l'avait ignoré à table et pendant le cours de taekwondo.

Park se demandait si c'était à cause de l'eye-liner, ou si l'eye-liner était simplement le coup de crayon qui avait fait déborder le vase. Comme si, depuis seize ans, Park avait un comportement étrange, apprêté, qu'il était faible, et que son père l'avait porté tout ce temps sur ses larges épaules. Et puis un jour, il s'était mis du mascara, et c'était fini, son père l'avait largué.

« Ton père t'aime », lui avait dit Eleanor. Et elle avait raison. Mais ne ça faisait aucune différente. C'était un peu donné d'avance. Son père l'aimait parce qu'il était obligé de l'aimer, comme Park aimait Josh.

Son père ne pouvait pas le voir en peinture.

Park continuait à mettre du mascara au lycée. Et il continuait à l'enlever dès qu'il rentrait chez lui. Et son père continuait à se comporter comme s'il n'était pas là.

eleanor

C'était juste une question de temps maintenant. Si Maisie et Ben étaient au courant, leur mère l'apprendrait. Soit les petits le lui diraient, ou alors elle tomberait sur un indice qu'elle aurait négligé, ou quelque chose d'autre... Ce serait *quelque chose.*

Eleanor n'avait nulle part où cacher ses secrets. Dans une boîte, sur son lit. Chez Park, à une rue de là.

Son temps avec lui était compté.

39

eleanor

Jeudi soir après dîner, la grand-mère de Park est venue pour une mise en plis, et sa mère s'est éclipsée dans le garage. Son père bricolait la plomberie sous l'évier, il devait remplacer le broyeur. Park lui parlait d'une cassette qu'il avait achetée. Elvis Costello. Il était intarissable sur le sujet.

— Y a quelques titres qui te plairont peut-être, des ballades. Mais le reste est super « up-tempo ».

— Comme du punk ?

Elle s'est renfrognée. Elle supportait quelques chansons des Milkmen, mais en-dehors de ça, elle détestait les groupes de punk que Park écoutait :

— J'ai l'impression qu'ils me crient dessus, disait-elle chaque fois qu'il tentait de glisser un titre punk sur une de ses compilations. Arrête de me gueuler dessus, Glen Danzig !

— C'est Henry Rollins.

— Ben, ils ont tous la même voix quand ils me gueulent dessus.

Ces derniers temps, Park était à fond sur la new wave. Ou le post-punk, il ne savait pas trop. Il écumait les groupes aussi vite qu'Eleanor dévorait les livres.

— Non, s'est-il récrié. Elvis Costello est bien plus mélodique. Plus doux. Je te ferai une copie.

— Ou tu pourrais peut-être me le faire écouter. Maintenant.

Park a penché la tête sur le côté.

— Ça implique d'aller dans ma chambre.

— D'accord, a répondu Eleanor d'une manière pas si détachée que ça.

— D'accord ? Des mois de non, et maintenant oui ?

— D'accord, répéta-t-elle. Tu dis toujours que ta mère s'en fiche...

— Ma mère s'en fiche.

— Bon ?

Park s'est mis debout, chancelant, tout sourire, et il l'a aidée à se lever. Il s'est arrêté devant le seuil de la cuisine :

— On va écouter de la musique dans ma chambre.

— D'accord, a répondu sous père sous l'évier. Fais juste gaffe de mettre personne en cloque.

Ça aurait dû lui foutre la honte, mais son père avait le don pour dédramatiser tous les trucs embarrassants. Eleanor aurait aimé qu'il ne les ignore pas en permanence.

Sa mère l'autorisait probablement à inviter des filles dans sa chambre parce qu'elle pouvait presque surveiller Park depuis le salon, et puis il fallait passer devant pour aller aux toilettes.

Mais, pour Eleanor, cet endroit lui semblait encore incroyablement privé.

Elle n'arrivait pas à se faire à l'idée que Park passait la plupart de son temps dans sa chambre à l'horizontale. (Ça ne faisait qu'une différence de quatre-vingt-dix degrés, mais l'imaginer dans cette position la mettait dans tous ses états.) Et puis, il s'habillait ici.

Il n'y avait pas de place ailleurs que sur le lit pour s'asseoir, chose qu'Eleanor n'osait même pas envisager. Alors ils se sont installés entre son lit et sa chaîne hi-fi, où il y avait juste assez d'espace pour tenir en tailleur.

Une fois par terre, Park a avancé la cassette d'Elvis Costello. Il avait des piles et des piles de cassettes, et Eleanor en a sorti quelques-unes par curiosité.

— Ah..., gémit-il, presque peiné.

— Quoi ?

— Elles sont classées par ordre alphabétique.

— C'est bon. Je connais l'alphabet.

— Ouais, a-t-il lâché, gêné. Désolé. Chaque fois que Cal vient, il dérange tout. Tiens, c'était la chanson que je voulais que tu entendes. Écoute.

— Cal vient ici ?

— Ouais, des fois.

Park a monté le son.

— Mais ça fait longtemps.

— Parce que maintenant c'est moi qui viens...

— Ce qui me va très bien parce que tu me plais beaucoup plus que lui.

— Mais ils ne te manquent pas, tes autres copains ?

— T'écoutes pas, là.

— Toi non plus.

Il a appuyé sur « Pause », comme s'il ne voulait pas gâcher la chanson en la reléguant à un simple fond sonore.

— Désolé. Tu es vraiment en train de me demander si Cal me manque ? Parce que je déjeune tous les jours avec lui.

— Et ça ne l'ennuie pas que tu passes tout ton temps en dehors des cours avec moi, maintenant ? Ça ne les fait pas chier, tes potes ?

Park s'est passé la main dans les cheveux.

— Je les vois encore au lycée. J'en sais rien, ils ne me manquent pas vraiment, personne ne m'a jamais vraiment manqué avant toi.

— Mais je ne te manque pas, là. On est ensemble tout le temps.

— Tu te fous de moi, tu me manques constamment.

Même si Park s'était débarbouillé en rentrant chez lui, le noir autour de ses yeux n'était pas tout à fait parti. Ça ajoutait une dimension dramatique à tout ce qu'il faisait.

— C'est taré.

Park s'est mis à rire :

— Je sais...

Elle voulait lui dire pour Maisie et Ben et que leurs jours étaient comptés, et..., mais il ne comprendrait pas, et puis qu'est-ce qu'elle attendait de lui ?

Park a appuyé sur « Lecture ».

— Elle s'appelle comment, cette chanson ?

— Alison.

park

Park lui a passé Elvis Costello, puis Joe Jackson, Jonathan Richman et les Modern Lovers.

Elle s'est moquée de lui parce que tout était tellement joli et mélodieux, et « dans la même veine que Hall and Oates », et il l'a menacée de la virer de sa chambre.

Quand sa mère est venue voir ce qu'ils faisaient, ils étaient assis avec des centaines de cassettes entre eux, et elle avait à peine tourné les talons que Park s'est penché pour embrasser Eleanor. Ça lui semblait le meilleur moment pour ne pas se faire prendre.

Elle était un petit peu trop loin, alors il a mis sa main dans son dos pour l'attirer vers lui. Il a essayé de faire ça comme si c'était quelque chose qu'il faisait tout le temps, comme si la toucher à un nouvel endroit ne revenait pas à découvrir le passage du Nord-Ouest.

Eleanor s'est rapprochée. Elle a posé les mains par terre devant elle et s'est penchée vers lui, un geste tellement encourageant qu'il a glissé son autre main autour de sa taille. Et alors c'était trop pour la serrer-presque-mais-pas-vraiment-dans-ses-bras. Park s'est mis brusquement sur les genoux et il l'a attirée plus près.

Une demi-douzaine de cassettes ont craqué sous son poids. Eleanor est tombée en arrière, et Park en avant.

— Je suis désolée. Oh ! mon Dieu… regarde ce qu'on a fait à *Meat is Murder*.

Park s'est rassis et il a observé les cassettes. Il avait envie de les envoyer valser.

— C'est juste les boîtiers qui ont pris. T'inquiète pas pour ça.

Il a commencé à ramasser les morceaux de plastique.

— Les Smiths et les Smithereens, a dit Eleanor. On les a même cassées par ordre alphabétique.

Il a essayé de lui sourire, mais elle évitait son regard.

— Je devrais y aller. Il est presque 8 heures de toute façon.

— Ah, OK. Je te raccompagne.

Elle s'est levée, et Park l'a suivie. Ils sont sortis pour rejoindre le trottoir, et arrivés à la hauteur de l'allée chez ses grands-parents, Eleanor ne s'est pas arrêtée.

eleanor

Maisie sentait la représentante Avon, et elle était maquillée comme la grande prostituée de Babylone. Ils allaient se faire prendre, c'était sûr. Tu parles d'un putain de château de cartes. Punaise.

Et Eleanor n'arrivait même pas à trouver une stratégie, parce que la seule chose qui l'obnubilait, c'était les mains de Park sur sa taille, sur son dos et sur son ventre. Ça devait être une sensation nouvelle pour lui. Tout le monde dans sa famille était suffisamment maigre pour apparaître dans une pub Spécial K. Même sa grand-mère.

Eleanor ne pourrait jouer que la scène où l'actrice se pince un centimètre de peau, avant de se tourner face à la caméra comme si c'était la fin du monde.

À vrai dire, elle devrait perdre du poids pour être dans cette scène. On pouvait facilement pincer un centimètre, ou deux ou trois, de peau sur son corps tout entier. Même sur son front.

Se tenir la main, ça passait. Ses mains n'étaient pas trop gênantes. Et l'embrasser, ça passait aussi parce que des lèvres pulpeuses, c'était quand même pas mal – et aussi parce que Park fermait les yeux en général.

Mais il n'y avait pas un centimètre carré de son buste qui soit sauf. Il n'y avait pas un seul endroit d'elle, de son cou à ses pieds, qui soit doté d'une infrastructure visible.

À la seconde où Park avait touché sa taille, elle avait rentré le ventre et s'était penchée en avant. Ce qui avait provoqué les dommages collatéraux... Ce qui lui donnait l'impression d'être Godzilla. (Mais même Godzilla n'était pas gros. Il était juste gigantesque.)

Le plus fou dans tout ça, c'est qu'Eleanor avait envie que Park la touche encore. Elle avait envie qu'il n'arrête pas de la toucher. Même si Park devait finalement se rendre compte qu'elle ressemblait bien trop à un morse pour être sa copine... C'est dire si cette sensation était *agréable*. Elle était comme un chien qui avait goûté au sang des hommes et qui ne pouvait plus s'empêcher de mordre. Un morse qui aurait pris goût au sang humain.

40

eleanor

Park voulait qu'Eleanor surveille ses livres, surtout après la gym.

— Parce que si c'est Tina (elle voyait bien qu'il n'y croyait toujours pas), il faut que tu en parles à quelqu'un.

— À qui ?

Ils étaient assis dans sa chambre, adossés au montant du lit. Ils essayaient de faire comme s'il n'avait pas son bras autour de ses épaules pour la première fois depuis qu'elle avait écrasé ses cassettes. Enfin à peine, pas tout à fait autour d'elle.

— Tu pourrais le dire à Mme Dunne. Elle t'aime bien.

— D'accord, alors j'en parle à Mme Dunne, et je lui montre un de ces trucs horribles que Tina a écrits en faisant des fautes sur mes livres, et alors elle va me demander : « Comment tu sais que Tina a écrit ça ? » Elle sera aussi sceptique que toi, mais l'histoire d'amour compliquée en moins...

— Il n'y a aucune histoire d'amour compliquée, a fait Park.

— Tu l'as embrassée ?

Eleanor n'avait pas l'intention de lui demander ça. Enfin pas tout haut. C'était comme si elle lui avait posé la question tellement de fois dans sa tête que ça avait débordé.

— Mme Dunne ? Non. Mais elle m'a pris très souvent dans ses bras.

— Tu sais très bien ce que je veux dire... Est-ce que tu l'as embrassée ?

Elle était certaine qu'il l'avait embrassée. Elle était certaine qu'ils avaient fait d'autres trucs aussi. Tina était tellement fine, Park pouvait probablement passer ses bras autour d'elle et joindre ses deux mains autour de sa taille.

— Je n'ai pas envie d'en parler.

— Parce que c'est vrai ?

— Ça ne compte pas.

— Bien sûr que si. C'était ton premier baiser ?

— Ouais. Et c'est une des raisons pour laquelle ça ne compte pas. C'était comme un entraînement.

— C'est quoi les autres raisons ?

— C'était Tina, j'avais douze ans, je n'étais même pas encore attiré par les filles à l'époque...

— Mais tu t'en souviendras toujours. C'était ton premier baiser.

— Je me souviendrai que ça n'avait pas d'importance.

Eleanor aurait aimé laisser tomber ; les voix les plus dignes de confiance dans sa tête s'écriaient : « Laisse tomber ! »

— Mais... comment as-tu pu l'embrasser, elle ?

— J'avais douze ans.

— Mais elle est horrible.

— Elle avait douze ans aussi.

— Mais... comment as-tu pu l'embrasser elle et m'embrasser moi après ?

— Je ne savais même pas que tu existais.

Le bras de Park est entré en contact, pleinement, avec sa taille. Il s'est appuyé contre elle, et d'instinct elle s'est redressée, pour rentrer son ventre.

— Tina et moi on est aux antipodes... Comment tu peux nous aimer toutes les deux ? Est-ce qu'un traumatisme crânien a changé ta vie au collège ?

Park a passé son autre bras autour d'elle.

— S'il te plaît. Écoute-moi. C'était rien. Ça ne compte pas.

— Si, ça compte, a murmuré Eleanor.

Maintenant qu'il avait ses bras autour d'elle, il n'y avait pratiquement plus d'espace entre eux.

— Parce que tu es la première personne que j'aie jamais embrassée. Et ça, ça compte.

Il a appuyé son front contre le sien. Elle ne savait pas quoi faire de ses mains ni de ses yeux.

— Rien avant toi ne compte. Et je ne peux même pas imaginer un après.

Elle a secoué la tête :

— Arrête.

— Arrête quoi ?

— Ne parle pas d'après.

— Je voulais juste dire que… j'ai aussi envie d'être la dernière personne que tu embrasses… Ça n'a pas l'air terrible dit comme ça, ça fait un peu menace de mort ou quoi. Mais ce que j'essaie de dire c'est que, tu es tout pour moi. Voilà, c'est bon, j'ai trouvé.

— *Arrête.*

Elle ne voulait pas qu'il parle comme ça. Elle voulait le repousser, mais pas trop loin.

— Eleanor…

— Je ne veux pas penser à un après.

— C'est ce que je dis, peut-être qu'il n'y en aura pas.

— Bien sûr que si.

Elle a posé les mains sur son torse, pour pouvoir le repousser au cas où.

— Je veux dire… Punaise, bien sûr qu'il y en aura un. C'est pas comme si on allait se marier, Park.

— Pas maintenant.

— Arrête.

Elle a essayé de lever les yeux au ciel en disant ça, mais ça faisait mal.

— Je ne suis pas en train de te faire une demande en mariage. Je dis juste que... Je t'aime. Et je n'arrive pas à imaginer que j'arrêterai un jour.

Elle a secoué la tête :

— Mais tu as douze ans.

— J'ai seize ans. Bono avait quinze ans quand il a rencontré sa femme, et Robert Smith quatorze...

— Roméo, mon doux Roméo...

— Ça n'a rien à voir, Eleanor, et tu le sais très bien.

Les bras de Park était serrés autour d'elle. Il avait pris un ton très sérieux.

— Il n'y a aucune raison de penser qu'on arrêtera de s'aimer. Et toutes les raisons de penser le contraire.

« Je n'ai jamais dit que je t'aimais », songea Eleanor.

Et même après qu'il l'a embrassée, elle a gardé les mains sur son torse.

Bon. Bref. Park voulait qu'elle surveille ses livres. Surtout après la gym. Alors maintenant Eleanor attendait que tout le monde se change et quitte le vestiaire avant d'examiner attentivement ses livres à la recherche d'un détail suspicieux.

C'était quasi chirurgical.

DeNice et Beebi attendaient avec elle. Ce qui signifiait qu'elles arrivaient parfois en retard au déjeuner, mais ça signifiait aussi qu'elles pouvaient se changer dans une relative intimité, chose à laquelle elles auraient dû penser des mois plus tôt.

Il n'y avait apparemment rien de pervers écrit sur ses livres aujourd'hui. De fait, Tina l'avait ignorée tout au long du cours. Même ses sbires (même cette brute d'Annette) semblaient être passés à autre chose.

— Je crois qu'elles sont à court de blagues sur mes cheveux, a lancé Eleanor a DeNice tout en examinant son livre d'algèbre.

— Elles pourraient t'appeler Ronald McDonald. Est-ce qu'elles t'ont déjà appelée comme ça ?

— Dans le genre mascotte de fast-food, y a Wendy aussi, a fait Beebi en baissant la voix et en fredonnant le jingle de la pub.

Eleanor a balayé le vestiaire du regard.

— La ferme. Bande de cruches.

— Y a plus personne, a dit DeNice. Tout le monde est parti. Elles sont toutes à la cafétéria, en train de bouffer mes Macho Nachos. Dépêche-toi, frangine.

— Vas-y, a répondu Eleanor. Prends-nous une place dans la file. Je dois me changer.

— D'accord, mais arrête de regarder ces livres. Tu l'as dit toi-même, il n'y a rien là-dessus. Viens, Beebi.

Eleanor a commencé à ranger ses livres. Elle a entendu Beebi chantonner le jingle de la pub Wendy depuis le seuil du vestiaire. Quelle cloche. Eleanor a ouvert son casier.

Il était vide.

Hmm.

Elle a essayé le casier du dessus. Rien. Et rien dans celui du dessous non plus. « Oh ! non... »

Eleanor a recommencé, ouvrant tous les casiers au mur, puis elle est passée à l'autre mur, en essayant de ne pas paniquer. Peut-être qu'elles avaient simplement changé ses vêtements de place. « Ha ha. Trop drôle. Trop bien ta blague, Tina. »

— Qu'est-ce que tu fabriques ? lui a demandé Mme Burt.

— Je cherche mes vêtements.

— Tu devrais prendre le même casier tout le temps, c'est plus facile de s'en souvenir.

— Non, quelqu'un... Je pense que quelqu'un les as pris.

— Ces petites salopes, a soupiré la prof, comme si la pire corvée au monde venait de lui être assignée.

Mme Burt s'est mise à inspecter les casiers de l'autre côté du vestiaire. Eleanor a vérifié la poubelle et les douches. Puis Mme Burt l'a appelée depuis les toilettes :

— Je les ai ! Trouvés !

Eleanor est entrée dans les W.-C. Le sol était trempé, et sa prof se tenait au-dessus d'une cuvette.

— Je vais chercher un sac, a-t-elle dit en passant devant Eleanor.

Eleanor a baissé les yeux. Même si elle savait déjà ce qu'elle y verrait, ça lui faisait quand même l'effet d'une bonne claque dans la gueule. Son jean neuf et sa chemise de cow-boy formaient un bouchon foncé dans la cuvette, et ses chaussures étaient coincées sous la lunette. Quelqu'un avait tiré la chasse, et l'eau débordait en continu. Eleanor l'a regardée couler.

Mme Burt lui a tendu un sac jaune Food 4 Less :

— Tiens. Repêche-les.

— Je n'en veux pas, a soufflé Eleanor en faisant un pas en arrière.

Elle ne pouvait plus les porter. Tout le monde saurait que ces vêtements étaient ceux qui avaient baigné dans les chiottes.

— Eh bien, on ne peut pas les laisser là. Repêche-les.

Eleanor fixait ses vêtements.

— Allez.

Elle a plongé le bras dans la cuvette et senti les larmes rouler sur ses joues. Mme Burt lui tenait le sac ouvert.

— Il faut que tu arrêtes de les laisser te faire du mal, tu sais. Tu ne fais que les encourager.

« Ouais, merci », a songé Eleanor en essorant son jean au-dessus des toilettes. Elle voulait s'essuyer les yeux mais ses mains étaient trempées.

La prof lui a confié le sac.

— Viens, je vais t'écrire un mot d'excuse.

— Pourquoi ?

— Pour aller chez ta conseillère.

Eleanor a pris une grande inspiration.

— Je ne peux pas me balader dans les couloirs comme ça.

— Qu'est-ce que tu veux que je fasse, Eleanor ?

C'était manifestement une question rhétorique ; Mme Burt ne la regardait même pas. Eleanor l'a suivie jusqu'au bureau des coachs et a attendu son mot.

Dès qu'elle s'est retrouvée dans le couloir, les larmes ont redoublé. Elle ne pouvait pas déambuler dans le lycée comme ça, en *tenue de gym*. Devant les garçons... Et devant tout le monde. Devant Tina. Punaise, Tina était probablement en train de vendre des places pour ce grand spectacle à la sortie de la cafétéria. Eleanor en était incapable. Pas comme ça.

Sa tenue de gym n'était pas seulement atroce. (En polyester, un une-pièce rouge à bandes blanches avec une fermeture Éclair blanche très longue.)

Elle était aussi *extrêmement* moulante.

Le short couvrait à peine ses sous-vêtements, et le haut lui serrait tellement la poitrine que les coutures étaient prêtes à lâcher au niveau des aisselles.

On aurait dit une tragédie ambulante dans cette tenue de gym. Un carambolage.

D'autres élèves arrivaient déjà pour le cours suivant. Quelques filles de première année ont regardé Eleanor, puis se sont mises à chuchoter. Son sac dégoulinait.

Avant de comprendre tout à fait à ce qu'elle faisait, Eleanor s'est engagée dans la mauvaise direction au bout du couloir, vers la porte qui menait au terrain de football. Elle faisait comme si elle était *censée* sortir de ce bâtiment au milieu de la journée, comme si elle était en mission pleurniche-à-moitié-à-poil-avec-un-sac-qui-dégouline.

La porte a cliqueté en se refermant, et Eleanor s'est laissée glisser contre le battant. Elle a craqué. Rien qu'une minute. Punaise. Punaise.

Il y avait une poubelle juste à côté de la porte, alors elle s'est levée et elle a balancé le sac Food 4 Less dedans. Elle s'est essuyé les yeux avec la manche de son survêtement.

« OK, ressaisis-toi, s'est-elle ordonné en prenant une grande inspiration, ne les laisse pas te faire du mal. » C'était son jean neuf dans la poubelle. Et ses chaussures préférées. Ses Vans. Elle s'est approchée de la poubelle et elle a secoué la tête en repêchant le sac. « Va te faire foutre, Tina. Je t'emmerde, Tina. Je t'emmerde bien profond. »

Elle a pris une autre grande inspiration et elle s'est remise en route.

Il n'y avait pas de salles de classe de ce côté du lycée, alors au moins, personne ne pouvait la voir. Elle rasait les murs, et quand elle a tourné à l'angle, elle s'est faufilée tête baissée sous l'enfilade de fenêtres. L'idée de rentrer chez elle lui a traversé l'esprit, mais ça ne ferait qu'empirer les choses. Ça ferait durer le supplice en tout cas.

Si elle parvenait à atteindre ne serait-ce que l'entrée principale, les bureaux des conseillers se trouvaient juste là. Mme Dunne l'aiderait. Mme Dunne lui dirait de ne pas pleurer.

Le type de la sécurité à l'entrée a fait comme si le ballet de filles en tenue de gym était son lot quotidien. Il a jeté un œil au mot d'Eleanor et lui a fait signe d'entrer.

« J'y suis presque, songea-t-elle. Ne cours pas, plus que quelques portes... »

Elle aurait dû se préparer à ce que Park ouvre l'une d'entre elles.

Depuis le premier jour, Eleanor tombait toujours sur lui là où elle s'y attendait le moins. Comme si leurs vies étaient des lignes qui s'entrecroisaient, comme si elles avaient leur propre centre de gravité. D'habitude, ce genre d'heureux hasard lui apparaissait comme la chose la plus chouette que l'univers ait fait pour elle.

Park est sorti d'une salle au bout du couloir et il s'est immobilisé dès qu'il l'a aperçue. Elle a tenté d'éviter son regard, mais elle ne l'a pas fait assez tôt. Park est devenu tout rouge. Il l'a fixée. Elle a tiré sur son short et a trébuché en courant pour parcourir les derniers mètres qui la séparaient des bureaux des conseillers.

— Tu n'es pas obligée d'y retourner, lui a dit sa mère après avoir entendu toute l'histoire. (Presque toute l'histoire.)

L'espace d'une seconde, Eleanor s'est demandé ce qu'elle ferait si elle n'allait plus à l'école. Rester ici toute la journée ? Et ensuite ?

Elle l'a rassurée :

— C'est bon.

Mme Dunne l'avait reconduite chez elle dans sa propre voiture, et lui avait promis de lui apporter un cadenas pour son casier en gym.

Sa mère a jeté le sac en plastique jaune dans la baignoire et elle s'est mise à rincer ses vêtements en fronçant le nez, même si ça ne sentait pas.

— Les filles sont tellement méchantes entre elles... Heureusement que tu as une amie à qui tu peux faire confiance.

Eleanor a dû avoir l'air perplexe.

— Tina, a repris sa mère. Tu as de la chance d'avoir Tina.

Eleanor a acquiescé.

Elle est restée chez elle ce soir-là. Même si c'était vendredi, et c'était soirée film et pop-corn dans une vraie machine à pop-corn le vendredi chez Park.

Elle était incapable d'affronter son regard.

Tout ce qu'elle verrait serait l'expression qu'il avait eue dans le couloir. Elle aurait l'impression d'être toujours plantée là-bas en tenue de gym.

41

park

Park est allé se coucher de bonne heure. Sa mère n'arrêtait pas de le cuisiner à propos d'Eleanor.

— Eleanor elle est où ? Elle en retard ? Vous disputés ?

Chaque fois qu'elle prononçait le nom d'Eleanor, il se sentait rougir.

— Je sais quelque chose pas normal, lui a-t-elle dit à table. Vous êtes disputés ? Vous êtes séparés encore ?

— Non. Je crois qu'elle est rentrée parce qu'elle était malade. Elle n'était pas dans le bus.

Josh a lancé :

— J'ai une copine maintenant, elle peut venir ici aussi ?

— Pas de copine, s'est récriée leur mère. Trop jeune.

— Je vais bientôt avoir treize ans !

— Très bien, a fait leur père, ta copine peut venir. Si tu acceptes de te passer de ta Nintendo.

— Quoi ?

Josh n'en croyait pas ses oreilles.

— Pourquoi ?

— Parce que je te le demande. Marché conclu ?

— Non ! Pas moyen. Est-ce que Park doit aussi renoncer à la Nintendo ?

— Ouais. Est-ce que tu es d'accord, Park ?

— Très bien.

— Je suis comme Billy Jack, a souri leur père, je suis un guerrier et un chaman.

Ce n'était pas une conversation à proprement parler, mais son père lui avait dit plus de choses ce soir que ces dernières semaines. Peut-être qu'il s'était attendu à ce que tout le voisinage envahisse la maison armé de torches et de fourches à la vue de Park portant de l'eye-liner...

Sauf que personne n'avait relevé. Même pas ses grands-parents. (Sa grand-mère disait qu'il ressemblait à Rudolph Valentino, et il avait entendu son grand-père dire à son père : « Si t'avais vu la tête des gosses quand t'étais en Corée. »)

Park s'est levé de table.

— Je vais me coucher. Je ne me sens pas très bien non plus.

— Si Park n'a plus le droit de jouer à la Nintendo, a demandé Josh, je peux l'installer dans ma chambre ?

— Park peut jouer à la Nintendo quand il veut, a dit leur père.

— Pff, c'est vraiment pas juste.

Park a éteint la lumière et il est monté sur son lit à quatre pattes. Il s'est allongé sur le dos parce qu'il se méfiait de son ventre. Et de ses mains, à vrai dire. Et de sa tête.

Après avoir vu Eleanor aujourd'hui, il lui avait fallu au moins une bonne heure avant de se demander pourquoi elle déambulait dans le couloir en tenue de gym. Et il a mis encore une heure avant de comprendre qu'il aurait dû lui dire quelque chose. Il aurait pu lui dire « Salut » ou « Qu'est-ce qui se passe ? » ou « Ça va ? » Au lieu de ça, il l'avait dévisagée comme s'il ne l'avait jamais vue de sa vie.

Parce qu'il avait eu la sensation qu'il ne l'avait jamais vue avant.

Ce n'était pas comme s'il n'avait jamais (beaucoup) pensé à Eleanor sous ses vêtements. Mais il n'avait jamais pu « remplir les blancs». Les seules femmes qu'il parvenait véritablement à se représenter nues était les femmes dans les magazines que son père voulait bien planquer sous son lit de temps à autre.

Ce genre de magazines mettaient Eleanor hors d'elle. Il suffisait d'évoquer le nom de Hugh Hefner, et c'était parti pour un laïus d'une demi-heure sur la prostitution et l'esclavage et la chute de Rome. Park s'était bien gardé de lui parler des *Playboy* vieux de vingt ans de son père, mais il n'y avait pas touché depuis qu'il l'avait rencontrée.

Il pouvait remplir quelques blancs maintenant. Il pouvait se représenter Eleanor. Il ne pouvait pas *s'arrêter* de l'imaginer. Pourquoi n'avait-il jamais remarqué que ces tenues de gym étaient super moulantes ? Et super courtes...

Et pourquoi n'avait-il jamais remarqué qu'elle était déjà très mûre ? Qu'elle avait autant d'espace négatif ?

Il a fermé les yeux et il l'a revue. Un faisceau de taches de rousseur en forme de cœur, la perfection d'un cône de crème glacé Dairy Queen. Comme une Betty Boop aux traits plus appuyés.

« Salut, songea-t-il de nouveau à lui dire. Qu'est-ce qui se passe ? Ça va ? »

Ça ne devait pas aller très fort. Elle n'était pas dans le bus à la sortie du lycée. Elle n'était pas venue après les cours. Et demain c'était samedi. Est-ce qu'il ne la reverrait pas de tout le week-end ?

Comment pourrait-il la regarder maintenant ? Il n'y arriverait pas. Pas sans l'imaginer dans ce petit survêtement de gym. Pas sans penser à cette longue fermeture Éclair blanche.

« Punaise. »

42

park

Ils avaient prévu d'aller au salon nautique en famille le lendemain, puis de déjeuner dehors, et peut-être de faire un tour au centre commercial...

Park a lambiné au petit déjeuner et sous la douche.

— Allez, Park, lui a lancé son père sèchement, va t'habiller et te maquiller.

Comme s'il allait mettre du mascara pour le salon nautique.

— Dépêche-toi, a ajouté sa mère en vérifiant son rouge à lèvres dans le miroir de l'entrée, tu sais ton père déteste quand beaucoup monde.

— Je suis obligé de venir ?

— Tu ne veux pas venir ?

Elle a redonné du volume à ses cheveux dans sa nuque.

— Si, bien sûr, a répondu Park.

Il n'en avait pas envie.

— Mais si Eleanor vient ici ? Je ne veux pas louper une occasion de lui parler.

— Quelque chose va pas ? Tu es sûr vous êtes pas disputés ?

— Non, on ne s'est pas disputés. Je me fais juste... du souci pour elle. Et tu sais que je ne peux pas l'appeler.

Sa mère s'est détournée du miroir. Elle a froncé les sourcils et a soufflé :

— D'accord… Tu restes. Mais tu passes aspirateur, OK ? Et tu ranges tas vêtements noirs par terre dans ta chambre.

— Merci.

Park a pris sa mère dans ses bras.

— Park ! Mindy ! a lancé son père depuis la porte d'entrée. On y va !

— Park reste ici. On y va.

Son père lui a lancé un regard furtif, mais il n'a pas discuté.

Park n'avait pas l'habitude d'être seul à la maison. Il a passé l'aspirateur. Il a rangé ses vêtements. Il s'est fait un sandwich et il a regardé un bout de l'intégrale des *Branchés débranchés* sur MTV, puis il s'est endormi sur le canapé.

Quand on a sonné à la porte, il s'est levé brusquement pour aller ouvrir avant même d'être tout à fait réveillé. Son cœur tambourinait dans sa poitrine, comme souvent quand on dort trop longtemps au milieu de la journée et qu'on reste à moitié endormi.

Il était sûr que c'était Eleanor. Il a ouvert la porte sans même vérifier.

eleanor

Leur voiture n'était pas dans l'allée, alors Eleanor s'est dit qu'il n'y avait personne. Ils étaient probablement partis faire ces trucs super qu'on fait en famille. Déjeuner chez Bonanza et tirage de portrait en pulls assortis.

Elle avait déjà renoncé lorsqu'il a ouvert la porte. Et avant qu'elle ait le temps de se sentir gênée ou mal à l'aise à cause de la veille, ou même de prétendre le contraire,

Park a ouvert la moustiquaire et l'a tirée à l'intérieur par la manche de sa chemise.

Il n'avait pas refermé la porte qu'il avait déjà ses bras autour d'elle, en entier, jusque dans le bas de son dos.

D'habitude, Park posait une main sur sa taille, comme s'ils dansaient un slow. Mais là ça n'avait rien à voir. Là c'était... autre chose. Il avait les bras autour d'elle, et le visage dans ses cheveux, et le reste d'elle n'avait pas d'autre choix que de se coller contre lui.

Il était tout chaud... Tout chaud et tout doux, et un peu dans les vapes. Comme un bébé endormi, se dit-elle. (Presque. Mais pas tout à fait.)

Elle a essayé de se sentir gênée à nouveau.

Park a fermé la porte d'un coup de pied avant de s'y adosser, pour l'attirer encore plus près de lui. Ses cheveux étaient propres et raides et ils lui tombaient dans les yeux, et ses yeux étaient mi-clos. Doux. Et dans les vapes.

— Tu dormais ? a murmuré Eleanor, comme si c'était encore le cas.

Il ne lui a pas répondu, mais sa bouche s'est retrouvée sur la sienne, et elle a laissé tomber sa tête dans la main de Park. Il la tenait si près qu'il n'y avait nulle part où se cacher. Impossible de s'asseoir bien droite ou de rentrer quoi que ce soit ou de faire des cachotteries.

Park a gémi et ça a vibré dans sa gorge à elle. Elle sentait ses dix doigts. Sur son cou, dans son dos... Ses mains à elle pendaient stupidement le long de son corps. Comme si elles ne vivaient pas la même scène. Comme si *elle* ne vivait pas la même scène que lui.

Park a dû s'en rendre compte parce qu'il a décollé sa bouche. Il a essayé de l'essuyer sur l'épaule de son tee-shirt, et il l'a regardée comme si c'était la première fois qu'il la voyait vraiment depuis qu'elle était arrivée ici.

— Hé..., a-t-il murmuré en prenant une grande inspiration pour reprendre ses esprits. Qu'est-ce qui se passe ? Tu vas bien ?

Eleanor a observé le visage de Park, si plein de quelque chose qu'elle n'arrivait pas à définir. Le menton était légèrement en avant, comme si la bouche de Park ne voulait plus se détacher d'elle, et puis ses yeux étaient tellement verts qu'ils auraient pu changer le dioxyde de carbone en oxygène.

Il touchait tous les endroits où elle craignait qu'on ne la touche...

Eleanor a essayé une dernière fois de se sentir gênée.

park

L'espace d'une seconde, il s'est dit qu'il était allé trop loin.

Ce n'était pas son intention, il n'était pas encore tout à fait réveillé. Et il pensait à Eleanor, il avait rêvé d'elle pendant tellement d'heures ; son désir pour elle le rendait débile.

Elle était tout à fait immobile dans ses bras. Il s'est dit l'espace d'une seconde qu'il était allé trop loin, qu'il avait actionné une bombe à retardement.

Et puis Eleanor l'a touché. Elle a touché son cou.

C'était difficile de dire pourquoi c'était différent de toutes les autres fois qu'elle l'avait touché. *Elle* était différente. Elle était immobile et puis elle ne l'était plus.

Elle a caressé son cou, puis elle est descendue jusqu'à son torse. Park aurait aimé être plus grand et plus large ; il espérait qu'elle ne s'arrêterait pas.

Elle était tellement douce comparée à lui. Peut-être qu'elle n'avait pas envie de lui autant qu'il avait envie d'elle. Mais si elle avait envie de lui ne serait-ce qu'à moitié...

eleanor

C'est comme ça qu'elle le touchait dans sa tête.

De sa mâchoire à son cou à son épaule.

Il était tellement plus chaud que ce qu'elle s'était imaginé, et plus dur. Comme si tous ses muscles et ses os affleuraient à la surface. Comme si son cœur battait juste sous son tee-shirt.

Elle a touché Park avec douceur et délicatesse, juste au cas où elle le toucherait mal.

park

Il s'est laissé tomber contre la porte.

Il a senti la main d'Eleanor sur sa gorge, sur son torse, puis il a pris son autre main et il l'a appuyée contre son visage. Il a gémi comme s'il était blessé et il a décidé qu'il s'en ferait pour ça plus tard.

S'il commençait à faire son timide maintenant, il n'obtiendrait rien de ce qu'il voulait.

eleanor

Park était vivant, et elle était éveillée, et c'était permis.

Il était à elle.

À prendre et à chérir. Pas pour toujours, peut-être – pas pour toujours, certainement – et pas au sens figuratif. Mais littéralement. Et maintenant. Maintenant, il était à elle. Et il voulait qu'elle le touche. On aurait dit un chat qui frotte sa tête sous vos doigts.

Eleanor a fait glisser ses mains sur le torse de Park, les doigts écartés, puis elle les a remontées sous son tee-shirt.

Elle l'a fait parce qu'elle en avait envie. Et parce qu'une fois qu'elle a commencé à le toucher comme elle l'avait imaginé, c'était difficile d'arrêter. Et elle l'a fait aussi parce que… et si elle n'avait jamais plus la chance de le toucher comme ça ?

park

Lorsqu'il a senti les doigts d'Eleanor sur son ventre, il a fait ce son à nouveau. Il l'a serrée contre lui, penché en avant, et l'a poussée en arrière, trébuchant autour de la table basse jusqu'au canapé.

Dans les films, ça se passait sans heurt ou d'une manière comique. Dans le salon de Park, c'était simplement maladroit. Ils ne voulaient pas se lâcher, alors Eleanor est tombée à la renverse, et Park est tombé sur elle au bout du canapé.

Il voulait la regarder droit dans les yeux, mais c'était compliqué quand ils étaient si proches.

— Eleanor,… a murmuré Park.

Elle a acquiescé.

— Je t'aime.

Elle a levé les yeux vers lui, brillants et noirs, puis elle a regardé ailleurs.

— Je sais.

Il a enlevé son bras pris en dessous d'elle et il a dessiné sa silhouette contre le canapé. Il aurait pu passer la journée comme ça, à faire courir sa main le long de ses côtes, jusqu'à sa taille, puis vers sa hanche et ainsi de suite… S'il avait toute la journée, il le ferait. Si elle n'était pas faite de tant d'autres miracles.

— Tu sais ? a répété Park.

Elle a souri, alors il l'a embrassée.

— Tu n'es pas Han Solo dans cette relation, tu sais.

— Je suis complètement Han Solo, a murmuré Eleanor.

C'était bon de l'entendre. C'était bon de se souvenir que c'était bien Eleanor sous cette chair nouvelle.

— En tout cas, je ne suis pas Princesse Leia, rétorqua-t-il.

— Fais pas une fixette sur la question du genre.

Park a fait courir sa main jusqu'à la hanche d'Eleanor et il est revenu en sens inverse, se prenant le pouce dans son pull. Elle a dégluti et levé le menton.

Il a relevé son pull un peu plus haut, et puis, sans même savoir pourquoi, il a relevé son tee-shirt aussi, et plaqué son ventre nu contre le sien.

Le visage d'Eleanor s'est décomposé, et ça l'a fait sortir de ses gonds.

— Tu peux être Han Solo si tu veux, dit-il en l'embrassant dans le cou. Moi je serai Boba Fett. Je traverserai l'univers pour toi.

eleanor

Les choses qu'elle savait maintenant, qu'elle ignorait deux heures auparavant :

- Park était couvert de peau. Partout. Dorée comme le miel et aussi douce que celle de ses mains. Elle semblait plus épaisse et plus riche par endroits, plus proche du velours que de la soie. Mais toute cette peau était la sienne. Et en tout point merveilleuse.
- Elle aussi était couverte de peau. Et sa peau était visiblement hérissée de terminaisons nerveuses supersensibles qui n'avaient jamais rien fait de toute son existence, mais étaient venues à la vie comme la glace, le feu et les piqûres d'abeilles, à la seconde où Park avait posé les mains sur elle.
- Aussi gênée qu'elle était par son ventre, ses taches de rousseur et le fait que son soutien-gorge soit rafistolé

avec deux épingles à nourrice, son envie que Park la touche dépassait tout sentiment de gêne. Et quand il la touchait, il ne semblait se soucier d'aucune de ces choses. Il en aimait certaines, même. Comme ses taches de rousseur. Il lui avait dit qu'elle ressemblait à un gâteau saupoudré de bonbons vermicelles.

- Elle voulait qu'il la touche partout.
  Il s'était arrêté à la frontière de son soutien-gorge et il s'était contenté de glisser ses doigts à l'arrière de son jean ; mais ce n'était pas Eleanor qui l'avait arrêté. Elle ne ferait jamais ça. Quand Park posait les mains sur elle, ça lui procurait la sensation la plus agréable qu'elle ait jamais vécue de toute sa vie. Jamais. Et elle voulait ressentir ça autant que possible. Elle voulait faire des réserves de lui.
- Rien de tout ça n'était sale. Avec Park.
  Rien ne pouvait être honteux.
  Parce que Park était le soleil, et c'était la seule manière dont Eleanor arrivait à l'expliquer.

park

Quand il a commencé à faire noir, il a eu l'impression que ses parents pouvaient rentrer d'une minute à l'autre, qu'ils auraient déjà dû être rentrés depuis longtemps ; et il ne voulait pas qu'ils tombent sur lui comme ça, avec son genou entre les jambes d'Eleanor et la main sur sa hanche et la bouche aussi loin que possible dans l'encolure de son pull.

Il s'est redressé pour tenter de reprendre ses esprits.

— Tu vas où ? lui a demandé Eleanor.

— Je ne sais pas. Nulle part... Mes parents ne vont pas tarder à rentrer, on devrait se calmer.

— D'accord, a-t-elle soufflé en s'asseyant.

Mais elle avait l'air tellement retournée et paraissait si belle qu'il s'est remis sur elle avant de la pousser à la renverse dans le canapé.

Une demi-heure plus tard, il a réessayé. Il s'est levé cette fois.

— Je vais à la salle de bains.

— Va. Et ne te retourne pas.

Il a fait un pas, et il s'est retourné.

— J'y vais, a dit Eleanor cinq minutes plus tard.

Pendant ce temps, Park a monté le son de la télé. Il est allé chercher du Coca et il a inspecté le canapé pour voir s'il avait l'air illicite. Mais non.

— Tu t'es débarbouillée ?

— Ouais...

— Pourquoi ?

— Parce que j'avais une tête bizarre.

— Et tu pensais que ça partirait au lavage ?

Il l'a regardée de la tête aux pieds comme tout à l'heure sur le canapé. Ses lèvres étaient gonflées, et son regard plus sauvage que d'habitude. Mais ses vêtements avaient toujours l'air aussi distendus et ses cheveux hirsutes.

— T'as une tête normale, a fait Park. Et moi ?

Elle l'a regardé, et puis elle a souri.

— Tu es bien. Super bien.

Il a tendu la main vers elle, et l'a attirée sur le canapé. Doucement, cette fois.

Elle s'est assise à côté de lui et elle a baissé les yeux sur ses genoux.

Park s'est penchée contre elle.

— Ça ne va pas être bizarre entre nous maintenant, pas vrai ?

Elle a secoué la tête et elle a ri.

— Non, a soufflé Eleanor, avant de marquer une courte pause. Juste une minute, juste un peu.

Il n'avait jamais vu son visage si ouvert. Ses sourcils n'étaient pas joints, son nez n'était pas plissé. Il a passé un bras autour d'elle, et sans qu'il l'y invite, elle a posé la tête contre son torse.

— Hé, regarde, *Les Branchés débranchés*.

— Ouais... Hé. Tu ne m'as toujours pas dit ; qu'est-ce qui s'est passé hier ? Quand je t'ai vue ? C'était quoi le problème ?

Elle a soupiré.

— J'allais au bureau de Mme Dunne parce que quelqu'un m'a pris mes vêtements en gym.

— Tina ?

— Je ne sais pas, probablement.

— Punaise... c'est dégueulasse.

— Ça va.

Elle avait l'air sincère.

— Tu les as retrouvés ? Tes vêtements ?

— Ouais... Je n'ai absolument pas du tout envie de parler de ça.

— D'accord.

Elle a pressé la joue contre son torse, et il l'a serrée dans ses bras. Si seulement ils pouvaient passer leur vie comme ça. Si seulement il pouvait s'interposer physiquement entre Eleanor et le monde.

Peut-être que Tina était vraiment un monstre.

— Park ? Juste un autre truc, enfin, est-ce que je peux te demander quelque chose ?

— Tu sais que tu peux me demander ce que tu veux. On a un marché.

Elle a posé la main sur son cœur.

— Est-ce que... la manière dont tu t'es comporté aujourd'hui a un lien avec le fait de m'avoir vue hier ?

Il était presque tenté de ne pas répondre. L'envie déroutante qui s'était emparée de lui hier lui semblait encore plus déplacée maintenant qu'il connaissait les circonstances atroces de l'événement.

— Ouais, dit-il tout bas.

Eleanor s'est tue pendant une minute ou presque. Et puis...

— Tina aurait tellement les boules de savoir ça.

eleanor

Quand les parents de Park sont rentrés, ils avaient l'air sincèrement contents de la voir. Son père avait acheté un nouveau fusil de chasse au salon nautique, et il s'est mis en tête de montrer à Eleanor comment il fonctionnait.

— On peut acheter des armes au salon nautique ? lui a demandé Eleanor.

— On trouve de tout au salon nautique. Tout ce qu'on aimerait avoir.

— Des livres ?

— Des livres sur les bateaux et les armes.

Elle est restée tard parce que c'était samedi, et sur le chemin du retour, elle et Park se sont arrêtés derrière le garage de ses grands-parents, comme d'habitude.

— Tu crois qu'on pourra encore se retrouver seuls un jour comme ça ? lui a demandé Eleanor.

Elle sentait les larmes monter.

— Un jour ? Oui. Bientôt ? J'en sais rien.

Elle l'a serré aussi fort que possible, et puis elle est rentrée chez elle toute seule.

Richie était à la maison et réveillé et il regardait *Saturday Night Live*. Ben s'était endormi par terre, et Maisie somnolait à côté de Richie sur le canapé.

Eleanor aurait pu aller se coucher directement, mais elle devait passer à la salle de bains d'abord. Ce qui voulait dire se faufiler entre lui et la télé. Deux fois.

Dans la salle de bains, elle s'est attaché les cheveux et s'est débarbouillée à nouveau. Elle est repassée devant la télé en vitesse sans lever les yeux.

— T'étais où ? lui a fait Richie. Où est-ce que tu *vas* tout le temps ?

— Chez ma copine, a soufflé Eleanor en continuant sa route.

— Quelle copine ?

— Tina.

Elle a posé la main sur la porte de la chambre.

— Tina, a répété Richie, une clope au bec et une canette d'Old Milwaukee à la main. Putain, ça doit être Disney Land chez Tina. Tu ne peux plus t'en passer.

Elle a attendu.

— Eleanor ? l'a appelée sa mère depuis sa chambre d'une voix endormie.

Richie lui a lancé :

— Dis-moi, qu'est-ce que t'en as fait de ton argent de Noël ? Je t'avais dit de t'acheter un truc joli.

La porte de la chambre s'est ouverte, et sa mère est sortie. Elle portait la robe de chambre de Richie, celle qu'on trouve dans les boutiques de souvenirs asiatiques, en satin rouge avec un gros tigre criard.

— Eleanor, va te coucher.

— Je demandais à Eleanor ce qu'elle s'était payé avec son argent de Noël.

Si Eleanor inventait quelque chose maintenant, il demanderait à le voir. Si elle disait qu'elle n'avait pas dépensé l'argent, il voudrait peut-être qu'elle le lui rende.

— Un collier.

— Un collier, a répété Richie.

Il l'a regardée d'un air absent, comme s'il cherchait une remarque dégueulasse, mais il s'est contenté de prendre une autre gorgée de bière et il s'est rencogné dans le canapé.

— Bonne nuit, Eleanor, lui a dit sa mère.

43

park

Les parents de Park ne se disputaient presque jamais, et quand ça leur arrivait, c'était toujours à propos de lui ou de Josh.

Ses parents se disputaient dans leur chambre depuis plus d'une heure, et au moment de se mettre en route pour le dîner du dimanche, leur mère est sortie pour leur dire d'y aller sans eux.

— Dites à mamie j'ai la migraine.

— Qu'est-ce que t'as fait ? a demandé Josh à Park tandis qu'ils coupaient par la pelouse.

— Rien. Qu'est-ce que t'as fait *toi* ?

— Rien. C'est toi. Quand je suis allé dans la salle de bains, j'ai entendu maman dire ton nom.

Mais Park n'avait rien fait. Pas depuis l'eye-liner ; la pilule n'était pas encore passée, il le savait, mais c'était en bonne voie. Peut-être que ses parents avaient deviné pour hier...

Quand bien même, Park n'avait rien fait avec Eleanor qui ne lui ait été formellement défendu. Sa mère ne lui avait jamais parlé de ce genre de choses. Et son père s'était contenté de « Fais gaffe de mettre personne en cloque » depuis qu'il avait parlé de sexe avec Park à son entrée au collège. (Il en avait profité pour tout expliquer à Josh aussi, ce qui était insultant compte tenu de la différence d'âge.)

Bref, de toute façon ils n'étaient pas allés *aussi* loin. Il ne l'avait touchée à aucun des endroits qu'il était défendu de montrer à la télévision. Même s'il en avait envie.

Maintenant il se disait qu'il aurait dû. L'occasion de se retrouver seuls ne se représenterait peut-être pas avant des mois.

eleanor

Elle a fait un crochet par le bureau de Mme Dunne lundi matin avant les cours ; elle lui a donné un cadenas à code flambant neuf. Rose fluo.

— On a parlé à des filles de ton cours de gym, mais elles ont fait leurs petites innocentes. On va quand même trouver le fin mot de l'histoire, je te le promets.

« Il n'y a pas de fin mot à cette histoire, s'est dit Eleanor. Il n'y a que Tina. »

— Ça va, c'est pas grave.

Tina l'avait toisée ce matin en montant dans le bus, avec sa langue sur sa lèvre supérieure, comme si elle attendait qu'Eleanor pète un plomb, ou comme si elle essayait de voir si elle portait une de ses fringues souillées dans les toilettes. Mais Park était là, il a attiré Eleanor presque jusque sur ses genoux ; alors c'était facile d'ignorer Tina et tous les autres. Il était tellement mignon ce matin. Au lieu de son habituel tee-shirt de groupe noir et ténébreux, il portait un tee-shirt vert qui disait « Kiss me, I'm Irish ».

Il l'a accompagnée aux bureaux des conseillers, et il lui a dit que si quelqu'un lui volait ses vêtements aujourd'hui, elle devait venir le trouver, immédiatement.

Mais personne n'a rien fait.

Beebi et DeNice avaient appris ce qui s'était passé par une fille dans un de leurs cours, ce qui signifiait que toute l'école savait. Elles ont dit à Eleanor qu'elles ne la laisseraient plus jamais aller à la cafétéria toute seule, et au diable les Macho Nachos.

— Ces traînées doivent savoir que tu as des amies, a fait DeNice.

— Ouais, ouais, a acquiescé Beebi.

park

Sa mère l'attendait dans l'Impala lundi après-midi quand lui et Eleanor sont descendus du bus. Elle a baissé la vitre.

— Salut, Eleanor, désolée, mais Park a courses à faire. On voit toi demain, OK?

— Bien sûr.

Eleanor a lancé un coup d'œil à Park, et il a tendu le bras pour lui serrer la main alors qu'elle rebroussait déjà chemin.

Il est monté dans la voiture.

— Allez, allez, pourquoi tu es toujours aussi lent? Tiens, lui a-t-elle dit en lui tendant un livre. *Manuel de conduite de l'État du Nebraska.* Regarde test à la fin. Maintenant, attache-toi.

— Où est-ce que tu m'emmènes?

— Passer le permis, idiot.

— Est-ce que papa est au courant?

Sa mère conduisait toujours avec un coussin sous les fesses, le nez pratiquement collé au volant.

— Oui, mais pas la peine de parler à lui, d'accord? C'est notre affaire maintenant, toi et moi. Maintenant, regarde test. Pas dur. J'ai eu premier coup.

Park a tourné les pages jusqu'à la fin du livre et il a jeté un œil à l'examen blanc. Il avait étudié le manuel entier à 15 ans, quand il avait eu son permis de conduite accompagnée.

— Est-ce que papa va se fâcher ?
— C'est affaires à qui maintenant ?
— Les nôtres.
— Toi et moi, a répété sa mère.

Park a réussi du premier coup. Il a même fait un créneau avec l'Impala, ce qui revenait à manœuvrer le *Destroyer Stellaire*. Sa mère lui a essuyé les yeux avec un Kleenex avant qu'il passe à la photo.

Elle l'a laissé conduire pour rentrer.

— Donc, si on dit rien à papa, est-ce que ça veut dire que je peux jamais conduire ?

Il voulait emmener Eleanor quelque part. N'importe où.

— Je vais voir je peux faire quoi. En attendant, tu as ton permis si tu as besoin. En cas urgence.

Ce n'était pas une super excuse pour passer son permis. Park avait vécu seize ans sans la moindre urgence automobile.

Le lendemain dans le bus, Eleanor lui a demandé quelle était cette fameuse course secrète, et il lui a tendu son permis.

— Quoi ? Non mais regarde-toi, regarde ça !

Elle ne voulait plus le lui rendre.

— Je n'ai aucune photo de toi, dit-elle.
— Je t'en donnerai une autre.
— Tu ferais ça ? Vraiment ?
— Tu peux prendre une de mes photos du lycée. Ma mère en a des tonnes.
— Faudra que tu écrives quelque chose au dos.
— Du genre ?
— Du genre « Salut, Eleanor, donne de tes nouvelles, t'es comme une sœur pour moi. T'es trop sympa, change pas. »
— Mais je ne t'aime pas comme une sœur. Et puis tu n'es pas sympa.

— Je suis sympa, s'est récriée Eleanor, offensée, sans vouloir lâcher le permis.

— Non… tu es plein d'autres trucs chouettes, dit-il en lui arrachant des mains, mais tu n'es pas sympa.

— Est-ce que c'est là où tu vas me dire que je suis une crapule, et que je dis que je crois que tu m'aimes bien *parce que* je suis une crapule. Parce qu'on en a déjà parlé ; c'est moi, Han Solo.

— Je vais écrire « Pour Eleanor, je t'aime, Park. »

— Punaise, n'écris surtout pas ça, ma mère risque de tomber dessus.

eleanor

Park lui a donné une photo de classe. Elle datait d'octobre, mais il avait l'air tellement différent maintenant. Plus vieux. Au final, Eleanor ne lui avait pas laissé écrire quoi que ce soit au dos, parce qu'elle ne voulait pas qu'il l'abîme.

Ils ont traîné dans sa chambre après le dîner (gratin de Tater Tots) et ils ont réussi à se voler quelques baisers pendant qu'ils regardaient les vieilles photos de classe de Park. Le voir petit garçon lui donnait encore plus envie de l'embrasser. (Dégueu, mais bon. Tant qu'elle n'avait pas envie d'embrasser des petits garçons pour de vrai, elle n'allait pas se faire du souci pour ça.)

Quand Park lui a demandé une photo d'elle, elle était soulagée de ne pas en avoir à lui donner.

— On en prendra une, dit-il.

— Euh… d'accord.

— OK, cool, je vais chercher l'appareil de ma mère.

— Maintenant ?

— Pourquoi pas maintenant ?

Elle n'avait pas de réponse.

Sa mère était aux anges. Une photo nécessitait un Relooking, le Retour, que Park a fort heureusement abrégé :

— Maman, je veux une photo qui ressemble vraiment à Eleanor.

Sa mère a insisté pour les prendre en photo tous les deux aussi, chose qui n'avait pas l'air de déranger Park. Il a passé son bras autour d'elle.

— On ne devrait pas attendre ? a lancé Eleanor. Les vacances ou un événement ?

— Je veux me souvenir de ce soir, a dit Park.

Il était vraiment débile des fois.

Eleanor devait avoir l'air un peu trop heureuse lorsqu'elle est rentrée parce que sa mère l'a suivie dans la maison comme si elle pouvait le sentir sur elle. (Le bonheur sentait comme chez Park. Le savon Avon Skin So Soft et les quatre groupes d'aliments.)

— Tu vas prendre ton bain ?

— Mm-mmh.

— Je surveille la porte.

Eleanor a ouvert le robinet et elle est montée dans la baignoire vide. Il faisait tellement froid près de la porte de derrière que l'eau a commencé à refroidir avant même que la baignoire soit pleine. Eleanor avait l'habitude de faire sa toilette en vitesse, alors elle avait déjà fini à ce stade normalement.

— J'ai croisé Eileen Benson au supermarché aujourd'hui. Tu te souviens d'elle à l'église ?

— Je ne crois pas.

Ils n'avaient pas mis les pieds à l'église depuis trois ans.

— Elle a une fille de ton âge, Tracy.

— Peut-être...

— Eh bien, elle est enceinte. Et Eileen est dévastée. Tracy a commencé à fréquenter un garçon du quartier, un Noir. Le mari d'Eileen est fou de rage.

— Je ne me souviens pas d'eux.

La baignoire était presque assez pleine pour qu'elle se rince les cheveux.

— En tout cas, je me suis dit que j'avais vraiment de la chance.

— De ne pas être sortie avec un Noir ?

— Non. Je parle de toi. J'ai de la chance que tu sois maligne avec les garçons.

— Je suis pas maligne avec les garçons.

Elle s'est rincé les cheveux en vitesse, puis elle s'est levée en se couvrant avec sa serviette pour se rhabiller.

— Tu ne fréquentes pas de garçons. C'est malin.

Eleanor a relevé la bonde et ramassé ses vêtements sales avec précaution. La photo de Park était dans la poche arrière de son pantalon, et elle ne voulait pas la mouiller. Sa mère était debout à côté de la gazinière, à la regarder.

— Plus maligne que je ne l'ai jamais été. Et plus courageuse. Je n'ai jamais été toute seule depuis mes treize ans.

Eleanor a serré son jean contre sa poitrine.

— Tu dis ça comme s'il y avait deux types de filles. Celles qui sont malignes et celles qui plaisent aux garçons.

— Ce n'est pas si éloigné de la vérité, a conclu sa mère en essayant de poser une main sur son épaule.

Eleanor a fait un pas en arrière.

— Tu verras, tu comprendras quand tu seras plus vieille.

Elles ont regardé la fourgonnette de Richie, qui se garait dans l'allée.

Eleanor est passée devant sa mère pour se réfugier dans sa chambre. Ben et Mouse se sont faufilés derrière elle.

Eleanor ne trouvait pas d'endroit suffisamment sûr pour la photo de Park, alors elle l'a glissée dans la poche intérieure de son cartable. Après l'avoir regardée encore et encore et encore.

44

eleanor

Le mercredi soir n'était plus le pire.

Park avait taekwondo, mais Eleanor avait toujours Park, le souvenir de lui, partout. (Tous ces endroits qu'il avait touchés lui semblaient intouchables. Tous ces endroits qu'il avait touchés lui semblait sûrs.)

Richie travaillait tard ce soir-là, alors sa mère a fait des pizzas surgelées Totino's au dîner. Elles devaient être en promotion chez Food 4 Less, parce que le congélateur en était plein.

Ils ont regardé *Les Routes du paradis* en mangeant. Puis Eleanor s'est installée par terre dans le salon avec Maisie, et elles ont essayé d'apprendre *Down Down Baby* à Mouse.

C'était mission impossible. Il se souvenait des paroles de la comptine ou des jeux de mains, mais jamais des deux en même temps. Ça rendait Maisie folle.

— Recommence, n'arrêtait-elle pas de lui dire.

— Viens nous aider, Ben, a fait Eleanor. C'est plus facile à quatre.

Down, down, baby
Down by the roller coaster
Sweet, sweet baby

I'll never let you go
Shimmy, shimmy, cocoa puff,
Shimmy...

— Bong sang, Mouse. Main droite d'abord. *Droite* d'abord. C'est bien. On recommence...

Down, down, baby...

— Mouse !

45

park

— Je n'ai pas envie cuisiner, a dit sa mère.

Ils n'étaient que tous les trois – Park, sa mère et Eleanor – assis sur le canapé à regarder *La Roue de la fortune*. Son père était parti chasser la dinde et il rentrerait tard, et Josh dormait chez un copain.

— Je peux faire chauffer une pizza, a proposé Park.

— Ou alors on peut aller acheter pizza, a fait sa mère.

Park a regardé Eleanor ; il ne savait pas quelles étaient les règles, en matière de sorties. Elle a ouvert grand les yeux, et haussé les épaules.

— Ouais, a lancé Park, tout sourire, on n'a qu'à aller chercher une pizza.

— J'ai la flemme. Toi et Eleanor vous allez chercher.

— Tu veux que je conduise ?

— Bien sûr. Tu as peur ?

Punaise, même sa mère le traitait de tapette maintenant.

— Non, je peux conduire. Tu veux qu'on aille chez Pizza Hut ? On appelle d'abord ?

— Tu vas où tu veux. Je n'ai pas vraiment faim. Vous allez. Vous mangez. Et puis allez au cinéma ou je sais pas quoi.

Lui et Eleanor l'ont dévisagée.

— T'es sûre ?

— Oui, partez. J'ai jamais maison pour moi toute seule.

Elle passait ses journées à la maison, toute seule, mais Park a préféré ne pas le lui faire remarquer. Lui et Eleanor se sont levés du canapé lentement. Comme s'ils s'attendaient à ce que sa mère leur lance « Poisson d'avril ! » avec deux semaines de retard.

— Les clefs sont sur crochet. Donne-moi mon sac.

Elle a sorti vingt dollars de son porte-monnaie, et puis dix de plus.

— Merci, a dit Park, toujours hésitant. J'imagine qu'on va y aller alors ?

— Pas tout suite...

Sa mère a avisé les vêtements d'Eleanor et froncé les sourcils :

— Eleanor pas sortir comme ça.

Elles auraient fait la même taille, elle serait déjà en train de forcer Eleanor à se glisser dans une mini-jupe en jean délavé à l'heure qu'il était.

— Mais c'est ce que j'ai porté toute la journée, s'est défendue Eleanor.

Un pantalon du surplus de l'armée et une chemise d'homme à manches courtes par-dessus une espèce de tee-shirt violet à manches longues. Park trouvait que sa tenue était cool. (Il la trouvait adorable comme ça à vrai dire, mais ce mot-là la ferait vomir.)

— Laisse-moi arranger coiffure, a dit sa mère.

Elle a traîné Eleanor dans la salle de bains et s'est mise à retirer les pinces plates de ses cheveux.

— Détacher, détacher, détacher.

Park s'est appuyé contre le montant de la porte pour les observer.

— C'est bizarre que tu nous regardes comme ça, a soufflé Eleanor.

— C'est pas comme si je n'avais jamais vu maman faire ça avant.

— Park aidera sûrement moi pour coiffure jour du mariage.

Ils ont baissé les yeux tous les deux.

— Je vais t'attendre dans le salon.

En quelques minutes, elle était prête. Ses cheveux étaient parfaits, chaque boucle était brillante et bien en place, et ses lèvres irisées de rose. D'où il était, il savait qu'elles avaient un goût de fraise.

— Bon, a dit sa mère, allez-y. Amusez-vous bien.

Ils ont rejoint l'Impala, et Park lui a ouvert la portière.

— Je peux ouvrir ma porte toute seule.

Et le temps qu'il rejoigne le côté conducteur, Eleanor était penchée au-dessus du siège pour lui ouvrir.

— On va où ?

— Je ne sais pas, dit-elle en s'affalant sur son siège. Est-ce qu'on peut juste sortir de ce quartier ? J'ai l'impression qu'on passe le mur de Berlin.

— Ah. Ouais.

Il a mis le contact et tourné la tête vers elle :

— Tu devrais détacher tes cheveux plus souvent. Tes boucles brillent dans le noir.

— Merci.

— Tu vois ce que je veux dire.

Il s'est engagé vers l'ouest. Il n'y avait rien à l'ouest des Flats à part la rivière.

— Passe pas devant le *Rail*.

— Le quoi ?

— Tourne ici.

— D'accord.

Il a baissé les yeux, elle était accroupie sous le tableau de bord, et il a rigolé.

— C'est pas drôle.

— C'est quand même un peu drôle. Tu es par terre, et j'ai la permission de conduire seulement parce que mon père n'est pas là.

— Ton père veut que tu conduises. Faut juste que tu apprennes à conduire une boîte manuelle.

— Je sais conduire une boîte manuelle.

— Alors c'est quoi le problème ?

— Le problème c'est moi, a soufflé Park, légèrement irrité. Hé, on est sortis du quartier, tu veux bien te rasseoir maintenant ?

— Quand on sera à la 24e Rue.

Elle s'est rassise à la 24e Rue, mais ils n'ont pas prononcé un mot avant d'avoir atteint la 41e.

— On va où ? lui a lancé Eleanor.

— Je ne sais pas.

Il n'en avait aucune idée. Il connaissait la route du lycée et celle du centre-ville, point barre.

— Où est-ce que tu veux aller ?

— Je ne sais pas.

eleanor

Elle avait envie d'aller au carrefour des soupirs qui, pour autant qu'elle le sache, n'existait que dans *Happy Days*.

Et elle n'avait pas envie de demander à Park : « Hé, où est-ce que vous traînez par ici quand vous voulez faire de la buée sur les vitres ? » Parce que, qu'est-ce qu'il penserait d'elle ? Et puis aussi, qu'est-ce qui se passerait s'il avait la réponse ?

Eleanor se faisait vraiment violence pour ne pas s'extasier sur sa conduite, mais chaque fois qu'il changeait de file ou qu'il regardait dans son rétroviseur, elle ne pouvait pas s'empêcher de se pâmer. Ça lui aurait fait le même effet s'il avait allumé une clope ou commandé un scotch avec de la glace, il lui semblait si mûr…

Eleanor n'avait pas son permis d'apprentie. Même sa mère n'avait pas le droit de conduire, alors passer le permis était loin d'être une priorité.

— Est-ce qu'on est obligés d'aller quelque part ?
— Ben, faut bien qu'on aille *quelque part.*
— Mais il faut qu'on fasse un truc ?
— Comment ça ?
— Est-ce qu'on peut pas juste aller quelque part et être ensemble ? Ils vont où les gens quand ils veulent être ensemble ? Et je m'en fous si on ne sort même pas de la voiture...

Il l'a regardée, puis il a fixé la route à nouveau, un brin nerveux.

— D'accord. Ouais. Ouais, laisse-moi juste...

Il s'est arrêté sur un parking pour faire demi-tour.

— On va aller dans le centre.

park

Ils sont sortis de la voiture, finalement. Une fois en ville, Park voulait montrer Drastic Plastic à Eleanor, et l'Antiquarium, et tous les autres magasins de disques. Elle n'avait jamais mis les pieds dans Old Market, qui était le seul quartier *où aller* à Omaha.

Des groupes d'ados traînaient en ville, la plupart d'entre eux avaient l'air encore plus bizarres qu'Eleanor. Park l'a emmenée dans sa pizzeria préférée. Puis son glacier préféré. Et sa troisième boutique de comics préférée.

Il faisait comme s'ils avaient un rencard, et alors il se souvenait que c'était le cas.

eleanor

Park lui a tenu la main toute la soirée, comme si c'était son copain. « Parce que c'est ton copain, idiote », se répétait-elle sans cesse.

Au grand dam de la vendeuse du magasin de disques. Elle avait huit trous à chaque oreille, et elle pensait manifestement que Park était la crème de la crème. La fille a regardé Eleanor d'un air de dire : « Tu te fous de ma gueule ? » Et Eleanor lui a lancé une œillade en retour du genre : « Je sais, c'est dingue, non ? »

Ils ont arpenté toutes les rues autour du vieux marché, et puis se sont dirigés vers un parc. Eleanor ignorait l'existence de cet endroit. Elle ne se doutait pas qu'Omaha était une ville si agréable à vivre. (Dans sa tête, c'était le fait de Park aussi. Le monde se changeait en un endroit meilleur à son bras.)

park

Ils se sont retrouvés dans Central Park. Version Omaha. Eleanor n'y avait jamais mis les pieds non plus, et même si c'était humide, boueux et qu'il faisait encore un peu froid, elle répétait tout le temps que c'était super chouette.

— Oh ! regarde. Des cygnes.

— Je crois que ce sont des oies.

— Alors ce sont les plus belles oies que j'aie jamais vues.

Ils se sont assis sur un banc pour regarder les oies se pelotonner sur les berges du lac artificiel. Park a passé un bras autour de ses épaules et il l'a sentie se blottir contre lui.

— Faut qu'on continue à faire ça, a-t-il dit.

— Quoi ?

— Sortir comme ça.

— D'accord.

Elle n'a pas mentionné le fait qu'il devait apprendre à conduire une boîte manuelle. Chose qu'il a appréciée.

— On devrait aller au bal de promo.

— Quoi ? a sifflé Eleanor en relevant la tête.

— Tu sais, le bal de promo.

— Je sais ce que c'est, mais pourquoi on irait ?

Parce qu'il voulait voir Eleanor dans une jolie robe. Parce qu'il voulait aider sa mère à la coiffer.

— Parce que c'est le bal de promo.

— Et c'est naze.

— Qu'est-ce que tu en sais ?

— Parce que le thème cette année c'est *I Want to Know What Love Is.*

— C'est pas une chanson si nulle.

— T'es bourré ou quoi ? C'est Foreigner.

Park a haussé les épaules et lissé une de ses boucles.

— Je sais que c'est naze, le bal de promo. Mais si on le loupe, c'est fini, on n'a qu'une seule chance d'y aller.

— En fait, on en a trois...

— D'accord, est-ce que tu viendras au bal de promo avec moi l'an prochain ?

Elle s'est mise à rire.

— Ouais. C'est ça. On pourra y aller l'année prochaine. Comme ça mes amies les petites souris et les petits oiseaux auront largement le temps de me confectionner une robe. Carrément. Oui. Allons au bal de promo.

— Tu penses que ça n'arrivera jamais. Tu verras. Moi en tout cas je ne bouge pas d'ici.

— Enfin, jusqu'à ce que tu apprennes à conduire une boîte manuelle.

Elle était incorrigible.

eleanor

Le bal de promo. Mais bien sûr. Comme si ça allait arriver.

Le nombre de tractations qu'il faudrait pour faire avaler ça à sa mère... ça lui donnait le tournis.

Mais maintenant que Park avait émis cette idée, Eleanor voyait presque le plan marcher. Elle pourrait dire à sa mère qu'elle irait au bal avec Tina. (Cette bonne vieille Tina.) Et elle se préparerait chez Park ; *sa* mère adorerait ça. La seul problème qu'elle devait encore régler, c'était la robe...

Est-ce qu'il y avait des robes de soirée à sa taille ? Il faudrait qu'elle fasse son choix au rayon mère de la mariée. Et qu'elle braque une banque. Sérieux. Même si un billet de cent dollars tombait du ciel, Eleanor ne pourrait jamais le dépenser pour un truc aussi débile qu'une robe de bal.

Elle s'achèterait une nouvelle paire de Vans. Ou un soutien-gorge digne de ce nom. Ou un ghetto-blaster...

À vrai dire, elle le donnerait probablement à sa mère.

« Le bal de promo. » Tu parles.

park

Après avoir accepté d'aller au bal de promo avec lui l'an prochain, Eleanor a aussi consenti à l'accompagner à son premier bal de débutantes, à la soirée de gala des Academy Awards, et au moindre « bal » auquel il recevrait une invitation.

Elle riait tellement que les oies s'en sont plaintes.

— Braillez tout ce que vous voulez, leur a lancé Eleanor. Vous croyez m'intimider avec vos faux airs de cygnes jolis, mais je ne suis pas ce genre de fille.

— Heureusement pour moi.

— Comment ça heureusement pour toi ?

— Laisse tomber.

Il regrettait d'avoir dit ça. Il pensait que sa remarque était drôle et pleine d'autodérision, mais il n'avait aucune envie de parler de ce qu'elle pouvait bien lui trouver de si intéressant.

Eleanor le dévisageait froidement.

— C'est ta faute si cette oie pense que je suis vaine.

— Je crois plutôt que c'est un jars, non ? Les mâles sont des jars ?

— Ah, oui. Un jars. Ça lui va bien. Joli petit... Bon, et pourquoi heureusement pour toi alors ?

— Parce que, dit-il comme si ces deux syllabes lui arrachaient la bouche.

— Pourquoi ?

— Ce n'est pas moi qui demande ça d'habitude ?

— Je croyais que je pouvais te poser n'importe quelle question... Pourquoi ?

— Parce que j'ai bien la tête du petit Américain pure souche.

Il a passé une main dans ses cheveux et il a regardé la boue à ses pieds.

— Est-ce que tu es en train de me dire que tu ne te trouves pas beau ?

— Je n'ai pas envie de parler de ça, a soufflé Park en se passant une main sur la nuque. On ne peut pas revenir au bal de promo plutôt ?

— Est-ce que tu dis ça simplement pour que je te dise à quel point tu es mignon ?

— *Non.* Je dis ça parce que c'est évident, non ?

— Ce n'est pas évident...

Elle a pivoté face à lui sur le banc et a ôté sa main de sa nuque.

— Personne ne pense que les Asiatiques sont mignons, a fini par murmurer Park.

Il a dû détacher son regard du sien pour arriver à lui dire ça – et le porter au loin –, il a complètement tourné la tête.

— Pas ici, en tout cas. J'imagine que les Asiatiques s'en sortent à peu près en Asie.

— Ce n'est pas vrai. Regarde ton père et ta mère...

— Les femmes, c'est différent. Les Blancs les trouvent exotiques.

— Mais...

— Est-ce que t'essaies de trouver un type aux yeux bridés hyper bandant pour me prouver le contraire ? Parce qu'il n'y en a pas. J'ai eu toute une vie pour penser à ça.

Eleanor a croisé les bras. Park a fixé le lac.

— Et cette vieille émission de télé alors, avec le pro du karaté…

— *Kung Fu* ?

— Ouais.

— Cet acteur était blanc, et son personnage était un moine.

— Et sinon…

— Y en a pas. Regarde *M*A*S*H*. Toute la série se passe en Corée, et les médecins ne font que draguer des Coréennes, non ? Mais les filles ne se servent pas de leur permission pour aller se taper des Coréens à Séoul. Tout ce qu'on trouve d'exotique chez une Asiatique, on trouve que ça fait tapette chez un Asiatique.

Le jars s'est remis à leur brailler dessus. Park a ramassé un morceau de neige fondue pour le balancer mollement dans sa direction. Il n'arrivait toujours pas à regarder Eleanor dans les yeux.

— Je ne vois pas bien ce que tout ça a à voir avec moi.

— Ça a juste à voir avec moi.

— Non.

Elle l'a attrapé par le menton pour l'obliger à la regarder en face.

— Absolument pas. Je ne sais même pas ce que tu veux dire quand tu dis que tu es coréen.

— Au-delà des apparences ?

— Ouais, *exactement.* Au-delà des apparences.

Et là elle l'a embrassé. Il adorait quand elle faisait le premier pas.

— Quand je te regarde, dit-elle en se collant contre lui, je ne sais pas si je te trouve mignon *parce que* tu es coréen, mais je ne pense pas que ce soit malgré ça. Je sais juste que je te trouve mignon. Genre, vraiment mignon, Park…

Il adorait quand elle prononçait son nom.

— Peut-être que j'ai un gros faible pour les Coréens, et que je ne le sais même pas.

— Heureusement que je suis le seul Coréen de tout Omaha alors.

— Et heureusement que je ne sortirai jamais de ce trou.

Il commençait à faire froid, et il était probablement tard aussi ; Park n'avait pas de montre.

Il s'est levé et a tiré Eleanor du banc. Ils se sont pris la main et ils ont coupé par le jardin pour rejoindre la voiture.

— Même moi je ne sais pas ce que ça veut dire, être coréen…

— Ben, je ne sais pas non plus ce que ça veut dire d'être danoise ou écossaise. C'est vraiment important ?

— Je crois que oui. Parce que c'est la première chose que les gens remarquent chez moi. C'est comme ça qu'on me définit.

— Moi je te le répète, je crois que ce qui te définit, c'est surtout le fait que tu sois mignon. Tu es *presque* adorable.

Park n'avait rien contre le mot « adorable ».

eleanor

Ils étaient garés de l'autre côté d'Old Market, et le parking était presque désert quand ils sont arrivés. Eleanor a senti la tension de l'imprudence l'envahir encore. Peut-être que c'était cette voiture…

L'Impala ne semblait pas vicelarde vue de l'extérieur, pas autant qu'un van aménagé avec de la moquette au plancher ; mais à l'intérieur, c'était une autre histoire. Les sièges avant étaient presque aussi larges que son lit, et la banquette arrière était une scène d'un roman sulfureux d'Erica Jong en puissance.

Park lui a ouvert la portière, puis il a fait le tour de la voiture pour monter.

— Il n'est pas aussi tard que je le pensais, dit-il en jetant un œil à l'horloge sur le tableau de bord. Huit heures et demie.

— Ouais...

Elle a posé sa main à plat sur le siège entre eux deux. Elle a essayé de faire ça l'air de rien, mais son intention était assez claire.

Park a posé la main sur la sienne.

C'était ce genre de soirée-là. Chaque fois qu'elle le regardait, il la regardait. Chaque fois qu'elle avait envie de l'embrasser, il fermait déjà les yeux.

« Lis dans mes pensées maintenant », lui dit-elle dans sa tête.

— Tu as faim ? a demandé Park.

— Non.

— OK.

Park a retiré sa main de la sienne et il a mis la clef dans le contact. Eleanor a tendu le bras pour l'attraper par la manche avant qu'il ait le temps de démarrer.

Il a laissé tomber les clefs et, d'un seul mouvement, il s'est tourné pour la soulever dans ses bras. Sérieux, il l'a vraiment soulevée... Il était toujours plus fort que ce qu'elle s'imaginait.

Si quelqu'un les avait vus à ce moment-là (et c'était carrément plausible parce que les vitres n'étaient pas encore embuées), il se serait dit qu'Eleanor et Park faisaient ce genre de choses tous les soirs. Et pas juste une fois avant.

Cette fois-là était déjà différente.

Ils ne procédaient pas de manière ordonnée, comme dans une partie de Twister. Ils ne s'embrassaient même pas pile sur la bouche. (Tout aligner avec soin prendrait bien trop de temps.) Eleanor a remonté les mains sous son tee-shirt, tout en montant sur lui. Et Park l'attirait toujours plus près de lui, même si elle ne pouvait pas s'approcher plus.

Elle était coincée entre Park et le volant, et quand il a remonté la main sous sa chemise, elle a déclenché le klaxon. Ils ont bondi tous les deux, et Park lui a mordu la langue.

— Ça va ? lui a demandé Park.

— Ouais, a-t-elle répondu, contente qu'il n'ait pas retiré sa main.

Sa langue n'avait pas l'air de saigner.

— Toi ?

— Ouais.

Il respirait fort, et c'était merveilleux.

« C'est moi qui lui fais cet effet-là », a-t-elle songé.

— Tu ne penses pas que...

— Quoi ?

Il pensait certainement qu'ils devaient arrêter. « Non, s'est-elle dit. Non, je ne pense pas. Ne pense pas, Park. »

— Tu ne penses pas qu'on devrait... Ne me prends pas pour un taré, d'accord ? Tu ne penses pas qu'on devrait aller sur la banquette arrière ?

Elle a pris appui sur lui pour se glisser derrière. Bon sang, elle était gigantesque, un vrai palace.

À peine une seconde plus tard, Park était sur elle.

park

C'était tellement bon de la sentir en dessous, encore mieux que ce qu'il s'était imaginé. Et il s'était imaginé que cette sensation était proche du paradis, combiné au nirvana, plus la scène dans *Willy Wonka* où Charlie se met à voler. Park respirait tellement fort, il manquait d'air.

Il se demandait si c'était aussi bon pour Eleanor que ça l'était pour lui ; mais elle avait de ces expressions... On aurait dit une fille dans un clip de Prince. Si Eleanor ressentait une once de qu'il ressentait lui, comment étaient-ils censés s'arrêter ?

Il a relevé sa chemise au-dessus de sa tête.

— Bruce Lee, a murmuré Eleanor.

— Quoi ?

Ça n'a pas eu l'air de lui plaire, ses mains se sont immobilisées.

— Un Asiatique hyper bandant, Bruce Lee.

— Oh..., a ri Park, malgré lui. D'accord, je t'accorde Bruce Lee.

Elle s'est cambrée et il a fermé les yeux. Il ne pourrait jamais avoir assez d'elle.

46

eleanor

Le pick-up de Richie était dans l'allée du garage, mais la maison était plongée dans le noir. Heureusement. Eleanor était persuadée que quelque chose la trahirait. Ses cheveux. Ses vêtements. Elle avait l'impression d'être radioactive.

Elle et Park étaient garés dans la rue depuis un moment déjà, à se tenir simplement la main pour encaisser le contrecoup. En tout cas, c'était l'effet que ça lui faisait. Elle et Park n'étaient pas allés trop loin, pas nécessairement ; mais ils étaient allés bien plus loin que ce à quoi elle s'était préparée. Elle ne s'était jamais imaginé vivre une scène d'amour digne d'un roman sulfureux de Judy Blume.

Park devait se sentir bizarre aussi. Il a tenu deux chansons de Bon Jovi sans changer de station. Eleanor avait laissé une marque sur son épaule, mais elle s'atténuait maintenant.

C'était la faute de sa mère.

Si Eleanor avait été autorisée à avoir des relations normales avec un garçon, elle n'aurait pas été tentée de faire un coup de circuit ; elle n'aurait peut-être pas eu le sentiment que c'était sa seule chance de marquer. (Et elle ne serait pas en train de faire des métaphores de base-ball débiles.)

Il n'y avait pas eu de coup de circuit, en tout cas. Ils s'étaient arrêtés à la deuxième base.

(Enfin, elle se disait que c'était la deuxième base. Elle avait entendu des définitions contradictoires pour les différentes bases.) Mais quand même...

C'était merveilleux.

Tellement merveilleux qu'elle ne savait pas comment ils survivraient s'ils ne recommençaient plus jamais.

— Je devrais y aller, dit-elle à Park au bout d'une demi-heure de sit-in dans la voiture. Je suis déjà rentrée à cette heure-là normalement.

Il a acquiescé sans lever les yeux ni lui lâcher la main.

— Tout va bien. Tout va bien entre nous, pas vrai ? demanda-t-elle.

Il a levé la tête. Ses cheveux étaient tout aplatis, et ils lui tombaient devant les yeux. Il avait l'air préoccupé.

— Oui. Oh ! que oui. J'ai juste...

Elle a attendu.

Il a fermé les yeux et secoué la tête, comme s'il était gêné.

— J'ai juste pas du tout envie de te dire au revoir, Eleanor. Jamais.

Il a rouvert les yeux et regardé droit dans les siens. Peut-être qu'ils en étaient à la troisième base maintenant.

Elle sentit son cœur se serrer.

— Tu n'as qu'à pas me dire au revoir pour toujours alors. Mais juste pour ce soir.

Park souriait. Puis il a levé un sourcil. Eleanor aurait adoré pouvoir faire ça.

— Pour ce soir... Mais pas pour toujours ?

Elle a levé les yeux au ciel. Elle parlait comme lui maintenant. Comme une idiote. Elle croisait les doigts pour que la rue soit sombre, elle ne voulait pas qu'il la voie rougir.

— Au revoir, a-t-elle soufflé en secouant la tête. À demain.

Elle a ouvert la portière de l'Impala ; qui pesait une tonne.

Elle s'est immobilisée pour lui lancer un dernier regard.

— Mais tout va bien entre nous, hein ?

— À la perfection, dit-il en se penchant pour l'embrasser sur la joue. J'attends que tu sois rentrée.

À la seconde où elle s'est faufilée à l'intérieur, elle les a entendus qui se disputaient.

Richie hurlait à cause d'un truc, et sa mère pleurait. Eleanor a rejoint la chambre aussi discrètement que possible.

Tous ses frères et sa sœur étaient par terre, même Maisie. Ils dormaient malgré le chaos ambiant. « Je me demande combien de fois j'arrive à dormir malgré tout », songea Eleanor.

Elle a réussi à grimper dans son lit sans piétiner personne, mais elle a atterri sur le chat. Il a gueulé, elle a l'a pris sur ses genoux.

— Chhh, a-t-elle soufflé en lui caressant le cou.

Richie a crié encore « Chez *moi* ! » et Eleanor et le chat ont bondi. Quelque chose s'est brisé sous elle.

Elle a passé une main entre ses jambes et ressorti une BD toute chiffonnée. Un annuel des *X-Men*. « Punaise, Ben. » Elle a essayé de le lisser sur ses genoux, mais il était enduit d'un truc gluant. La couverture était humide aussi, comme si on avait renversé de la lotion ou un truc dans le genre... Non, du maquillage. Avec des petits morceaux de verre cassé. Eleanor a ôté avec précaution des éclats de la queue du chat et elle l'a posé à côté d'elle, puis elle s'est essuyé les doigts sur ses poils. Le ruban d'une cassette audio était accroché à sa patte. Eleanor l'a dégagé. Elle a posé les yeux sur son lit et cillé jusqu'à ce qu'ils s'habituent à l'obscurité.

Des pages de comics arrachées.

De la poudre.

Des petits morceaux de fard à paupières vert...

Des *kilomètres* de ruban cassette.

Son casque était cassé en deux et pendait au bord de son lit. Sa boîte à pamplemousses était à ses pieds, et Eleanor savait bien avant de mettre la main dessus qu'elle serait légère comme une plume. Vide. Le couvercle était pratiquement fendu en deux et quelqu'un avait écrit dessus au marqueur noir, un de ses marqueurs :

tu crois que tu peux me prendre pour un con ? c'est chez moi ici tu crois que tu peux faire ta pute dans mon quartier juste sous mon nez et que je vais pas m'en rendre compte est-ce que c'est ce que tu penses vraiment ? je sais ce que tu es et c'est terminé

Eleanor fixait le couvercle et elle bataillait pour former les mots avec les lettres ; mais elle n'arrivait pas à passer outre l'écriture familière des minuscules penchées.

Quelque part dans la maison, sa mère pleurait comme si elle ne pourrait jamais s'arrêter.

47

eleanor

Eleanor passa en revue les options qui se présentaient.

1.

48

eleanor

je te fais mouiller ?

Elle a replié la couverture souillée et posé le chat sur le drap propre en dessous. Puis elle est descendue sur le lit du bas. Son sac de cours était par terre près de la porte. Elle a tendu le bras pour ouvrir la fermeture Éclair et sorti la photo de Park de la poche intérieure. Et la seconde d'après elle filait par la fenêtre pour se retrouver sous le porche et courait jusqu'au bout de la rue plus vite qu'elle ait jamais couru en gym.

Elle a ralenti seulement à l'intersection suivante, et c'était uniquement parce qu'elle ne savait pas où aller. Elle était à deux pas de chez Park ; elle ne pouvait pas aller chez lui.

t'as perdu ta cerise ?

— Hé, Rouquemoutte.

Eleanor a ignoré la voix. Elle a jeté un œil dans la rue derrière elle. Et si quelqu'un l'avait entendue partir ? Et si Richie essayait de la rattraper ? Elle a fait un pas de côté sur le trottoir pour se réfugier dans un jardin. Derrière un arbre.

— Hé. *Eleanor.*

Eleanor a regardé autour d'elle. Elle était devant la maison de Steve. La porte du garage était légèrement entrouverte, maintenue par une batte de base-ball. Eleanor distinguait des mouvements à l'intérieur, et Tina venait à sa rencontre dans l'allée, une bière à la main.

— Hé, a soufflé Tina.

Elle avait l'air plus excédée que jamais par Eleanor.

Eleanor a été tentée de repartir au pas de course, mais elle avait les jambes en coton.

— Ton beau-père te cherchait. Il a tourné dans le quartier toute la putain de soirée.

— Tu lui as dit quoi ?

« Est-ce que c'est la faute de Tina ? Est-ce que c'est comme ça qu'il l'a appris ? »

— Je lui ai demandé si sa bite était plus grosse que son putain de pick-up, a ricané Tina. Je ne lui ai rien dit.

— Tu lui as dit pour Park ?

Elle a levé les yeux au ciel. Puis elle a secoué la tête.

— Mais quelqu'un finira par lui dire.

suce-moi bien

Eleanor a jeté un coup d'œil derrière elle. Elle devait se cacher. Elle devait partir loin de lui.

Tina lui a lancé :

— Qu'est-ce qui t'arrive au fait ?

— Rien.

Deux feux rouges se sont allumés au bout de la rue. Eleanor s'est camouflé le visage avec les mains.

— Viens, a fait Tina d'une voix qu'Eleanor ne lui connaissait pas, teintée d'inquiétude. Faut juste que tu prennes un peu de distance jusqu'à ce qu'il se calme.

Eleanor l'a suivie dans l'allée et s'est faufilée sous la porte pour entrer dans le garage enfumé et sombre.

— C'est la Grosse Rouquemoutte ?

Steve était vautré sur un canapé. Mikey était là aussi, par terre, avec une fille du bus. Un truc de métalleux, Black Sabbath, s'échappait d'une voiture montée sur des parpaings au milieu du garage.

— Assieds-toi, a fait Tina en désignant l'autre bout du canapé.

— T'es dans la merde Rouquemoutte, lui a lancé Steve. Ton papa te cherche.

Steve était tout sourire. Sa bouche était plus grande que la gueule d'un lion.

— C'est son beau-père, a rectifié Tina.

— Beau-père ! a beuglé l'autre en balançant une canette de bière à travers le garage. Ton putain de beau-père ? Tu veux que je le tue ? Je vais tuer celui de Tina, de toute façon. Je pourrais me les faire tous les deux le même jour. Un acheté, un..., s'est-il marré. Un acheté, un offert...

Tina a ouvert une bière qu'elle a fourrée sur les genoux d'Eleanor. Eleanor l'a prise, juste pour avoir quelque chose entre les mains.

— Bois un coup.

Eleanor s'est exécutée docilement. La bière avait un goût âcre et jaune.

— On devrait faire un Quarter, a bredouillé Steve. Hé, Rouquemoutte, t'as pas des pièces de quinze cents ?

Eleanor a fait non de la tête.

Tina était perchée à côté de lui sur l'accoudoir et elle a allumé une cigarette.

— On avait des pièces de quinze cents, dit-elle. On les a claquées en bière, tu te souviens ?

— C'étaient pas des pièces de quinze cents, a fait Steve. C'était un billet de dix.

Tina a fermé les yeux et recraché sa fumée en direction du plafond.

Eleanor a fermé les yeux à son tour. Pour essayer de réfléchir à ce qu'elle pourrait faire ensuite, mais rien ne venait. La musique sur la radio de la voiture est passée de Black Sabbath à AC/DC à Led Zeppelin. Steve chantait en même temps ; d'une voix étrangement douce.

— *Hangman, hangman, turn your head awhile...*

Eleanor écoutait Steve chanter chanson sur chanson au rythme du martèlement lourd de son cœur. La canette de bière tiédissait dans sa main.

je sais que t'es une salope tu sent le foutre

Elle s'est levée.

— Je dois m'en aller.

— Putain, a lancé Tina, calme-toi. Il ne te trouvera pas ici. Il doit déjà être en train de se soûler au *Rail* pour oublier.

— Non. Il va me tuer.

C'était vrai, même si ça ne l'était pas.

Tina s'est renfrognée :

— Et tu vas aller où alors ?

— Loin... Il faut que je prévienne Park.

park

Park n'arrivait pas à dormir.

Ce soir-là, avant de repasser derrière le volant de l'Impala, il avait enlevé toutes les couches de vêtements d'Eleanor et même défait son soutien-gorge ; puis elle s'était allongée sur le revêtement bleu de la banquette. On aurait dit une apparition, une sirène. D'un blanc crémeux dans l'obscurité, avec des taches de rousseur massées sur ses épaules et ses joues, qui ressemblaient à des montagnes de crème.

Cette image d'Eleanor. Elle était encore imprimée sur sa rétine quand il fermait les yeux.

Ce serait la torture permanente maintenant qu'il savait à quoi elle ressemblait sous ses vêtements ; et il n'y aurait pas de *prochaine fois* dans leur futur proche. Ce soir n'était qu'un autre hasard extraordinaire, un coup de bol, un cadeau...

— *Park,* a soufflé quelqu'un.

Il s'est assis sur son lit et a regardé avec stupeur autour de lui.

— *Park.*

On a frappé au carreau et il a titubé jusqu'à la fenêtre pour tirer le rideau.

C'était Steve. De l'autre côté de la vitre, qui lui souriait comme un taré. Il devait être accroché à l'appui de fenêtre. Sa tête a disparu et Park l'a entendu se vautrer lourdement par terre. Quel trou du cul. Sa mère allait l'entendre.

Park a ouvert la fenêtre en vitesse pour se pencher dehors. Il était sur le point de dire à Steve de foutre le camp, mais alors il a vu Eleanor debout dans l'ombre de la maison de Steve avec Tina.

Est-ce qu'ils la retenaient en otage ?

C'était une bière dans sa main ?

eleanor

Dès que Park l'a aperçue, il a escaladé la fenêtre pour se balancer à un mètre cinquante du sol ; il allait se casser les chevilles. Elle a senti un sanglot lui chatouiller le fond de la gorge.

Il a atterri accroupi comme Spiderman et il a couru vers elle. Elle a laissé tomber sa bière dans l'herbe.

— Putain, a soufflé Tina. De rien. C'était la dernière bière.

— Hé, Park, je t'ai fait flipper ? a lancé Steve. Tu m'as pris pour Freddy Krueger ? « Tu pensais pouvoir m'échapper ? »

Park a pris Eleanor dans ses bras.

— Ça va pas ? Qu'est-ce qui se passe ?

Elle s'est mise à pleurer. Mais alors, une vraie crise de larmes. Elle a eu l'impression d'être à nouveau elle-même à la seconde où il l'a touchée, et c'était atroce.

— Tu saignes ? lui a demandé Park en lui prenant la main.

— Voiture, les a avertis Tina dans un murmure.

Eleanor a attiré Park contre le mur du garage jusqu'à ce que les phares les dépassent.

— Qu'est-ce qu'il y a ? a-t-il repris.

— On devrait retourner dans le garage, leur a lancé Tina.

park

Il n'avait pas mis les pieds dans le garage de Steve depuis l'école primaire. Ils jouaient au baby-foot là-dedans. Maintenant, il y avait une Camaro sur des parpaings et un vieux canapé contre le mur.

Steve s'est assis à un bout et il s'est allumé un joint dans la foulée. Il l'a tendu à Park, qui l'a refusé d'un signe de tête. Le garage embaumait déjà comme si on y avait fumé un millier de joints, puis descendu un millier de bières. La Camaro tanguait un peu sur les plots, et Steve a foutu un coup de pied dans la porte.

— Du calme, Mikey, tu vas faire tomber la caisse.

Park avait du mal à imaginer le genre d'événements qui avaient pu conduire Eleanor jusqu'ici ; mais elle l'avait pratiquement traîné de force dans le garage, et maintenant elle était pelotonnée contre lui. Park se demandait encore s'ils ne l'avaient pas kidnappée. Est-ce qu'il était censé leur filer une rançon ?

— Parle-moi, dit-il dans ses cheveux. Qu'est-ce qui se passe ?

— Son beau-père la cherche partout, a fait Tina.

Elle était perchée sur l'accoudoir avec ses jambes étendues sur les genoux de Steve. Elle lui a pris le joint des mains.

— C'est vrai ? Park a demandé confirmation à Eleanor.

Il l'a sentie hocher la tête contre son torse. Elle le tenait tout contre elle pour l'empêcher de la regarder dans les yeux.

— Enculés de beaux-pères, a vociféré Steve. Que des enculés de sa mère, a-t-il lancé avant de s'esclaffer. Oh ! putain, Mikey, tu l'as entendue celle-là ?

Il a filé un nouveau coup de pied dans la bagnole.

— Mikey ?

— Je dois m'en aller, a chuchoté Eleanor.

« Dieu merci. » Park s'est décollé d'elle et il lui a pris la main.

— Hé, Steve, on retourne chez moi.

— Gaffe, mec, il fait le tour du quartier dans sa Micro Machine couleur merde...

Park s'est penché sous la porte du garage pour jeter un œil dans la rue. Eleanor était juste derrière lui.

— Merci, a-t-elle soufflé.

Il aurait juré qu'elle disait ça à Tina.

Difficile de faire plus étrange pour ce soir.

Il a guidé Eleanor à travers le jardin derrière chez lui, puis derrière la maison de ses grands-parents, pas très loin de l'endroit où ils aimaient bien se dire au revoir.

Une fois devant le camping-car, Park a ouvert la porte à battants.

— Monte. Ils laissent toujours ouvert.

Lui et Josh jouaient dedans quand ils étaient petits. C'était comme une maison miniature, avec un lit d'un côté et une cuisine de l'autre. Il y avait même une petite gazinière et un minuscule frigo. Ça faisait un bout de temps que Park n'était pas monté dans le camping-car ; il ne tenait plus debout sans toucher le plafond avec sa tête.

Il y avait une table grande comme un plateau d'échecs contre l'habitacle et deux sièges de part et d'autre. Park s'est assis et a installé Eleanor en face de lui. Il lui a pris les mains ; sa paume droite était en sang, mais elle ne semblait pas avoir mal.

— Eleanor… Dis-moi ce qui se passe ! l'implora-t-il.

— Je dois m'en aller.

Elle fixait la table comme si elle venait de voir un fantôme. Comme si elle en était un.

— Pourquoi ? C'est à cause de ce soir ?

Dans la tête de Park, tout se rapportait à cette soirée. Comme si une chose aussi belle et une autre aussi atroce ne pouvaient pas se produire dans une seule et même soirée, à moins qu'elles n'aient un lien de cause à effet. Quel qu'il soit.

— Non, a soufflé Eleanor en se frottant les yeux. Non. Il ne s'agit pas de nous. Je veux dire…

Elle a regardé dehors par la fenêtre.

— Pourquoi est-ce que ton beau-père te cherche partout ?

— Parce qu'il sait, parce que je me suis enfuie de chez moi.

— Pourquoi ?

— Parce qu'il *sait*, s'est-elle étranglée. Parce que c'est lui.

— Quoi ?

— Punaise, je n'aurais jamais dû venir ici. Je ne fais qu'empirer la situation. Je suis désolée.

Park voulait la secouer, la secouer pour l'atteindre ; il ne comprenait rien à ce qu'elle disait. Deux heures plus tôt, tout était tellement parfait, et maintenant… Park devait rentrer chez lui. Sa mère était encore debout, et son père allait rentrer d'une minute à l'autre.

Il s'est penché au-dessus de la table et il a saisi Eleanor par les épaules.

— Est-ce qu'on peut recommencer depuis le début ? chuchota-t-il. S'il te plaît ? Je ne sais pas de quoi tu parles.

Eleanor a fermé les yeux et hoché la tête d'un air las.

Elle a recommencé depuis le début.

Elle lui a tout raconté.

Et les mains de Park se sont mises à trembler alors qu'elle n'en était même pas à la moitié.

— Peut-être qu'il ne te fera aucun mal, lui dit Park en espérant sincèrement que c'était vrai, peut-être qu'il veut juste te faire peur. Tiens...

Il a tiré sur sa manche pour sécher les joues d'Eleanor.

— Non. Tu ne comprends pas, tu ne vois pas comment... comment il me regarde.

49

eleanor

« Comment il me regarde.

Comme s'il attendait son heure.

Pas comme s'il voulait ma peau. Mais comme s'il finirait bien par m'avoir. Quand il n'y aura plus rien ou plus personne à détruire autour de lui.

Sa façon de m'attendre.

De me traquer.

Sa façon d'être omniprésent. Quand je mange. Quand je lis. Quand je me brosse les cheveux.

Tu ne vois pas.

Parce que moi je fais semblant de ne pas voir. »

50

Park

Eleanor a dégagé une à une les boucles qui lui tombaient devant les yeux, comme si ce geste lui permettait de recouvrer ses esprits.

— Je dois m'en aller.

Elle était plus cohérente maintenant, et elle le regardait plus souvent dans les yeux, mais Park avait l'impression que quelqu'un avait mis leur petit monde sens dessus dessous et qu'il continuait à les secouer.

— Tu pourrais en parler à ta mère demain. Peut-être que tu verras les choses autrement demain matin.

— Tu as vu ce qu'il a écrit sur mes livres, dit-elle calmement. Tu veux vraiment que je reste là-bas ?

— Je... J'ai juste pas envie que tu t'en ailles. Tu vas aller où ? Chez ton père ?

— Non, il ne veut pas de moi.

— Mais si tu lui expliques...

— Il ne *veut* pas de moi.

— Alors... où ?

— J'en sais rien.

Elle a pris une grande inspiration et s'est redressée.

— Mon oncle m'a proposé de passer l'été chez lui. Peut-être qu'il voudra bien que je vienne à Saint Paul plus tôt.

— Saint Paul, dans le Minnesota ?

Elle a hoché la tête.

— Mais…

Park l'a regardée droit dans les yeux, les mains d'Eleanor sont tombées sur la table.

— Je sais, a sangloté Eleanor en s'effondrant sur la table. Je sais…

Il n'y avait pas assez de place pour s'asseoir à côté d'elle, alors il est tombé à genoux et il l'a attirée sur le linoléum poussiéreux.

eleanor

— Tu pars quand ?

Il a enlevé les cheveux de son visage pour les maintenir derrière sa tête.

— Ce soir. Je ne peux pas rentrer chez moi.

— Et tu vas y aller comment ? Tu as appelé ton oncle ?

— Non. J'en sais rien. Je pensais prendre le bus.

Elle allait faire du stop.

Elle se disait qu'elle pouvait rejoindre l'autoroute à pied, puis lever le pouce à chaque break ou monospace. Des voitures familiales. Si elle arrivait à DesMoines sans se faire violer ni assassiner ou revendre pour la traite des Blanches, elle appellerait son oncle en PCV. Il viendrait la chercher, même si c'était juste pour la raccompagner à la case départ.

— Tu ne peux pas prendre le bus toute seule.

— Je n'ai pas de meilleure option.

— Je vais te conduire.

— À la gare routière ?

— Dans le Minnesota.

— Park, non, tes parents ne te laisseront jamais faire ça.

— Alors je ne leur demanderai pas la permission.

— Mais ton père va te tuer.

— Non, il me privera de sortie.

— À vie.

— Tu crois vraiment que c'est le moment de s'en inquiéter, là ?

Il a pris son visage dans ses mains.

— Tu crois vraiment que je me soucie d'autre chose que de toi ?

51

eleanor

Park lui a dit qu'il reviendrait la voir dès que son père serait rentré et que ses parents dormiraient.

— Ça va peut-être prendre du temps. N'allume pas la lumière ni rien, d'accord ?

— Pff.

— Et guette l'Impala.

— D'accord.

Il avait l'air encore plus décidé que le jour où il avait foutu une raclée à Steve. Ou même le premier jour dans le bus, quand il lui avait ordonné de s'asseoir. C'était d'ailleurs la seule fois où elle l'avait entendu dire « Putain ».

Il a passé la tête dans le camping-car pour l'embrasser.

— Fais attention, s'il te plaît, lui a-t-elle lancé.

Et il s'est éclipsé.

Eleanor s'est rassise à la table. Elle voyait l'allée du garage d'où elle était, à travers les rideaux de dentelle. Elle s'est sentie exténuée tout à coup. Elle avait envie de poser sa tête. Il était déjà minuit passé ; et ça prendrait peut-être des heures avant que Park revienne.

Peut-être aurait-elle dû s'en vouloir de le mêler à tout ça, mais non. Il avait raison : la pire chose qu'il risquait (excepté un accident atroce) c'était d'être privé de sortie. Et être assigné à résidence chez lui, c'était un peu comme remporter la vitrine de cadeaux du *Juste Prix* comparé à ce qui attendait Eleanor si elle se faisait choper.

Est-ce qu'elle aurait dû laisser un mot ?

Est-ce que sa mère appellerait la police ? (Est-ce que sa mère allait bien ? Est-ce qu'ils allaient bien, tous ? Eleanor aurait dû vérifier que les petits respiraient encore.)

Son oncle n'accepterait probablement pas qu'elle reste quand il découvrirait qu'elle s'était enfuie...

Punaise, chaque fois qu'elle se refaisait le plan dans sa tête, tout se cassait la gueule. Mais c'était déjà trop tard pour reculer. Le plus important pour elle était de fuir, le plus important pour elle était d'être *loin*.

Elle s'enfuirait d'ici, et ensuite elle trouverait quoi faire.

Ou pas...

Peut-être qu'elle s'enfuirait, et puis elle s'arrêterait tout net.

Eleanor n'avait jamais eu de pensées suicidaires, jamais, mais elle avait déjà songé à tout arrêter. À courir simplement jusqu'à ce qu'elle n'en puisse plus. À sauter d'un truc tellement haut qu'elle ne toucherait jamais le fond.

Est-ce que Richie la cherchait à cet instant ?

Maisie et Ben lui diraient pour Park, si ce n'était pas déjà fait. Pas parce qu'ils aimaient bien Richie, même si des fois elle avait cette impression. Parce qu'il les avait à sa botte. Comme le jour où elle était revenue à la maison, quand Maisie était assise sur ses genoux.

« Putain... Mais... putain de merde. »

Elle devait y retourner pour Maisie.

Elle devait y retourner pour eux tous – elle devait trouver un moyen de les faire tenir tous dans ses poches – mais elle devait surtout y retourner pour Maisie. Maisie s'enfuirait avec Eleanor. Elle n'y penserait pas à deux fois... Elle n'hésiterait pas une seule seconde.

Et puis Oncle Geoff les renverrait immédiatement à la maison.

Sa mère appellerait direct la police si elle se réveillait et voyait que Maisie manquait à l'appel. Emmener Maisie bousillerait tout encore plus que ça ne l'était déjà.

Si Eleanor était l'héroïne d'un livre, elle tenterait le coup. Si elle était Dicey Tillerman, avec ses frères et sa sœur dans sa roulotte, elle trouverait un moyen.

Elle serait courageuse et généreuse, et elle trouverait un moyen.

Mais elle ne l'était pas. Eleanor n'était rien de tout ça. Elle essayait juste de survivre à cette nuit.

park

Park est rentré chez lui sans faire de bruit par la porte du jardin. Personne dans sa famille ne verrouillait jamais rien.

La télévision était encore allumée dans la chambre de ses parents. Il a filé à la salle de bains pour sauter dans la douche. Il était quasi certain d'empester toutes ces choses qui pouvaient lui attirer des ennuis.

— Park ? a appelé sa mère quand il est ressorti.

— Je suis là. Je vais me coucher.

Il a enfoui ses vêtements sales au fond du panier à linge et sorti de son tiroir à chaussettes tout l'argent qui lui restait de son anniversaire et de Noël. Soixante dollars. Ça devrait suffire pour l'essence... probablement, il n'en savait rien, à vrai dire.

S'il arrivait au moins à rejoindre Saint Paul, l'oncle d'Eleanor les aiderait à trouver une solution. Elle n'était pas sûre que son oncle la prenne chez lui, mais d'après Eleanor, « c'est un type bien et sa femme est dans le Peace Corps ». (Qui était tout de même censé favoriser la paix et l'amitié dans le monde.)

Park avait déjà rédigé un mot pour ses parents :

Maman, papa,
Il fallait que j'aide Eleanor. Je vous appellerai demain, et je serai de retour dans un jour ou deux. Je sais que je vais m'attirer de gros ennuis, mais c'était une urgence, et il fallait que je l'aide.
Park

Sa mère laissait toujours ses clefs au même endroit : pendues à une plaque en forme de clef dans le couloir de l'entrée, avec écrit « Clefs » dessus.

Park allait prendre les clefs, puis ressortir en douce par la porte de la cuisine, la plus éloignée de la chambre de ses parents.

Son père est rentré vers une heure et demie. Park l'écoutait tourner dans la cuisine, puis dans la salle de bains. Il a entendu la porte de leur chambre s'ouvrir, puis la télé.

Park s'est étendu sur son lit et il a fermé les yeux. (Il était incapable de dormir.) La vision d'Eleanor luisait toujours à l'intérieur de ses paupières.

Si belle. Si paisible... Non, ce n'était pas tout à fait ça, pas paisible, mais plutôt... en paix. Comme si elle était plus à l'aise sans sa chemise qu'avec. Comme si le bonheur qui l'habitait débordait hors d'elle.

Lorsqu'il a rouvert les yeux, il l'a vue telle qu'il l'avait laissée dans le camping-car : tendue et résignée, si lointaine que ses yeux ne miroitaient même pas la lumière.

Si lointaine qu'elle ne pensait même plus à lui.

Park a attendu le silence total. Puis il a attendu encore vingt minutes. Et il a attrapé son sac à dos en se répétant tous les gestes qu'il avait mis au point dans sa tête.

Il s'est arrêté sur le seuil de la cuisine. Son père avait laissé son nouveau fusil de chasse sur la table... Il le nettoierait probablement demain. L'espace d'une minute, Park a été tenté de le prendre, mais il ne voyait pas très bien quand il pourrait l'utiliser. Ce n'était pas comme s'il allait tomber sur Richie à la sortie de la ville. Croisons les doigts.

Park a ouvert la porte et il était sur le point de filer quand son père l'a arrêté.

— Park ?

Il aurait pu se barrer en courant mais son père l'aurait probablement rattrapé. Son père se vantait tout le temps d'être en forme comme jamais.

— Où est-ce que tu vas comme ça ? chuchota-t-il.

— Je... Il faut que j'aide Eleanor.

— Et pourquoi a-t-elle besoin qu'on l'aide à 2 heures du matin ?

— Elle s'est enfuie de chez elle.

— Et tu t'en vas avec elle ?

— Non. Je voulais juste l'emmener chez son oncle.

— Et il habite où ?

— Dans le Minnesota.

— Bordel de Dieu, Park, a dit son père en cessant de chuchoter, t'es sérieux là ?

— Papa, a-t-il imploré en faisant un pas vers lui. Elle doit partir. C'est son beau-père. Il...

— Est-ce qu'il l'a touchée ? Parce que s'il l'a touchée, on appelle la police.

— Il lui écrit ces trucs.

— Quel genre de trucs ?

Park s'est passé la main sur le front. L'idée de ces mots le révulsait.

— Des trucs de taré.

— Est-ce qu'elle en a parlé à sa mère ?

— Sa mère est... pas super en forme. Je crois qu'il lui fait du mal.

— Ce petit enculé...

Son père a baissé les yeux sur le fusil, puis reposé son regard sur Park, en se frottant le menton.

— Alors tu vas conduire Eleanor chez son oncle ? Il va la prendre chez lui ?

— Elle pense que oui.

— Faut que je te dise, Park, il a l'air un peu bancal votre plan.

— Je sais.

Son père a soupiré, il s'est gratté la nuque.

— Mais j'ai pas mieux à te proposer...

Park a relevé la tête tout net.

— Appelle-moi quand vous serez là-bas, a dit son père avec calme. C'est tout droit après DesMoines, t'as une carte ?

— Je pensais en acheter une à la station-service.

— Si tu fatigues, arrête-toi sur une aire d'autoroute. Et ne parle à personne, sauf si nécessaire. T'as de l'argent ?

— Soixante dollars.

— Attends...

Son père s'est dirigé vers la jarre à biscuits et il a sorti des billets de vingt.

— Si ça ne marche pas avec son oncle, ne ramène pas Eleanor chez elle. Amène-la ici, et on trouvera une solution.

— D'accord... Merci, papa.

— Ne me remercie pas trop vite. Il y a une condition.

« Fini l'eye-liner », s'est dit Park.

— Tu prends le pick-up.

Son père était sur le perron les bras croisés. Bien sûr, il fallait qu'il regarde. Comme s'il arbitrait un maudit combat de taekwondo.

Park a fermé les yeux. Eleanor était toujours là. « *Eleanor.* »

Il a démarré et passé doucement la marche arrière, pour sortir de l'allée, puis il a passé la première et avancé sans le moindre à-coup.

Parce qu'il savait conduire une boîte manuelle. « Punaise. »

52

park

— Tu es prête ?

Elle a acquiescé et elle est montée.

— Baisse la tête.

Les deux premières heures, ça a été un tunnel.

Park n'avait pas l'habitude du pick-up, et il a calé plusieurs fois au feu rouge. Puis il a pris vers l'ouest sur l'autoroute au lieu de s'engager vers l'est, et il a mis vingt minutes à faire demi-tour.

Eleanor ne disait rien. Elle regardait droit devant elle et ses deux mains étaient cramponnées à sa ceinture. Il a posé une main sur sa cuisse, et c'était comme si elle ne s'en était même pas aperçue.

Ils ont quitté l'autoroute encore une fois quelque part dans l'Iowa pour faire le plein et acheter une carte. Park est entré dans la station. Il a pris un Coca et un sandwich pour Eleanor, et lorsqu'il est retourné au pick-up, elle était appuyée contre la portière, endormie.

« Très bien, essaya-t-il de se convaincre. Elle est crevée. »

Il est remonté derrière le volant et il a pris quelques inspirations saccadées ; puis il a flanqué le sandwich sur le tableau de bord. « Comment peut-elle dormir ? »

Si tout se passait bien cette nuit, Park ferait le trajet retour tout seul demain matin. Il aurait certainement la permission de conduire n'importe quand maintenant, mais il ne voulait aller nulle part sans Eleanor.

Comment pouvait-elle passer leurs dernières heures ensemble à dormir ?

Comment pouvait-elle dormir dans cette position ?...

Ses cheveux étaient détachés et presque lie-de-vin dans cette lumière, et sa bouche était légèrement entrouverte. Fille au goût de fraise. Il a essayé encore de se rappeler la réflexion qu'il s'était faite la première fois qu'il avait posé les yeux sur elle. Il a essayé de se rappeler la manière dont tout ça était arrivé : comment cette fille qu'il n'avait jamais vue était devenue la seule personne qui comptait au monde.

Et il s'est demandé... Que se passerait-il s'il ne l'emmenait *pas* chez son oncle ? Que se passerait-il s'il continuait à rouler ?

« Pourquoi tout ça ne pouvait-il pas attendre ? »

Si la vie d'Eleanor s'était effondrée l'année prochaine, ou celle d'encore après, elle aurait pu *venir* le trouver. Au lieu de s'en aller, loin de lui.

Punaise. Elle ne pouvait pas se réveiller ?

Park a tenu encore une bonne heure, dopé au Coca et à l'amertume. Et puis cette nuit de débâcle a fini par le rattraper. Il n'y avait pas d'aire de repos dans les parages, alors il s'est arrêté sur une route secondaire, sur les graviers qui faisaient office d'accotement.

Il a défait sa ceinture de sécurité, défait celle d'Eleanor, puis il l'a attirée contre lui et a posé la tête contre la sienne. Elle sentait encore hier soir. La sueur, la douceur et l'Impala. Il a pleuré dans ses cheveux jusqu'à ce que le sommeil ait raison de lui.

eleanor

Elle s'est réveillée dans les bras de Park. Ça l'a surprise.

Elle se serait crue dans un rêve, mais elle faisait toujours des rêves terrifiants. (Avec des nazis, des bébés en pleurs ou ses dents qui se déchaussaient.) Eleanor n'avait jamais fait un rêve aussi agréable que ça, aussi doux que Park, doux de sommeil et chaud… Tout chaud. « Un jour, songea-t-elle, quelqu'un se réveillera comme ça tous les matins. »

Le visage de Park, endormi, était une nouvelle définition de la beauté. Un lever de soleil sous une peau ambrée. Une grande bouche plate. Des pommettes saillantes et arquées. (Eleanor n'avait même pas de pommettes.)

Il l'avait cueillie par surprise, et avant même qu'elle puisse s'en empêcher, il lui avait mis le cœur en miettes. Comme si son cœur n'avait pas trouvé de meilleure raison que lui pour se briser.

Peut-être qu'il n'y en avait pas.

Le soleil était juste sous la ligne d'horizon, et l'habitacle du pick-up était d'un rose bleuté. Eleanor a embrassé ce nouveau visage de Park, juste sous l'œil, pas tout à fait sur le nez. Il s'est agité, et elle a senti tout son corps se blottir contre elle. Elle a caressé son sourcil du bout du nez et embrassé ses cils.

Ses paupières ont papillonné. (Il n'y a que les paupières qui font ça. Et les papillons.) Et ses bras se sont animés autour d'elle.

— Eleanor… a soupiré Park.

Elle a pris son merveilleux visage entre ses mains et elle l'a embrassé comme si c'était la fin du monde.

park

Elle ne serait plus dans le bus à côté de lui.

Elle ne lui ferait plus les gros yeux en anglais.

Elle ne l'asticoterait plus simplement parce qu'elle s'ennuyait.

Elle ne pleurerait plus dans sa chambre à cause de toutes ces choses qu'il ne pouvait pas arranger pour elle.

Le ciel entier était de la même couleur que sa peau.

eleanor

« Il n'y en a qu'un comme lui, et il est juste là.

Il sait que je vais aimer une chanson avant que je l'écoute. Il rit à mes blagues avant même que j'arrive à la chute. Il y a un endroit sur son torse, juste sous sa gorge, qui me donne envie de le laisser ouvrir la portière pour moi.

Il n'y en a qu'un comme lui. »

park

Ses parents ne parlaient jamais de la manière dont ils s'étaient rencontrés, mais quand Park était petit, il s'amusait à l'imaginer.

Il aimait la façon dont ils s'aimaient. C'était à ça qu'il pensait quand il se réveillait en sursaut au milieu de la nuit. Pas au fait qu'ils l'aimaient *lui* ; c'étaient ses parents, ils étaient forcés de l'aimer. *Mais au fait qu'ils s'aiment, eux.* Rien ne les y obligeait.

Tous les parents de ses copains s'étaient séparés, et dans tous les cas, il semblait que la séparation était la principale raison pour laquelle ses potes étaient partis en sucette.

Mais les parents de Park s'aimaient. Ils s'embrassaient sur la bouche, peu importe qu'il y ait des témoins ou pas.

Quelles étaient les probabilités de rencontrer quelqu'un comme ça? se demandait-il. Quelqu'un qu'on aime pour toujours, quelqu'un qui vous aime en retour? Et comment faisait-on quand cette personne voyait le jour de l'autre côté de la planète?

Les probabilités lui échappaient. Comment ses parents avaient-ils eu autant de veine?

Ils ne s'étaient peut-être pas dit qu'ils avaient de la chance à l'époque. Le frère de son père venait de mourir au Vietnam; c'est pour ça que son père avait été envoyé en Corée. Et quand ses parents se sont mariés, sa mère a dû abandonner tous ceux et tout ce qu'elle aimait derrière elle.

Park se demandait si son père avait remarqué sa mère dans la rue, ou au bord d'une route en voiture ou au restaurant où elle travaillait. Il se demandait comment ils avaient su tous les deux...

Ce baiser devait durer une éternité.

Il fallait qu'il lui donne la force de rentrer chez lui.

Il fallait qu'il s'en souvienne quand il se réveillerait en sursaut au milieu de la nuit.

eleanor

La première fois qu'il lui avait pris la main, ça avait été si bon que tout le reste avait disparu. Ça avait été meilleur que la somme de toutes les fois où elle avait eu mal.

park

Les cheveux d'Eleanor se sont embrasés avec l'aube et ses yeux noirs se sont illuminés. Ses bras la tenaient fermement.

La première fois qu'il lui avait pris la main, il avait su.

eleanor

« Il n'y a rien de honteux avec Park. Rien de sale. Parce que Park est le soleil », et c'était la meilleure façon qu'elle ait trouvée pour l'expliquer.

park

— Eleanor, non, faut qu'on arrête.

— Non...

— On ne peut pas faire ça...

— Non. Ne t'arrête pas, Park.

— Je ne sais même pas comment... Je n'ai rien sur moi.

— On s'en fout.

— Mais je ne veux pas que tu tombes...

— Je m'en fous.

— Pas moi. Eleanor...

— C'est notre dernière chance.

— Non. Non, je ne peux pas... Je, non, j'ai besoin de croire que ce n'est pas notre dernière chance... Eleanor ? Tu m'entends ? J'ai besoin que tu y croies aussi.

53

park

Eleanor est descendue du pick-up, et Park s'est aventuré dans le champ de maïs pour faire pipi. (Chose embarrassante, mais pas autant que de pisser dans son froc.)

Lorsqu'il est revenu, elle était assise sur le capot de la voiture. Elle était belle, sculpturale, penchée en avant comme la proue d'un bateau.

Il s'est installé à côté d'elle.

— Hé.

— Hé.

Il a collé son épaule contre la sienne et a pleuré de soulagement quand elle s'est avachie contre lui. Les larmes semblaient inévitables aujourd'hui.

— Tu y crois vraiment ? lui a demandé Eleanor.

— À quoi ?

— Qu'il y aura d'autres chances. Que nous aurons notre chance.

— Oui.

— Quoi qu'il arrive, dit-elle d'une voix déterminée, je ne rentrerai jamais à la maison.

— Je sais.

Elle s'est tue.

— Quoi qu'il arrive, a dit Park, je t'aime.

Elle a passé les bras autour de sa taille, et lui la main autour de ses épaules.

— J'ai du mal à croire que la vie nous ait offert l'un à l'autre, et puis qu'elle reprenne tout, a déclaré Park.

— Moi non. Chienne de vie.

Il l'a serrée un peu plus fort et a enfoui la tête dans son cou.

— Mais il ne tient qu'à nous..., a murmuré Park. Il ne tient qu'à nous de ne pas tout gâcher.

eleanor

Elle a passé le reste du trajet collée à lui, même s'il n'y avait pas de ceinture de sécurité et qu'elle avait le levier de vitesse entre les jambes. Elle s'est dit que c'était beaucoup plus sûr que n'importe quel trajet à l'arrière de l'Isuzu de Richie.

Ils se sont arrêtés sur une aire et Park est parti lui acheter un Coca Cerise et du bœuf séché.

Il a appelé ses parents en PCV.

Eleanor était abasourdie qu'ils les laissent faire.

— Mon père gère à peu près. J'imagine que ma mère flippe comme une tarée.

— Est-ce qu'ils ont eu des nouvelles de ma mère ou... des autres ?

— Non. En tout cas, ils ne m'ont rien dit.

Park lui a demandé si elle voulait appeler son oncle. Mais non.

— J'empeste le garage de Steve, a-t-elle soufflé. Mon oncle va me prendre pour un dealer.

Park s'est marré.

— Je crois que tu as renversé de la bière sur ta chemise. Peut-être qu'il te prendra juste pour une alcoolique.

Elle a baissé les yeux sur sa chemise. Il y avait une tache de sang, sûrement quand elle s'était coupé la main sur son lit, et une sorte de croûte sur son épaule, sûrement de la morve quand elle avait pleuré.

— Tiens.

Park a enlevé son sweat. Puis son tee-shirt. Il le lui a tendu. Il était vert avec « Prefab sprout » marqué dessus.

— Je ne peux pas le prendre, a protesté Eleanor en le regardant remettre son sweat à même la peau.

Il était tout neuf. Et puis, il serait sûrement beaucoup trop grand pour elle.

— Tu me le redonneras.

— Ferme les yeux.

— Bien sûr, a soufflé Park en détournant le regard.

Il n'y avait personne sur le parking. Eleanor s'est aplatie sur son siège pour enfiler le tee-shirt de Park sous le sien, puis elle a retiré sa chemise sale. C'était comme ça qu'elle se changeait en cours de gym. Le tee-shirt de Park la serrait autant que son survêtement... mais il sentait le propre, comme Park.

— C'est bon.

Il a posé son regard sur elle, et son sourire a changé.

— Garde-le.

À Minneapolis, Park s'est arrêté dans une autre station-service pour demander sa route.

— C'est facile ? lui a lancé Eleanor quand il est revenu au pick-up.

— « *Easy like Sunday morning* », comme dirait la chanson. On est tout près.

54

park

Conduire en ville le rendait plus nerveux. Saint Paul n'avait rien à voir avec Omaha.

Eleanor lisait la carte, mais elle n'avait jamais lu de carte en dehors d'une salle de classe avant ; il n'y en avait pas un pour rattraper l'autre, ils n'arrêtaient pas de se tromper.

— Je suis désolée, répétait Eleanor.

— Ce n'est pas grave, lui assurait Park, heureux qu'elle soit là, à côté de lui. Je ne suis pas pressé.

Elle a appuyé une main sur la cuisse de Park.

— Je me disais...

— Ouais ?

— Je n'ai pas envie que tu viennes avec moi quand on sera là-bas.

— Tu veux dire que tu veux lui parler toute seule ?

— Non... Enfin, oui. Mais je veux dire... Je ne veux pas que tu m'attendes.

Il s'est obligé à ne pas lui lancer un regard noir, il avait peur de s'engager encore dans la mauvaise direction.

— Quoi ? Non. Et s'ils ne veulent pas que tu restes ?

— Alors ils trouveront un moyen de me renvoyer à la maison ; je serai leur problème. Peut-être que ça me laissera le temps de leur expliquer la situation.

— Mais…

« Je ne suis pas prêt à ce que tu ne sois plus mon problème. »

— C'est plus logique, Park. Si tu pars tout de suite, tu pourras arriver avant la nuit.

— Mais si je pars tout de suite…

Sa voix s'est brisée.

— Je pars tout de suite.

— Il faut qu'on se dise au revoir de toute façon. Est-ce que ça fait une différence si c'est maintenant, dans quelques heures ou demain matin ?

— Tu rigoles ?

Il lui a lancé un regard noir, en espérant qu'il oublierait de tourner à la bonne intersection.

Oui, ça fait une différence.

eleanor

— C'est plus logique comme ça, a répété Eleanor.

Et puis elle s'est mordu la lèvre. Seul un effort de volonté lui permettrait de survivre à tout ça.

Elle commençait à reconnaître les rues avec les grandes maisons au bardage gris et blanc installées sur leur pelouse en recul de la route. Toute la famille d'Eleanor était venue une fois à Pâques l'année suivant le départ de son père. Son oncle et sa femme étaient athées, mais c'était quand même un super séjour.

Ils n'avaient pas d'enfants – probablement par choix, se disait Eleanor. Probablement parce qu'ils savaient que les mignons petits bébés devenaient d'atroces adolescents à problèmes.

Mais Oncle Geoff l'avait *invitée* à venir ici.

Il voulait qu'elle vienne, au moins pour quelques mois. Peut-être qu'elle n'avait pas besoin de tout lui raconter tout de suite ; peut-être qu'il se dirait simplement qu'elle était un peu en avance.

— C'est là ? lui a demandé Park.

Il s'est arrêté en face d'une maison bleu-gris avec un saule pleureur dans le jardin.

— Ouais.

Elle reconnaissait la maison. Elle reconnaissait la Volvo de son oncle dans l'allée du garage.

Park a appuyé sur l'accélérateur.

— Tu vas où ?

— Juste... à l'angle.

park

Il a refait le tour du pâté de maisons. Parce que ça lui faisait du bien. Puis il s'est arrêté à quelques dizaines de mètres de chez son oncle, pour pouvoir surveiller l'entrée depuis la voiture. Eleanor n'arrivait pas à détacher son regard de la porte.

eleanor

Elle devait lui dire au revoir. Et elle ne savait pas comment.

park

— Tu te souviens de mon numéro de téléphone, hein ?

— 867-5309.

— Sérieux, Eleanor. Pas celui de la chanson.

— Sérieux, Park. Je n'oublierai jamais ton numéro de téléphone.

— Tu m'appelles dès que tu peux, d'accord ? Ce soir. En PCV. Et donne-moi le numéro de ton oncle. Ou, s'il ne veut pas que tu passes d'appels, envoie-le-moi par courrier, écris-le moi dans une des très nombreuses lettres que tu vas m'écrire.

— Il va peut-être me renvoyer à la maison.

— Non.

Park a lâché le levier de vitesses pour prendre sa main dans la sienne.

— Ne retourne pas là-bas. Si ton oncle te renvoie, viens chez moi. Mes parents nous aideront à trouver une solution. Mon père m'a déjà dit qu'ils le feraient.

Eleanor a baissé la tête d'un coup.

— Il ne va pas te renvoyer chez toi, a dit Park. Il va t'aider...

Elle a acquiescé en gardant les yeux rivés au sol.

— Et il te donnera la permission d'avoir des conversations téléphoniques privées longue distance...

Elle ne bougeait pas.

— Hé, a murmuré Park en soulevant son menton. Eleanor.

eleanor

Débile d'Asiat.

Débile d'Asiat magnifique.

Dieu merci, elle était incapable d'articuler quoi que ce soit à cet instant, parce que dans le cas contraire, elle lui déballerait un flot de bêtises sans fin.

Elle était quasi sûre qu'elle le remercierait de lui avoir sauvé la vie. Pas seulement hier, mais, en gros, pratiquement tous les jours depuis qu'ils s'étaient rencontrés. Ce qui lui donnait le sentiment d'être la fille la plus idiote et la plus faible au monde. Si on ne pouvait même pas se sauver soi-même, est-ce qu'on valait la peine d'être sauvé ?

« Les princes charmants magnifiques n'existent pas, s'est-elle raisonnée. Ils vécurent heureux et eurent beaucoup d'enfants non plus. »

Elle a levé la tête vers Park. Regardé droit dans ses yeux verts dorés.

« Tu m'as sauvé la vie, a-t-elle essayé de lui dire. Pas pour toujours, pas pour de bon. Pour le moment en tout cas. Tu m'as sauvé la vie, et maintenant je suis à toi. Ce que je suis devenue maintenant est à toi. Pour toujours. »

park

— Je ne sais pas comment te dire au revoir, a soufflé Eleanor.

Il a écarté les cheveux qui tombaient devant son visage. Il ne l'avait jamais vue si franche.

— Alors n'essaie pas.

— Mais je dois y aller…

— Alors vas-y, lui a-t-il dit, les mains posées sur ses joues. Mais ne me dis pas au revoir. Ce n'est pas un au revoir.

Elle a levé les yeux au ciel et secoué la tête.

— Ça craint.

— Sérieux ? Tu ne peux pas arrêter de te moquer de moi cinq minutes ?

— « Ce n'est pas un au revoir » : c'est toujours ce qu'on dit quand on a trop peur de faire face à ses vrais sentiments. Je ne te verrai pas demain, Park ; je ne sais pas *quand* je te reverrai. Alors ça vaut plus que « ce n'est pas un au revoir ».

— Je n'ai pas peur de ce que je ressens.

— Toi non, a fait Eleanor.

Sa voix s'est brisée.

— Mais moi oui.

— Toi, a dit Park en mettant ses bras autour d'elle et en se promettant que ce ne serait pas la dernière fois, tu es la personne la plus courageuse que je connaisse.

Elle a de nouveau secoué la tête, comme si elle essayait de faire passer ses larmes.

— Alors embrasse-moi au lieu de me dire au revoir, a-t-elle murmuré.

« Juste pour aujourd'hui, songea Park. Pas pour toujours. »

eleanor

On croit que serrer quelqu'un très fort dans ses bras le rapproche de nous. On croit qu'on peut le serrer tellement fort qu'on pourra encore le sentir gravé en soi quand on s'en dégage.

Chaque fois qu'Eleanor se dégageait de Park, elle manquait d'air, perdre son contact la faisait suffoquer.

Lorsqu'elle est finalement descendue du pick-up, c'est parce qu'elle pensait ne pas pouvoir supporter de le toucher et de ne plus le toucher encore une fois. Si elle devait s'arracher à lui encore une fois, elle y laisserait un peu de sa peau.

Park a commencé à descendre avec elle, mais elle l'a arrêté.

— Non. Reste là.

Elle a jeté un coup d'œil nerveux à la maison de son oncle.

— Ça va aller, lui a assuré Park.

Elle a acquiescé :

— Bien sûr.

— Parce que je t'aime.

Elle a rigolé.

— C'est ça, la raison ?

— Oui, exactement.

— Au revoir. Au revoir, Park.

— Au revoir, Eleanor. Tu sais, jusqu'à ce soir. Jusqu'à ce que tu m'appelles.

— Et s'ils ne sont pas chez eux ? Punaise, ça foutrait notre tension dramatique en l'air.

— Ce serait génial.

— Débile, murmura-t-elle sans cesser de sourire.

Elle a fait un pas en arrière et elle a refermé la portière.

Les lèvres de Park ont dessiné « Je t'aime ». Peut-être qu'il l'a dit tout haut. Elle ne l'entendait plus.

55

park

Il ne prenait plus le bus. Plus besoin. Sa mère lui avait donné l'Impala quand son père avait acheté une Taurus neuve...

Il ne prenait plus le bus, parce qu'il aurait eu la banquette pour lui tout seul.

Même si l'Impala était tout aussi hantée par les souvenirs.

Certains matins, quand il arrivait à l'école en avance, il restait assis dans sa voiture sur le parking, la tête contre le volant, et il laissait ce qu'il restait d'Eleanor le submerger jusqu'à ce qu'il manque d'air.

Ce n'était pas mieux au lycée.

Elle n'était pas à son casier. Ni en cours. M. Stessman a dit que ça ne rimait à rien de lire *Macbeth* en classe sans la voix d'Eleanor.

— Fi, « messire, fi », s'était-il lamenté.

Elle ne restait plus dîner. Elle ne se blottissait plus contre lui quand il regardait la télé.

Park passait la plupart de ses soirées allongé sur son lit parce que c'était le seul endroit où il ne l'avait jamais vue.

Il s'allongeait sur son lit et n'allumait plus jamais sa chaîne hi-fi.

eleanor

Elle ne prenait plus le bus. Son oncle l'emmenait à l'école. Il l'a obligée à y aller, même s'il ne restait que quatre semaines de cours et que tout le monde bossait déjà ses exams de fin d'année.

Il n'y avait aucun Asiatique dans son nouveau lycée. Il n'y avait pas de Noirs non plus.

Quand son oncle est descendu à Omaha, il a dit qu'elle n'était pas obligée de venir avec lui, et à son retour, il lui a rapporté le sac-poubelle qu'elle avait planqué dans le placard de sa chambre. Eleanor avait déjà de nouveaux vêtements. Et une nouvelle bibliothèque. Et une nouvelle stéréo. Et un paquet de six cassettes vierges.

park

Eleanor n'a pas appelé ce soir-là.

Elle ne lui avait pas dit qu'elle le ferait, à la réflexion. Elle ne lui avait pas dit non plus qu'elle lui écrirait, mais Park pensait qu'ils avaient un accord tacite. Il pensait que ça allait de soi.

Après qu'Eleanor fut descendue de la voiture, Park avait attendu devant la maison de son oncle.

Il était censé partir dès que la porte s'ouvrirait, dès qu'il aurait la confirmation qu'il y avait quelqu'un chez son oncle. Mais il ne pouvait pas la laisser comme ça.

Il a observé la femme à la porte serrer Eleanor très fort dans ses bras, et il a regardé la porte se refermer. Et puis il a attendu, juste au cas où Eleanor changerait d'avis. Juste au cas où elle déciderait finalement qu'il devait entrer avec elle.

La porte est restée fermée. Park s'est rappelé sa promesse

et il est parti. « Plus vite je rentre, plus vite j'aurai de ses nouvelles. »

À la première station-service, il lui a envoyé une carte postale « BIENVENUE AU MINNESOTA, L'ÉTAT AUX 10 000 LACS ».

Quand il est arrivé à la maison, sa mère s'est jetée sur lui pour le prendre dans ses bras.

— Ça va ? lui a demandé son père.

— Ouais.

— Ça a été avec le pick-up ?

— Très bien.

Son père est sorti pour s'en assurer.

— Toi, lui a dit sa mère, je me suis fait souci pour toi.

— Ne t'inquiète pas, maman, je suis juste fatigué.

— Comment va Eleanor ? Elle va bien ?

— Je pense que oui, elle a appelé ?

— Non. Personne appeler.

Dès que sa mère l'a laissé partir, Park s'est réfugié dans sa chambre pour écrire une lettre à Eleanor.

eleanor

Quand sa tante a ouvert la porte, elle était déjà en pleurs.

— Eleanor, n'arrêtait pas de répéter Susan. Oh ! mon Dieu, Eleanor. Qu'est-ce que tu fais là ?

Eleanor a essayé de lui dire que tout allait bien. Ce qui n'était pas vrai ; elle ne serait pas là si c'était le cas. Mais personne n'était mort.

— Personne n'est mort, lui a-t-elle assuré.

— Oh ! mon Dieu, Geoffrey ! s'est écriée Susan. Reste là, ma chérie. Geoff...

Plantée toute seule sur le pas de la porte, Eleanor a pris conscience qu'elle n'aurait pas dû insister pour que Park s'en aille tout de suite.

Elle n'était pas prête à le laisser partir.

Elle a ouvert la porte et elle a couru dans la rue. Il était déjà parti ; elle l'a cherché des deux côtés de la rue.

Quand elle s'est retournée, elle a vu son oncle et sa tante l'observer depuis le porche.

Coups de fil. Thé à la menthe. Son oncle et sa tante ont discuté longuement dans la cuisine après qu'elle fut montée se coucher.

— Et Sabrina...

— Ils sont cinq en tout.

— Il faut qu'on les sorte de là, Geoffrey...

— Et si elle nous raconte des histoires ?

Eleanor a sorti la photo de Park de sa poche arrière et elle l'a lissée à même le couvre-lit. Elle ne lui ressemblait pas. Le mois d'octobre lui semblait déjà appartenir à une autre vie. Le monde tournait tellement vite, elle ne savait plus où elle en était maintenant.

Sa tante lui avait prêté un pyjama, elles faisaient à peu près la même taille, mais Eleanor a remis le tee-shirt de Park en sortant de la douche.

Il avait son odeur. Celle de chez lui, de pot-pourri. Ça sentait le savon, le garçon, et le bonheur.

Elle s'est laissée tomber en avant sur le lit, en se tenant le creux qui lui trouait l'estomac.

Personne ne la croirait jamais.

Elle a écrit une lettre à sa mère.

Elle lui a dit tout ce qu'elle avait voulu lui dire ces six derniers mois.

Elle lui a dit qu'elle était désolée.

Elle la suppliait de penser à Ben et Mouse, et à Maisie.

Elle la menaçait d'appeler la police.

Sa tante lui a donné un timbre.

— Ils sont dans le tiroir à bazar, Eleanor, prends-en autant que tu veux.

park

Quand il en a eu marre de sa chambre, quand il n'a plus rien trouvé dans sa vie qui sente la vanille, Park s'est mis à passer devant la maison d'Eleanor.

Parfois le fourgon était là, parfois non, parfois le rottweiler dormait sous le porche. Mais pas le moindre signe de jouets cassés dehors, ni d'enfants blond-roux dans le jardin.

Josh lui a dit que le petit frère d'Eleanor ne venait plus à l'école.

— Tout le monde dit qu'ils sont partis. Toute la famille.

— C'est bonne nouvelle, a commenté leur mère. Peut-être la jolie maman a compris la mauvaise situation, tu sais. Bien pour Eleanor.

Park s'est contenté de hocher la tête.

Il se demandait si ses lettres lui parvenaient, où qu'elle soit maintenant.

eleanor

Il y avait un téléphone rouge à cadran rotatif dans la chambre d'ami. Sa chambre. Quand il sonnait, Eleanor avait envie de décrocher et de dire : « Que se passe-t-il, commissaire Gordon ? », comme dans Batman.

Parfois, quand elle était seule dans la maison, elle prenait le téléphone sur son lit et elle écoutait la tonalité.

Elle s'entraînait à composer le numéro de Park, ses doigts glissaient sur le cadran. Parfois, quand il n'y avait plus de tonalité, elle faisait semblant que Park lui chuchotait à l'oreille.

— Tu as déjà eu un copain ? lui a demandé Dani.

Dani était au camp de théâtre elle aussi. Elles déjeunaient ensemble, assises sur la scène, avec les jambes qui pendaient dans la fosse d'orchestre.

— Non.

Park n'était pas un copain, c'était un champion.

— Tu as déjà embrassé quelqu'un ?

Eleanor a secoué la tête.

Ce n'était pas son copain.

Et ils ne se sépareraient jamais. Ils n'auraient pas non plus l'occasion de se lasser. Ni de s'éloigner l'un de l'autre. (Ils ne deviendraient pas ce cliché débile d'amoureux de lycée.)

Ils allaient simplement arrêter.

Eleanor avait pris cette décision dans le pick-up du père de Park. Elle l'avait décidé à hauteur d'Albert Lea, dans le Minnesota. S'ils ne se mariaient pas, si ce n'était pas pour toujours, ce n'était qu'une question de temps.

Ils allaient simplement arrêter.

Park ne l'aimerait jamais plus que le jour où ils s'étaient dit au revoir.

Et elle ne supportait pas l'idée qu'il puisse l'aimer moins.

park

Quand il en avait marre de lui-même, Park passait devant chez elle. Parfois le fourgon était là. Parfois non. Parfois, Park restait planté au bout du trottoir à haïr tout ce que cette maison représentait.

56

eleanor

Des lettres, des cartes postales, des colis qui, à l'oreille, semblaient contenir des cassettes audio. Elle n'avait rien ouvert, rien lu.

« *Cher Park* », a écrit Eleanor sur du papier à lettres vierge.

« *Cher Park* ». Elle essayait de lui expliquer.

Mais les explications se brisaient dans ses mains. La vérité était trop dure à écrire, c'était trop dur de le perdre. Tout ce qu'elle ressentait pour lui lui brûlait les doigts.

« *Je suis désolée* », a continué Eleanor, avant de le barrer.

« *C'est bien trop...* », a-t-elle recommencé.

Elle a balancé les lettres inachevées à la poubelle. Elle a balancé les enveloppes encore scellées dans le dernier tiroir de sa commode.

— Cher Park, murmura-t-elle tête baissée au-dessus de sa commode, arrête.

park

Son père lui a dit qu'il devait se trouver un job d'été pour payer son essence.

Ni l'un ni l'autre n'ont mentionné le fait que Park n'allait jamais nulle part. Ou qu'il avait commencé à se mettre de l'eye-liner avec le pouce. Pour se faire les yeux au beurre noir tout seul.

Il avait suffisamment l'air d'une épave pour décrocher un poste chez Drastic Plastic. La fille qui l'avait embauché avait deux rangées de trous à chaque oreille.

Sa mère a arrêté d'aller chercher le courrier. Il savait que c'était parce qu'elle détestait lui dire qu'il n'y avait rien pour lui. Park relevait le courrier chaque soir en rentrant du boulot. Chaque soir il priait pour qu'il pleuve.

Il avait un approvisionnement inépuisable de musique punk et il ne pouvait plus s'en passer.

— Je ne m'entends plus penser là-dedans, a rouspété son père en venant baisser le son pour le troisième soir de suite.

« Pff, aurait fait Eleanor.

Eleanor n'a pas repris les cours à l'automne. Pas avec Park en tout cas.

Elle n'a pas célébré en grande pompe le fait que les troisième année soient dispensés de cours de gym. Elle n'a pas dit : « C'est une alliance malsaine, Batman » lorsque Steve et Tina se sont enfuis ensemble le week-end de la fête du travail, juste avant la rentrée.

Park lui avait écrit une lettre pour lui raconter. Il lui avait décrit tout ce qui s'était passé, et tout ce qui ne s'était pas passé, depuis le jour où elle était partie.

Il a continué à lui écrire des mois après avoir arrêté de lui envoyer des lettres. Le jour de l'An, il a écrit qu'il espérait qu'elle avait tout ce qu'elle avait jamais souhaité. Puis il a balancé la lettre dans une boîte sous son lit.

57

park

Il n'essayait plus de la faire revenir.

Elle revenait seulement quand elle en avait envie de toute façon, dans des rêves, des mensonges et du déjà-vu hors d'usage.

En voiture, par exemple, quand il allait au travail et qu'il voyait à l'angle d'une rue une fille aux cheveux roux, il pouvait jurer, le temps d'un hoquet, que c'était elle.

Ou il se réveillait quand il faisait encore noir, persuadé qu'elle l'attendait dehors. Persuadé qu'elle avait de besoin de lui.

Mais il ne pouvait pas la rappeler à lui. Parfois il ne se rappelait même pas à quoi elle ressemblait, même quand il regardait sa photo. (Peut-être l'avait-il trop regardée.)

Il n'essayait plus de la faire revenir.

Alors pourquoi continuait-il à venir ici ? Devant cette petite maison merdique...

Eleanor n'était pas là, elle n'avait jamais vraiment été là ; et elle était partie depuis trop longtemps. Presque un an maintenant.

Park a tourné les talons, mais le petit fourgon marron s'est engagé trop vite dans l'allée, il a mordu sur le trottoir et manqué de le faucher. Park s'est immobilisé et il a attendu. La portière passager s'est ouverte brusquement.

« Peut-être, a-t-il compris. Peut-être que c'est pour ça que je suis là. »

Le beau-père d'Eleanor, Richie, a mis du temps à sortir de l'habitacle. Park l'a reconnu même s'il ne l'avait vu qu'une seule fois, quand il avait apporté à Eleanor le deuxième numéro des *Watchmen*, et qu'il avait ouvert la porte...

Le dernier numéro des *Watchmen* était sorti quelques mois après le départ d'Eleanor. Il se demandait si elle l'avait lu, et si elle pensait qu'Ozymandias était du côté des méchants, et ce que Dr Manhattan voulait dire quand il a lancé « Rien n'est jamais fini » à la fin. Park se demandait toujours quel aurait été l'avis d'Eleanor sur tout.

Son beau-père ne l'a pas vu au début. Richie se déplaçait lentement, d'un pas hésitant. Lorsqu'il a remarqué Park, il l'a regardé comme s'il était un mirage.

— T'es qui ? a beuglé Richie.

Park n'a pas répondu. Richie a pivoté sur lui-même en vacillant et s'est approché de lui par à-coups.

— Qu'est-ce que tu veux ?

Même à quelques mètres, il avait cette odeur aigre. De bière, de sous-sol.

Park n'a pas cillé.

« Je veux te tuer, a-t-il songé. Et je peux le faire, a-t-il réalisé. Je devrais le faire. »

Richie n'était pas tellement plus grand que Park, et il était soûl et désorienté. En plus, il ne devait pas avoir envie de dérouiller Park autant que lui en avait envie.

À moins que Richie ne soit armé, ou chanceux, Park pouvait le faire.

Richie s'est approché en traînant des pieds.

— Qu'est-ce que tu veux ? a-t-il encore gueulé.

L'intensité de sa propre voix lui a fait perdre l'équilibre et il a basculé en avant, pour s'affaler lourdement par terre. Park a dû faire un pas en arrière pour ne pas le rattraper.

— Putain, a fait Richie en se remettant tant bien que mal sur ses genoux.

« Je veux te tuer », s'est répété Park.

« Et je peux le faire. »

« Quelqu'un devrait le faire... »

Park a baissé les yeux sur ses Dr. Martens coquées. Il venait juste de les acheter. (Il les avait eues en soldes, avec la réduction pour les employés.) Il a regardé la tête de Richie, fixée à son cou comme un punching-ball en cuir.

Park éprouvait pour lui une haine qu'il ne pensait jamais pouvoir ressentir pour qui que ce soit.

Une haine plus violente que n'importe quel sentiment...

Ou presque.

Il a levé sa chaussure et tapé du pied sur le sol devant la tête de Richie. De la glace et de la boue ont jailli dans sa bouche entrouverte.

Richie a été pris d'une quinte de toux et il s'est vautré par terre.

Park a attendu qu'il se relève, mais l'autre restait étendu, à cracher des insultes et à se frotter les yeux avec ses mains pleines de gravillons et de sel.

Il n'était pas mort. Mais il ne se relevait pas.

Park a attendu.

Et puis il est rentré chez lui.

eleanor

Des lettres, des cartes postales, des colis jaunes rembourrés qui cliquetaient dans ses mains. Elle n'avait rien ouvert, rien lu.

Ce n'était pas génial de recevoir une lettre tous les jours. C'était encore pire quand ça s'est arrêté.

Des fois, elle les étalait sur la moquette comme des cartes de tarot, comme des barres chocolatées Wonka, et elle se demandait s'il était trop tard.

58

park

Eleanor n'est pas allée au bal avec lui.

Mais Cat, oui.

Cat du boulot. Elle était toute maigre et sinistre, avec des yeux bleus et plats comme des pastilles à la menthe. Lorsque Park lui a pris la main, il a eu l'impression de tenir la main à un mannequin en plastique, et ça l'a tellement soulagé qu'il l'a embrassée. Il s'est endormi dans son pantalon de smoking et son tee-shirt Fugazi.

Il a été réveillé le lendemain par un poids plume sur sa poitrine ; il a ouvert les yeux. Son père était debout au-dessus de lui.

— C'est le facteur, a fait son père d'une voix presque douce.

Park a mis sa main sur son cœur.

Ce n'était pas une lettre d'Eleanor.

C'était une carte postale. « BONS BAISERS DE L'ÉTAT AUX 10 000 LACS », pouvait-on lire dessus. Park l'a retournée et a reconnu ses pattes de mouche. Des paroles de chansons ont envahi son esprit.

Il s'est assis. Il a souri. Quelque chose de lourd s'est envolé de sa poitrine.

Ce n'était pas une lettre d'Eleanor, c'était une carte postale.

Avec seulement trois mots dessus.

Remerciements

J'aimerais remercier quelques-unes des personnes qui m'ont aidée à accomplir ce livre, et à m'accomplir à travers ce livre.

Tout d'abord, merci à Colleen Eickelman, qui a insisté pour que je passe au lycée.

Aux familles Bent et Huntley, dont la gentillesse m'a maintenue en vie.

À mon frère, Forest, qui me promet toujours qu'il ne dit pas les choses simplement parce que je suis sa sœur.

À Nicolas Barr, Sara O'Keefe et Natalie Braine pour avoir fait montre d'autant de détermination et de persuasion, pour avoir fait disparaître l'océan Atlantique et, surtout, pour avoir veillé sur Eleanor.

Merci aussi, pendant que j'y suis, à toute l'équipe chez Orion et St. Martin's Press.

Merci surtout à la merveilleuse et talentueuse Sara Goodman, en qui j'ai eu une confiance aveugle à la minute où elle s'est assise à côté de moi dans le bus.

À mon cher ami Christopher Schelling, le meilleur scénario qui soit.

Et enfin, merci à Kai, Laddie, et Rosie pour leur amour et leur patience. (Vous êtes mes préférés de toute la vie.)

Ouvrage composé par
PCA - 44400 REZÉ

Achevé d'imprimer au Canada
sur les presses de Imprimerie Lebonfon Inc.

Dépôt légal : juin 2014
Suite du premier tirage: septembre 2014

Pocket Jeunesse, une marque d'Univers Poche,
est un éditeur qui s'engage pour
la préservation de l'environnement
et qui utilise du papier fabriqué à partir
de bois provenant de forêts gérées
de manière responsable.

12, avenue d'Italie - 75627 PARIS Cedex 13